Level 1

Listening 공감 Level 1

지은이 넥서스영어교육연구소
펴낸이 안용백
펴낸곳 (주)넥서스

출판신고 1992년 4월 3일 제311-2002-2호 ①
121-893 서울특별시 마포구 양화로 8길 24
Tel (02)330-5500 Fax (02)330-5555

ISBN 978-89-6790-898-0 54740
978-89-6790-897-3 (SET)

www.nexusEDU.kr
NEXUS Edu는 (주)넥서스의 초·중·고 학습물 전문 브랜드입니다.

※집필에 도움을 주신 분
:Carolyn Papworth, McKathy Green, Rachel Swan

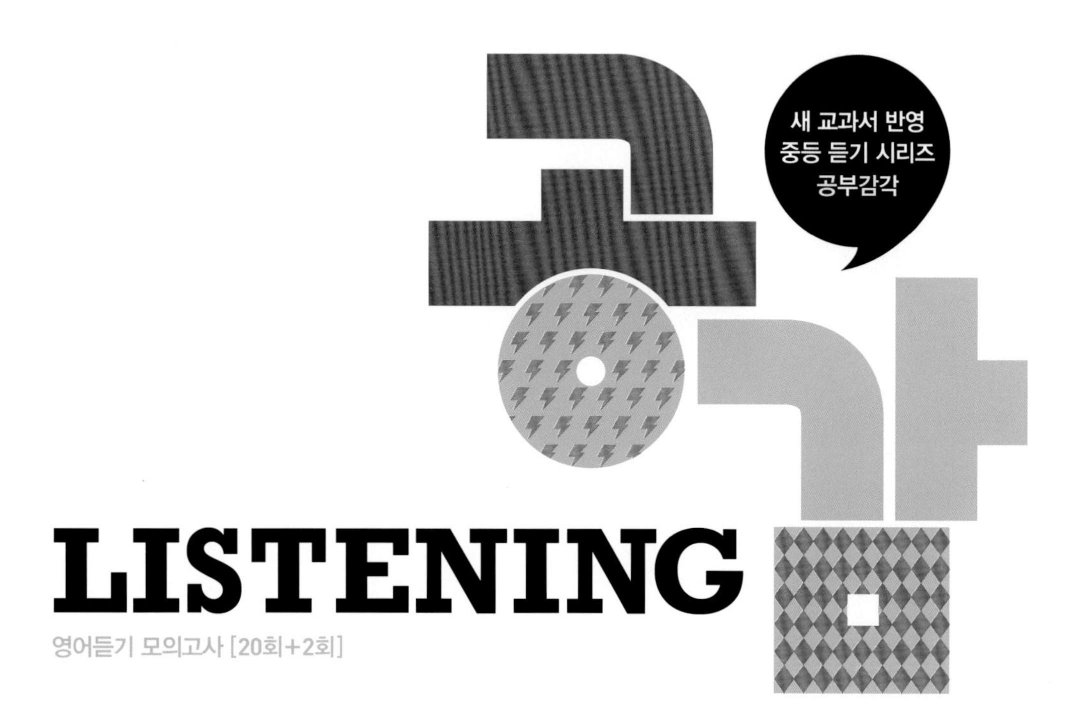

공감 LISTENING

영어듣기 모의고사 [20회+2회]

넥서스영어교육연구소 지음

Level 1

NEXUS Edu

Listening Gong Gam helps you...

G — Get high scores
최근 5년간 출제된 전국 시·도 교육청 공동 주관 영어듣기능력평가의 출제 경향을 철저히 분석, 시험에 자주 나오는 문제 유형으로 구성하여 듣기능력평가 성적을 향상시켜 줍니다.

O — Obtain a wide vocabulary
풍부한 어휘 리스트를 제공, 기본적인 어휘 실력을 향상시켜 줍니다.

N — Nurture your English skills
최신 개정 교과서를 분석, 반영하여 다양한 상황에서의 대화 및 문제로 듣기 실력의 기초를 튼튼히 다져 줍니다.

G — Get writing skills
받아쓰기 문제를 통해 기본적인 어휘, 핵심 구문 및 회화에서 많이 쓰이는 간단한 문장을 듣고 쓰는 실력을 향상시켜 줍니다.

G — Get speaking skills
다양한 상황에서 일어나는 영어 대화를 통해 일상 회화 능력을 기르고, 내신 대비 듣기·말하기 수행평가를 대비하며, 스피킹 능력을 향상시킬 수 있게 해 줍니다.

A — Acquire good listening sense
풍부한 양의 영어 대화 및 지문을 들음으로써 영어듣기의 기본 감각을 익히고, 영어식 사고의 흐름을 파악할 수 있게 해 줍니다.

M — Master the essentials of Listening
엄선된 스크립트와 문제, 많이 쓰이는 기본 어휘 등을 통해 영어 말하기의 기초인 듣기를 정복할 수 있게 해 줍니다.

영어듣기모의고사 1회~20회

최근 5년간 출제된 기출 문제를 철저히 분석하여 출제 가능성이 높은 문제로 엄선하여 구성하였습니다. 총 20회 400문제를 통해 듣기 실력을 향상시킬 수 있습니다.

01 영어듣기 모의고사

정답 및 해설 p.10

Level 1

1. 다음을 듣고, 'it'이 가리키는 것으로 가장 적절한 것을 고르시오.

2. 대화를 듣고, 무엇에 관한 내용인지 가장 적절한 것을 고르시오.
① 질병 관리 ② 장래 희망 ③ 봉사 활동
④ 경시대회 ⑤ 건강 검진

3. 다음을 듣고, 내일 동부의 날씨로 가장 적절한 것을 고르시오.

4. 대화를 듣고, 여자의 마지막 말에 담긴 의도로 가장 적절한 것을 고르시오.
① 거절 ② 허락 ③ 충고 ④ 꾸중 ⑤ 격려

5. 다음을 듣고, 남자에 대해 언급되지 않은 것을 고르시오.
① 이름 ② 가족 ③ 사는 곳
④ 좋아하는 영화 ⑤ 장래 희망

Take Notes

6. 대화를 듣고, 두 사람이 만나기로 한 시간을 고르시오.
① 9:00 ② 9:30 ③ 10:00 ④ 10:30 ⑤ 11:00

7. 대화를 듣고, 남자가 전화를 건 목적을 고르시오.
① 숙제를 물어보려고
② 약속 시간을 변경하려고
③ 함께 공부하자고 말하려고
④ 변경된 시간표를 확인하려고
⑤ 동생을 돌봐 달라고 부탁하려고

8. 대화를 듣고, 남자의 현재 심정으로 가장 적절한 것을 고르시오.
① 슬픔 ② 지루함 ③ 부러움
④ 놀라움 ⑤ 외로움

9. 대화를 듣고, 여자가 지난 주말에 한 일로 가장 적절한 것을 고르시오.
① 운동하기
② 음식 만들기
③ 보고서 쓰기
④ 자원봉사하기
⑤ 조부모님 방문하기

10. 대화를 듣고, 남자가 지불한 금액을 고르시오.
① $10 ② $15 ③ $20 ④ $25 ⑤ $30

Take Notes

8

01회 영어듣기모의고사 9

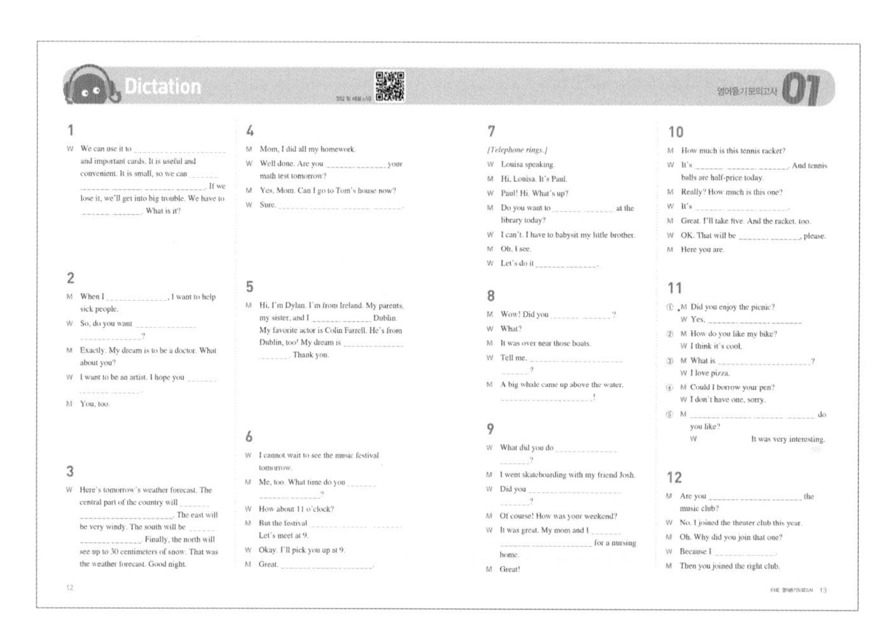

Dictation

영어듣기모의고사 01

1

W We can use it to ______ and important cards. It is useful and convenient. It is small, so we can ______ ______. If we lose it, we'll get into big trouble. We have to ______. What is it?

2

M When I ______, I want to help sick people.
W So, do you want ______?
M Exactly. My dream is to be a doctor. What about you?
W I want to be an artist. I hope you ______.
M You, too.

3

W Here's tomorrow's weather forecast. The central part of the country will ______. The east will be very windy. The south will be ______. Finally, the north will see up to 30 centimeters of snow. That was the weather forecast. Good night.

4

M Mom, I did all my homework.
W Well done. Are you ______ your math test tomorrow?
M Yes, Mom. Can I go to Tom's house now?
W Sure. ______.

5

M Hi, I'm Dylan. I'm from Ireland. My parents, my sister, and I ______ Dublin. My favorite actor is Colin Farrell. He's from Dublin, too! My dream is ______. Thank you.

6

W I cannot wait to see the music festival tomorrow.
M Me, too. What time do you ______?
W How about 11 o'clock?
M But the festival ______. Let's meet at 9.
W Okay. I'll pick you up at 9.
M Great. ______.

7

[Telephone rings.]
W Louisa speaking.
M Hi, Louisa. It's Paul.
W Paul! Hi. What's up?
M Do you want to ______ at the library today?
W I can't. I have to babysit my little brother.
M Oh, I see.
W Let's do it ______.

8

M Wow! Did you ______?
W What?
M It was over near those boats.
W Tell me. ______?
M A big whale came up above the water. ______!

9

W What did you do ______?
M I went skateboarding with my friend Josh.
W Did you ______?
M Of course! How was your weekend?
W It was great. My mom and I ______ for a nursing home.
M Great!

10

M How much is this tennis racket?
W It's ______. And tennis balls are half-price today.
M Really? How much is this one?
W It's ______.
M Great. I'll take five. And the racket, too.
W OK. That will be ______, please.
M Here you are.

11

① M Did you enjoy the picnic?
W Yes, ______
② M How do you like my bike?
W I think it's cool.
③ M What is ______?
W I love pizza.
④ M Could I borrow your pen?
W I don't have one, sorry.
⑤ M ______ do you like?
W It was very interesting.

12

M Are you ______ the music club?
W No. I joined the theater club this year.
M Oh. Why did you join that one?
W Because I ______.
M Then you joined the right club.

12

01회 영어듣기모의고사 13

받아쓰기 Dictation

실제 회화에서 쓰이는 대화 및 시험에 자주 출제되는 상황을 원어민의 생생한 목소리를 통해 들으면서 놓치기 쉬운 주요 핵심 단어, 구문, 간단한 문장을 학습할 수 있도록 구성하였습니다.

기출모의고사 1회~2회

최신 기출 문제를 분석하여 중등 시·도 교육청이 주관하는 실전 듣기능력평가시험에 대비할 수 있도록 기출 문제 2회분을 수록하였습니다. 실전모의고사를 통해 쌓은 듣기 실력을 최종 점검할 수 있습니다.

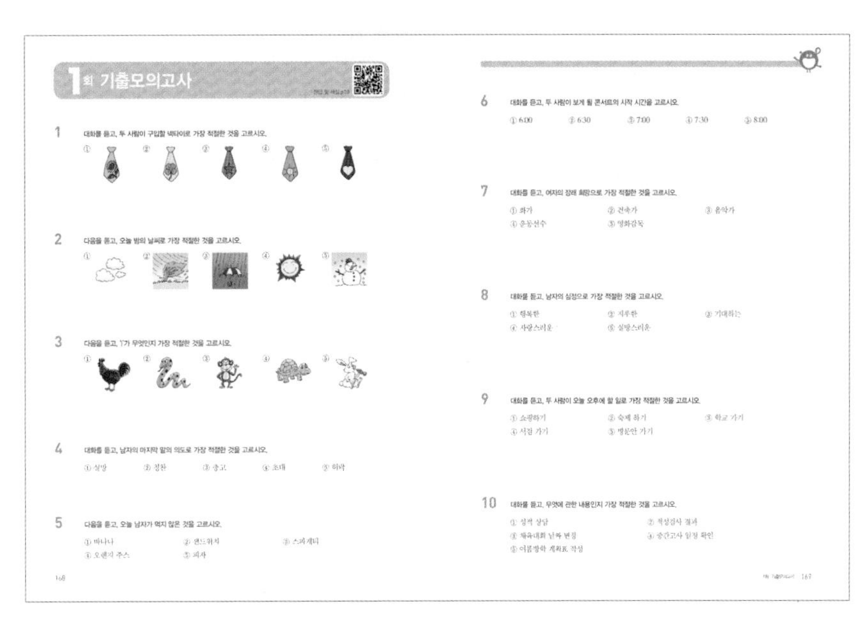

1회 기출모의고사

1 대화를 듣고, 두 사람이 구입할 넥타이로 가장 적절한 것을 고르시오.

2 다음을 듣고, 오늘 밤의 날씨로 가장 적절한 것을 고르시오.

3 다음을 듣고, 'I'가 무엇인지 가장 적절한 것을 고르시오.

4 대화를 듣고, 남자의 마지막 말의 의도로 가장 적절한 것을 고르시오.
① 실망 ② 칭찬 ③ 충고 ④ 초대 ⑤ 허락

5 다음을 듣고, 오늘 남자가 먹지 않은 것을 고르시오.
① 바나나 ② 샌드위치 ③ 스파게티 ④ 오렌지 주스 ⑤ 피자

168

6 대화를 듣고, 두 사람이 보게 될 콘서트의 시작 시간을 고르시오.
① 6:00 ② 6:30 ③ 7:00 ④ 7:30 ⑤ 8:00

7 대화를 듣고, 여자의 장래 희망으로 가장 적절한 것을 고르시오.
① 화가 ② 건축가 ③ 음악가 ④ 운동선수 ⑤ 영화감독

8 대화를 듣고, 남자의 심정으로 가장 적절한 것을 고르시오.
① 행복한 ② 지루한 ③ 기대하는 ④ 사랑스러운 ⑤ 실망스러운

9 대화를 듣고, 두 사람이 오늘 오후에 할 일로 가장 적절한 것을 고르시오.
① 쇼핑하기 ② 숙제 하기 ③ 학교 가기 ④ 서점 가기 ⑤ 병문안 가기

10 대화를 듣고, 무엇에 관한 내용인지 가장 적절한 것을 고르시오.
① 성적 상담 ② 적성검사 결과 ③ 체육대회 날짜 변경 ④ 중간고사 일정 확인 ⑤ 여름방학 계획표 작성

167

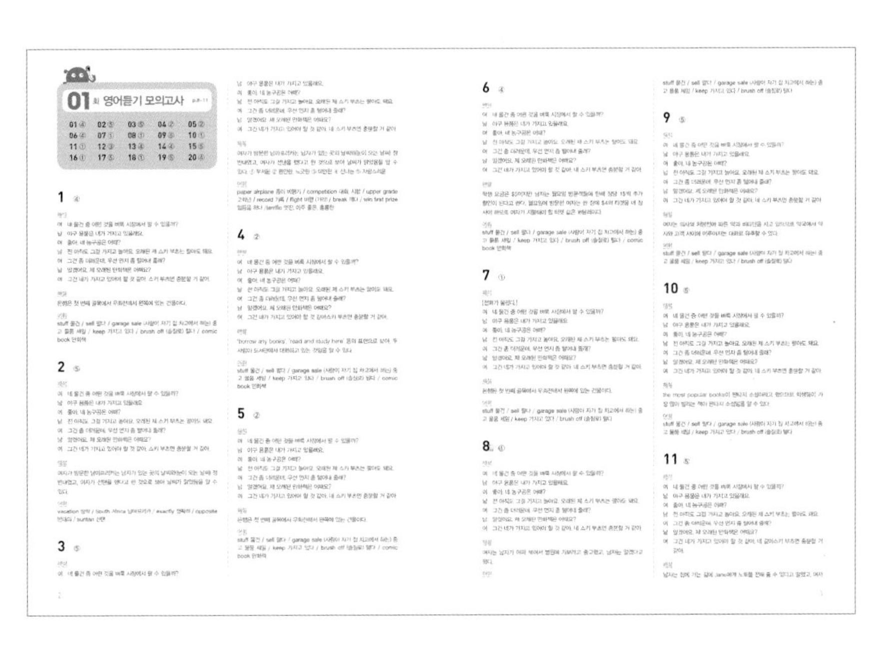

01회 영어듣기 모의고사

정답 및 해설 Answers

쉽고 간단한 해설 및 해석을 통해 듣기 실력을 확인할 수 있습니다. 각 문제별 어휘 모음을 통해 듣기와 말하기의 기초 실력을 다질 수 있습니다.

Contents

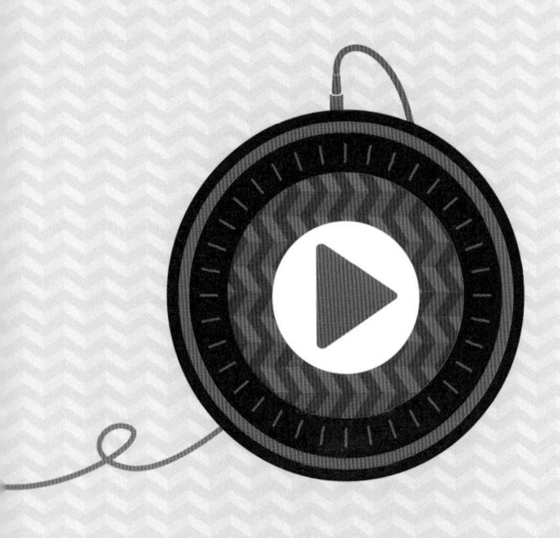

영어듣기 모의고사

01회 ~ 20회

기출모의고사

01회 ~ 02회

영어듣기 모의고사

정답 및 해설 p.2

Take Notes

1 다음을 듣고, 'it'이 가리키는 것으로 가장 적절한 것을 고르시오.

① 
② 
③ 
④ 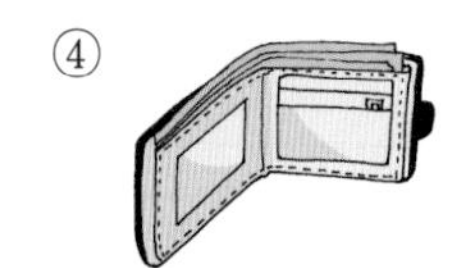
⑤ 

2 대화를 듣고, 무엇에 관한 내용인지 가장 적절한 것을 고르시오.

① 질병 관리 ② 장래 희망 ③ 봉사 활동
④ 경시대회 ⑤ 건강 검진

3 다음을 듣고, 내일 동부의 날씨로 가장 적절한 것을 고르시오.

① 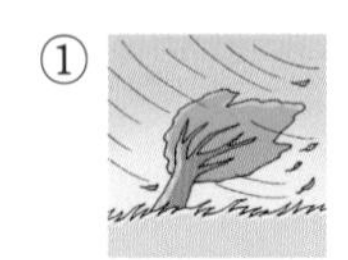
② 
③ 
④ 

⑤ 

4 대화를 듣고, 여자의 마지막 말에 담긴 의도로 가장 적절한 것을 고르시오.

① 거절 ② 허락 ③ 충고 ④ 꾸중 ⑤ 격려

5 다음을 듣고, 남자에 대해 언급되지 않은 것을 고르시오.

① 이름 ② 가족 ③ 사는 곳
④ 좋아하는 영화 ⑤ 장래 희망

Take Notes

6 대화를 듣고, 두 사람이 만나기로 한 시간을 고르시오.

① 9:00 ② 9:30 ③ 10:00 ④ 10:30 ⑤ 11:00

7 대화를 듣고, 남자가 전화를 건 목적을 고르시오.

① 숙제를 물어보려고
② 약속 시간을 변경하려고
③ 함께 공부하자고 말하려고
④ 변경된 시간표를 확인하려고
⑤ 동생을 돌봐 달라고 부탁하려고

8 대화를 듣고, 남자의 현재 심정으로 가장 적절한 것을 고르시오.

① 슬픔 ② 지루함 ③ 부러움
④ 놀라움 ⑤ 외로움

9 대화를 듣고, 여자가 지난 주말에 한 일로 가장 적절한 것을 고르시오.

① 운동하기
② 음식 만들기
③ 보고서 쓰기
④ 자원봉사하기
⑤ 조부모님 방문하기

10 대화를 듣고, 남자가 지불한 금액을 고르시오.

① $10 ② $15 ③ $20 ④ $25 ⑤ $30

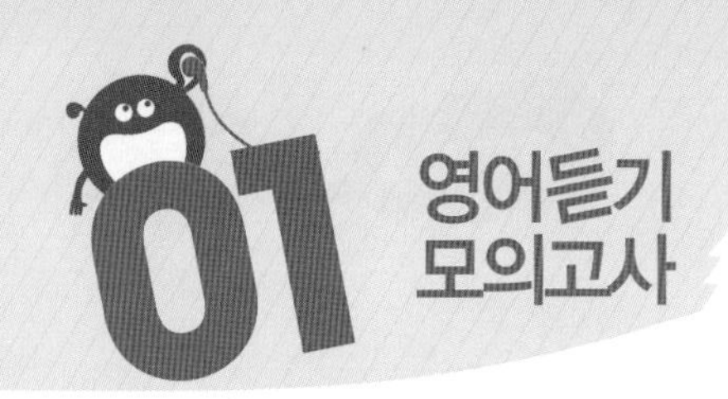

Take Notes

11 다음을 듣고, 두 사람의 대화가 어색한 것을 고르시오.

① ② ③ ④ ⑤

12 대화를 듣고, 여자가 영화 동아리에 가입한 이유로 가장 적절한 것을 고르시오.

① 배우가 되고 싶어서
② 친한 친구가 있어서
③ 연기하는 것이 좋아서
④ 영화 대본을 쓰고 싶어서
⑤ 다양한 영화를 보고 싶어서

13 대화를 듣고, 두 사람의 관계로 가장 적절한 것을 고르시오.

① 엄마 - 아들
② 사장 - 직원
③ 의사 - 환자
④ 교사 - 학생
⑤ 보모 - 주부

14 대화를 듣고, 여자가 남자에게 부탁한 일로 가장 적절한 것을 고르시오.

① 야채 다듬기
② 가게 다녀오기
③ 손님 배웅하기
④ 케이크 반죽하기
⑤ 생일 선물 골라주기

15 대화를 듣고, 남자가 어제 바지를 사지 못한 이유로 가장 적절한 것을 고르시오.

① 깜박해서
② 너무 비싸서
③ 매진이 되어서
④ 돈이 부족해서
⑤ 가게가 문을 열지 않아서

16 대화를 듣고, 두 사람이 만나기로 한 장소로 가장 적절한 곳을 고르시오.

Take Notes

① 학교 앞 ② 여자의 집
③ 영화관 앞 ④ 쇼핑몰 안
⑤ 지하철역 앞

17 대화를 듣고, 여자가 할 일로 가장 적절한 것을 고르시오.

① 물을 떠온다. ② 침대에 눕는다. ③ 운동을 한다.
④ 약을 먹는다. ⑤ 병원에 간다.

18 대화를 듣고, 두 사람이 오늘 오후에 할 일로 가장 적절한 것을 고르시오.

① 쇼핑하기 ② 영화 보기
③ 수영하기 ④ 게임 하기
⑤ 숙제 하기

19-20 대화를 듣고, 남자의 마지막 말에 이어질 여자의 응답으로 가장 적절한 것을 고르시오.

19 Woman ______________________

① I'm full.
② In the kitchen.
③ I went to the store.
④ I bought it for you.
⑤ It was too expensive.

20 Woman ______________________

① It's too late.
② You did a good job.
③ I don't need your help.
④ Please bring me a towel.
⑤ I don't like to take showers.

Dictation

정답 및 해설 p.5

1

W We can use it to ________ ________ ________ and important cards. It is useful and convenient. It is small, so we can ________ ________ ________ ________ ________. If we lose it, we'll get into big trouble. We have to ________ ________. What is it?

2

M When I ________ ________, I want to help sick people.

W So, do you want ________ ________ ________ ________?

M Exactly. My dream is to be a doctor. What about you?

W I want to be an artist. I hope you ________ ________ ________.

M You, too.

3

W Here's tomorrow's weather forecast. The central part of the country will ________ ________ ________ ________. The east will be very windy. The south will be ________ ________ ________. Finally, the north will see up to 30 centimeters of snow. That was the weather forecast. Good night.

4

M Mom, I did all my homework.

W Well done. Are you ________ ________ your math test tomorrow?

M Yes, Mom. Can I go to Tom's house now?

W Sure. ________ ________ ________ ________.

5

M Hi, I'm Dylan. I'm from Ireland. My parents, my sister, and I ________ ________ Dublin. My favorite actor is Colin Farrell. He's from Dublin, too! My dream is ________ ________ ________. Thank you.

6

W I cannot wait to see the music festival tomorrow.

M Me, too. What time do you ________ ________ ________?

W How about 11 o'clock?

M But the festival ________ ________ ________. Let's meet at 9.

W Okay. I'll pick you up at 9.

M Great. ________ ________ ________.

7

[Telephone rings.]

W Louisa speaking.

M Hi, Louisa. It's Paul.

W Paul! Hi. What's up?

M Do you want to ________ ________ at the library today?

W I can't. I have to babysit my little brother.

M Oh, I see.

W Let's do it ________ ________.

8

M Wow! Did you ________ ________?

W What?

M It was over near those boats.

W Tell me. ________ ________ ________ ________?

M A big whale came up above the water. ________ ________ ________!

9

W What did you do ________ ________ ________?

M I went skateboarding with my friend Josh.

W Did you ________ ________ ________ ________?

M Of course! How was your weekend?

W It was great. My mom and I ________ ________ ________ ________ for a nursing home.

M Great!

10

M How much is this tennis racket?

W It's ________ ________. And tennis balls are half-price today.

M Really? How much is this one?

W It's ________ ________ ________.

M Great. I'll take five. And the racket, too.

W OK. That will be ________ ________, please.

M Here you are.

11

① M Did you enjoy the picnic?
W Yes, ________ ________ ________.

② M How do you like my bike?
W I think it's cool.

③ M What is ________ ________ ________?
W I love pizza.

④ M Could I borrow your pen?
W I don't have one, sorry.

⑤ M ________ ________ ________ ________ do you like?
W It was very interesting.

12

M Are you ________ ________ ________ the music club?

W No. I joined the theater club this year.

M Oh. Why did you join that one?

W Because I ________ ________.

M Then you joined the right club.

Dictation

13

W Hurry up or you'll miss your bus.

M I can't find my phone.

W Did you ________ ________ ________?

M Yes. It's not in there.

W How about your school bag?

M It's ________ ________ ________, either.

W Oh, that's right. I took it out of your school pants. I put it ________ ________ ________.

14

M What are you doing, Mom?

W I'm ________ ________ ________ for Dad's birthday.

M Can I help you?

W Yes. Can you ________ ________ ________ ________? I need butter.

M OK. How much do you need?

15

W So, Mark, did you ________ ________ ________ ________ ________?

M No. I didn't buy one.

W Why? Was it ________ ________?

M Not really. I wanted to buy a pair of black jeans, but the black jeans ________ ________ ________.

W Oh, I see.

16

[Telephone rings.]

W Hello?

M Hi, Emma, it's Max. Do you want to ________ ________ ________ tonight?

W Sure! Do you have something in mind?

M Yes. *Super Stars 4* is on. Can we ________ ________ ________ ________ Cinema Circle?

W Cinema Circle is near my house. We can meet here.

M Right! I'll see you there.

17

M You ________ ________ ________, Jane.

W I have a terrible headache.

M I have some medicine. Here, ________ ________ ________.

W Thanks a lot.

M I'll get you a glass of water.

18

[Telephone rings.]

W Hello?

M Hey, Maisie. Do you want to see a movie today?

W I'd love to. But Dad's ________ ________ ________.

M To the pool? When?

W After lunch. Do you want to come too?

M Yes. ________ ________ ________ ________!

19

M I'm hungry, Mom! Is there ________ ________ ________?

W Sure. I made you an egg salad sandwich.

M Thanks! ________ ________ ________?

W ____

20

W James! Where are you? *[yelling from downstairs]*

M I'm in my room.

W What are you doing?

M I'm ________ ________ ________.

W I need a towel. Can you get one for me? I'm in the bathroom.

M Sorry, ________ ________ ________ ________? I couldn't hear you.

W ____

정답 및 해설 p.5

Take Notes

다음을 듣고, 'I'가 무엇인지 가장 적절한 것을 고르시오.

① 
② 
③ 
④ 
⑤ 

2 대화를 듣고, 남자의 심정으로 가장 적절한 것을 고르시오.

① 고마움 ② 부러움 ③ 지루함
④ 미안함 ⑤ 행복함

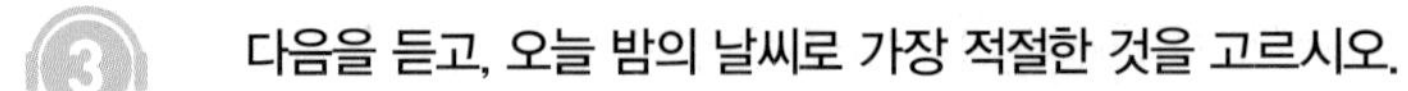

3 다음을 듣고, 오늘 밤의 날씨로 가장 적절한 것을 고르시오.

① 
② 
③ 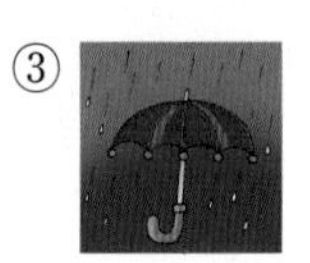
④ 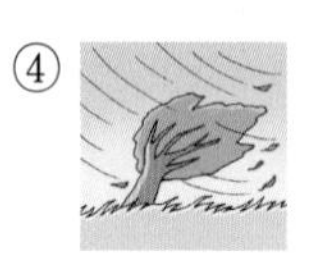
⑤ 

4 대화를 듣고, 여자의 마지막 말의 의도로 가장 적절한 것을 고르시오.

① 제안 ② 칭찬 ③ 사과 ④ 허락 ⑤ 꾸중

5 다음을 듣고, 오늘 남자가 먹지 않은 것을 고르시오.

① 시리얼 ② 우유 ③ 샌드위치 ④ 스파게티 ⑤ 피자

Take Notes

6 대화를 듣고, 두 사람이 역에 도착하게 될 시각을 고르시오.

① 1:10 ② 1:30 ③ 1:40 ④ 2:00 ⑤ 2:10

7 대화를 듣고, 여자의 장래 희망으로 가장 적절한 것을 고르시오.

① 화가 ② 작가 ③ 감독 ④ 배우 ⑤ 교사

8 대화를 듣고, 여자가 주말에 하게 될 운동으로 가장 적절한 것을 고르시오.

① 
② 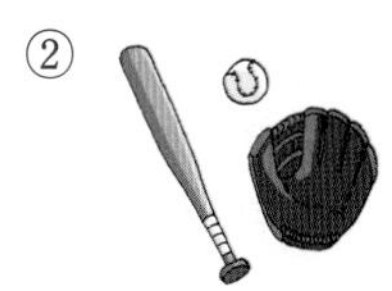
③ 
④ 
⑤ 

9 대화를 듣고, 두 사람이 오늘 할 일로 가장 적절한 것을 고르시오.

① 산책하기
② 쇼핑하기
③ 영화 보기
④ 숙제 하기
⑤ 편지 쓰기

10 대화를 듣고, 무엇에 관한 내용인지 가장 적절한 것을 고르시오.

① 봉사 활동
② 동아리 활동
③ 학원 수업
④ 환경 보호
⑤ 가족 여행

Take Notes

11 대화를 듣고, 남자가 여자에게 제안한 교통수단으로 가장 적절한 것을 고르시오.

① 지하철 ② 승용차 ③ 기차 ④ 택시 ⑤ 버스

12 대화를 듣고, 여자가 신발을 아직 받지 못한 이유로 가장 적절한 것을 고르시오.

① 주소가 잘못 되어서
② 주문한 색이 없어서
③ 주문한 사이즈가 없어서
④ 연휴로 배송이 늦어져서
⑤ 다른 상품이 배송되어서

13 대화를 듣고, 두 사람의 관계로 가장 적절한 것을 고르시오.

① 식당 종업원 - 손님 ② 버스기사 - 승객
③ 의사 - 환자 ④ 교사 - 학생
⑤ 선배 - 후배

14 대화를 듣고, 여자가 가려고 하는 장소를 고르시오.

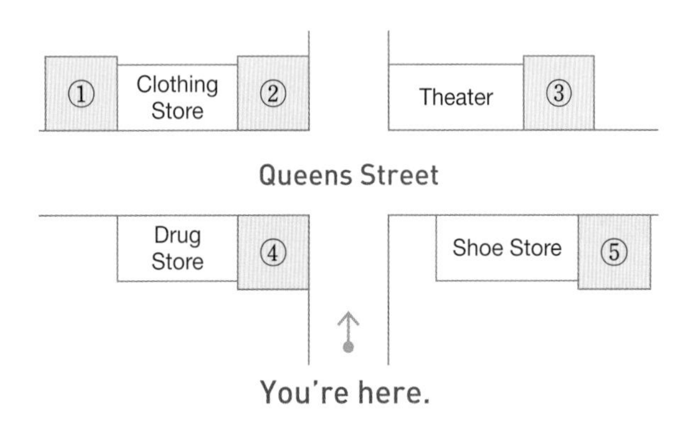

15 대화를 듣고, 남자가 여자에게 부탁한 일로 가장 적절한 것을 고르시오.

① 집 청소하기 ② 책 사다 주기
③ 숙제 가져오기 ④ 책 반납해 주기
⑤ 학교 데려다 주기

16 대화를 듣고, 여자가 남자에게 제안한 것으로 가장 적절한 것을 고르시오.

Take Notes

① 친구와 상의하기
② 스스로 해결하기
③ 선생님께 물어보기
④ 도서관에서 찾아보기
⑤ 인터넷으로 찾아보기

17 다음을 듣고, 두 사람의 대화가 어색한 것을 고르시오.

① ② ③ ④ ⑤

18 대화를 듣고, 남자의 직업으로 가장 적절한 것을 고르시오.

① 시인 ② 가수 ③ 기자 ④ 건축가 ⑤ 만화가

19-20 대화를 듣고, 남자의 마지막 말에 이어질 여자의 응답으로 가장 적절한 것을 고르시오.

19 Woman ______________________________

① So do I.
② Of course, I can.
③ Why do you think so?
④ It was yesterday morning.
⑤ I don't have a snowboard.

20 Woman ______________________________

① I'll cancel the class.
② Don't do it that way.
③ I'm glad you think so.
④ It's about five o'clock.
⑤ You'll feel better soon.

정답 및 해설 p.8

1

M I am an animal. I ________ ________ ________. I am a slow walker and good swimmer. I have my house ________ ________ ________. I hide in my house when I am scared. What am I?

2

W Sean, where's your scarf?

M Which scarf, Mom?

W The red scarf. I ________ ________ ________ ________ for Christmas.

M Oh no! I can't see it anywhere. I think I ________ ________. I'm really sorry, Mom.

W Don't worry. We'll find it. It ________ ________ ________.

3

W This is Erica Jones with the weather forecast. It will be ________ ________ ________ this afternoon and tonight. Tomorrow morning, there will be ________ ________. The snow will become heavy later in the afternoon.

4

M I'm ________ ________. I want to go out and do something.

W What do you like to do?

M My favorite activity is riding a bike.

W Then ________ ________ ________ ________ with me?

5

M I ________ ________ every morning. Today I had cereal and milk. And I had a ham sandwich for lunch. ________ ________, Mom took me and my friend to an Italian restaurant. My friend and I ________ ________ with lots of cheese. We drank Coke, too.

6

M Do you want me to ________ ________ ________ ________ with you?

W Yes. But we have to walk quickly.

M Relax. The train leaves at 2. It takes about ________ ________ ________ ________ ________.

W Just 10 minutes? It's 1:30 now. Then, we can be there at 1:40.

M You are correct. Let's leave right now.

7

M What do you want to do when you grow up?

W I really ________ ________ ________ ________ ________ ________.

M That's why you joined the film club?

W Yeah. How about you?

M I want to teach students English. I ________ ________ ________ ________.

8

M What are ________ ________ ________ ________?

W I'm playing baseball. My team is in the finals.

M Can I ________ ________ ________?

W Of course!

9

W Do you want to ________ ________ ________ ________ ________ today?

M I would like to, but it's going to rain.

W Oh. ________ ________ ________ ________, then?

M Good idea! I want to see that new horror movie.

W Oh, yeah? ________ ________ ________.

10

M Hi, Sophie. ________ ________ ________ ________?

W It was fun. My family and I went to Paradise Valley.

M What did you do there?

W We camped. We ________ ________ ________ ________ and went fishing. How about you?

M My family and I went to Golden Beach.

W How was it?

M Great! The beach was ________ ________.

11

M ________ ________. What happened?

W Central Station was too crowded. I could hardly move.

M Did you ________ ________ ________?

W Yes, I did. I had to transfer twice.

M The bus is ________ ________ ________. You should take it next time.

12

M Did you get the shoes? You ordered them online a few days ago.

W Yes, but I ________ ________ ________.

M What happened?

W They were too big. I ordered size 6, but they sent size 7. They're ________ ________ ________ ________ ________.

Dictation

13

W Here's the menu, sir. ________ ________ ________ ________ ________?

M No, thanks. My friends will be here soon.

W Can I ________ ________ ________ ________ while you're waiting?

M Iced tea, please.

W Okay. I'll be right back with your tea.

14

W Excuse me. Is there ________ ________ ________ ________ ________?

M Yes. It's on Queens Street.

W Queens Street?

M Go straight and turn left. It's on your left.

W Okay. So I ________ ________ ________ ________ ________, right?

M That's it. It's next to the drug store.

W Thanks a lot.

15

[Telephone rings.]

W Hello.

M Mom? I'm sorry, but ________ ________ ________ ________.

W What's the matter, George?

M I left my science homework in my room. ________ ________ ________ ________ to school, please?

W OK. Wait for me at the front gate at lunchtime.

16

W Where are you going, Max?

M Jamie's house. He's ________ ________ for the history project.

W How's it going?

M It's okay, but I can't ________ ________ ________ ________ on our topic.

W Try the City Library. It's excellent.

M Really? ________ ________. Thanks.

17

① M May I ________ ________ ________?
W Sure. Here it is.

② M Can you help me carry this?
W Sure. It ________ ________.

③ M How is your school life?
W I like science and math best.

④ M What did you do yesterday?
W Joanna and I ________ ________.

⑤ M Is there a puppy in the house?
W Yes, there is.

18

W Steve! Hi! _______ _______ _______ _______ _______?

M I just got back from the London Book Festival.

W Oh. How was it?

M Good. _______ _______ _______ _______ _______ sold 1,000 copies.

W Wow! Can you sign my copy, please?

19

M Do you like snowboarding?

W Yes. I love it. _______ _______ _______ _______. Do you like snowboarding, too?

M Actually, I don't know how to snowboard. _______ _______ _______ _______?

W ______________________________

20

M _______ _______ _______ _______ of my drawing, Ms. Bell?

W Wow! You did a very good job. I really like your painting.

M Thanks! Your art class _______ _______ _______.

W ______________________________

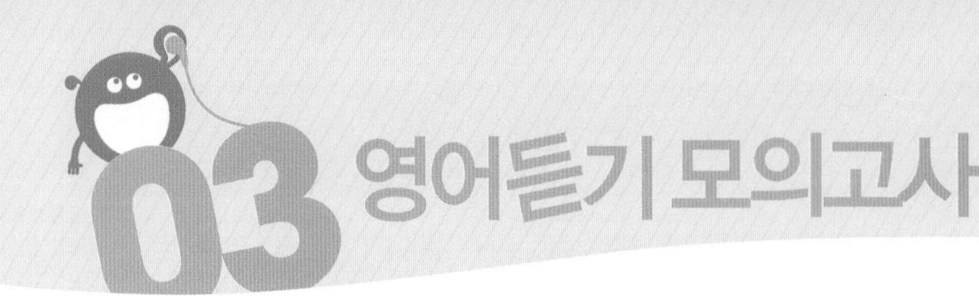

정답 및 해설 p.9

Take Notes

1 다음을 듣고, 'it'이 가리키는 것으로 가장 적절한 것을 고르시오.

① 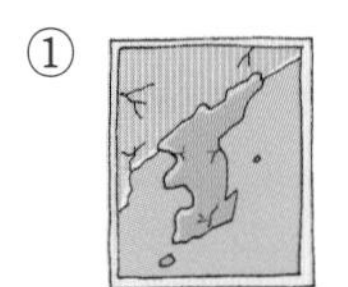
② 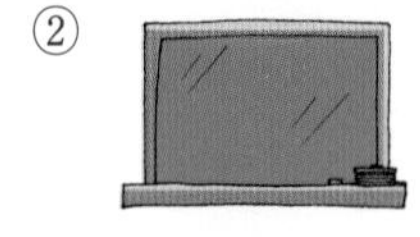
③ 
④ 

⑤ 

2 대화를 듣고, 무엇에 관한 내용인지 가장 적절한 것을 고르시오.

① 휴가 계획 ② 명절 선물 ③ 영화 관람
④ 연극 공연 ⑤ 생일 파티

3 대화를 듣고, 여자의 심정으로 가장 적절한 것을 고르시오.

① 걱정됨 ② 부러움 ③ 반가움
④ 지루함 ⑤ 즐거움

4 대화를 듣고, 여자의 마지막 말에 담긴 의도로 가장 적절한 것을 고르시오.

① 충고 ② 초대 ③ 동의 ④ 칭찬 ⑤ 사과

5 다음을 듣고, 남자에 대해 알 수 없는 것을 고르시오.

① 이름 ② 고향
③ 가족 관계 ④ 부모의 직업
⑤ 동생의 장래 희망

Take Notes

6 대화를 듣고, 두 사람이 선착장에 도착해야 할 시각으로 가장 적절한 것을 고르시오.

① 9:00 ② 9:30 ③ 10:00 ④ 10:30 ⑤ 11:00

7 대화를 듣고, 두 사람이 할 일로 가장 적절한 것을 고르시오.

① 생일 카드 쓰기
② 옷 가게 가기
③ 인터넷 쇼핑하기
④ 뜨개질하기
⑤ 파티 준비하기

8 다음을 듣고, 내일의 날씨로 가장 적절한 것을 고르시오.

① 
② 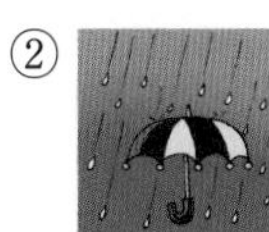
③ 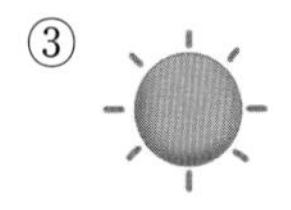
④ 
⑤ 

9 대화를 듣고, 남자가 주말에 할 일로 가장 적절한 것을 고르시오.

① 낚시하기
② 하이킹하기
③ 봉사활동하기
④ 박물관 견학하기
⑤ 할아버지 방문하기

10 대화를 듣고, 남자가 지불할 금액으로 가장 적절한 것을 고르시오.

① $5 ② $9 ③ $15 ④ $20 ⑤ $24

Take Notes

11 대화를 듣고, 남자가 여행을 갈 수 없었던 이유로 가장 적절한 것을 고르시오.

① 몸이 아팠기 때문에
② 할 일이 많았기 때문에
③ 날씨가 나빴기 때문에
④ 가족 행사가 있었기 때문에
⑤ 비행기 표를 구할 수 없었기 때문에

12 대화를 듣고, 여자가 신발을 고르는 기준으로 가장 중요한 것을 고르시오.

① 가격 ② 모양 ③ 색깔 ④ 튼튼함 ⑤ 편안함

13 대화를 듣고, 두 사람의 관계로 가장 적절한 것을 고르시오.

① 식당 종업원 - 손님
② 택시 기사 - 승객
③ 세탁소 주인 - 손님
④ 옷 가게 점원 - 손님
⑤ 미용실 직원 - 손님

14 대화를 듣고, 남자가 여자에게 부탁한 일로 가장 적절한 것을 고르시오.

① 아침 차려 주기
② 일찍 깨워 주기
③ 숙제 도와주기
④ 전등 꺼 주기
⑤ 학교 데려다 주기

15 대화를 듣고, 두 사람이 만나기로 한 장소로 가장 적절한 곳을 고르시오.

① 공원
② 학교
③ 도서관
④ 스포츠 센터
⑤ 버스 정류장

16 다음을 듣고, 두 사람의 대화가 어색한 것을 고르시오.

① ② ③ ④ ⑤

Take Notes

17 대화를 듣고, 여자가 주말에 할 일을 고르시오.

① 등산 ② 보고서 작성 ③ 박물관 견학
④ 시험공부 ⑤ 집안일

18 대화를 듣고, 남자가 여자에게 전화를 건 목적을 고르시오.

① 시내에 가는 방법을 묻기 위해
② 약속 장소를 정하기 위해
③ 약속 시간을 정하기 위해
④ 도서관을 소개하기 위해
⑤ 약속을 미루기 위해

19-20 대화를 듣고, 남자의 마지막 말에 이어질 여자의 응답으로 가장 적절한 것을 고르시오.

19 Woman ______________________

① So can I.
② Yes, I did.
③ Sure, why not?
④ What do you think?
⑤ I want to buy that book.

20 Woman ______________________

① That's too bad.
② That's awesome!
③ I was too sick then.
④ I learned how to swim.
⑤ The camping was really good.

Dictation

정답 및 해설 p.12

1

M It is usually ________ ________ ________. Teachers use it when they teach students. You can ________ ________ ________ ________ on it. You can erase the writing and drawings easily. But you ________ ________ ________ ________ and a pencil to write on it!

2

M Where will we spend Christmas next year?

W Let's ________ ________ ________ at the Seaside Resort.

M Really?

W Of course! Grandma and Grandpa will like it, too.

M OK. I'll ________ ________ ________ ________.

3

M Hey, Linda! Why are you running?

W I have to ________ ________ ________ the subway station.

M Why? What's wrong?

W I left my bag on the train. ________ ________ ________.

M Oh, no! I hope you can find it.

4

W ________ ________ ________. What's new?

M Not much.

W But there's ________ ________ ________ ________.

M Well, I changed my hair style.

W Right! It ________ ________ ________ ________!

5

M My name is Barack. ________ ________ ________ ________? My parents met President Barack Obama before he was famous. They ________ ________ ________ ________. Dad is a musician. Mom is a lawyer. And I have a little sister, Martha. She ________ ________ and wants to be an animal doctor when she grows up.

6

M What time does the ferry leave?

W The 9 o'clock ferry ________ ________, and the next one leaves at 11 am.

M It's 9:30 am now. We have to be there 30 minutes before the ferry leaves.

W Don't worry! ________ ________ ________ ________. We'll be there by 10:30.

M Okay.

7

W I have to buy Lucy's birthday present.

M What will you get?

W She ________ ________ ________ ________. But it's too late to order one online.

M Then I guess you should ________ ________ ________ ________.

W I'm going right now. Do you want to come too?

M Sure.

8

W This is the weather forecast for today and tomorrow. ________ ________ ________ ________ ________ today. However, rain is expected tonight, and tomorrow will be cloudy. Then, during the weekend, we will see around 30 centimeters of snow. ________ ________ ________ and stay warm!

9

M Hi, Veronica.

W Hi, David. What are your plans for the weekend?

M Dad's ________ ________ ________. You can come if you want.

W That's OK. I'm going to my Grandpa's farm.

M OK. ________ ________.

W You, too.

10

W Good afternoon, sir.

M Hi. Four tickets to *Monsters*, please.

W ________ ________ ________, sir?

M Just me. The kids are all under nine.

W That will be twenty-four dollars, then.

M Right, nine dollars for me, ________ ________ ________ ________ ________.

11

W Jack! I thought you were at Orange Beach.

M No. We ________ ________ ________.

W Why? You were really looking forward to this trip.

M Didn't you hear? ________ ________ ________ ________.

W Really? I'm sorry to hear that.

12

M Are you going to buy a pair of shoes?

W Yes. But I can't decide. ________ ________ ________, this one or that one?

M I like that one. The color is nicer.

W But that one doesn't look comfortable. Shoes ________ ________ ________. It's very important to me.

M You're right.

Dictation

13

W Can I help you?

M Yes. I need ________ ________ ________ ________ to school.

W How about this one? It's made of good cloth.

M I like it. Do you have it in light blue and medium size?

W Here you go. Would you like to ________ ________ ________?

M Yes. Thank you.

14

W It's late, Jack. ________ ________ ________ ________ and go to sleep.

M But Mom, I ________ ________ ________ this chapter before class.

W Can't you do it before school tomorrow?

M OK. But I need you to ________ ________ ________ at 6 am. Can you do it, please?

W Of course. Good night, Jack. Sleep tight.

15

[Cell phone rings.]

W Hey. Do you ________ ________ ________ ________ today?

M Sure!

W Cool. I'll make a reservation for a court at the sports center.

M OK. The sports center is ________ ________ ________. Shall I meet you there?

W Sure. Around 3:00 o'clock?

M ________ ________ ________!

16

① M Would you like chicken or fish?
W Yes, I would.

② M ________ ________ ________ ________?
W It's next Saturday.

③ M How do you get to school?
W I usually ride my bike to school.

④ M What's ________ ________ ________?
W I really like baseball and soccer.

⑤ M Where did you get your hat?
W Dad ________ ________ ________ ________.

17

W Do you have ________ ________ ________ ________ ________?

M Yes. Dad's taking me to the Science Museum. How about you?

W I have to ________ ________ ________. I'll be in the library all weekend.

M Don't work too hard!

W It's okay. The report is ________ ________. See you in class next week.

18

[Telephone rings.]

W Hello?

M Hi, Emma. It's Paul.

W Hi, Paul. How are you?

M Fine, thanks. _______ _______ _______ _______ _______ _______ today?

W Is the library OK?

M I'm not sure I have enough time. _______ _______ _______?

W Sounds good. See you soon!

19

M Wow! You got the latest *Greenland* book!

W Yeah! I'm reading it now. It's excellent.

M _______ _______ _______ _______ after you finish it?

W

20

W Summer vacation was too short!

M It seemed to _______ _______. Did you do anything special?

W No, not this year. How about you?

M My family and I camped at Lake Champlain. My brother dived into the lake and _______ _______ _______.

W Oh, no. Is he okay now?

M He has to wear a cast for six weeks.

W

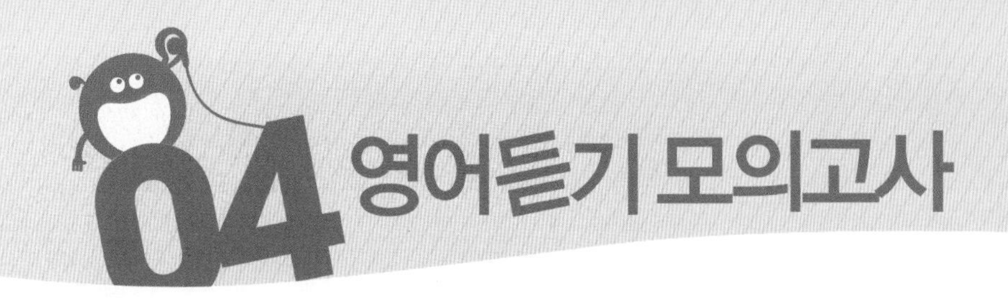

04 영어듣기 모의고사

정답 및 해설 p.12

1 대화를 듣고, 남자의 모습으로 알맞은 것을 고르시오.

Take Notes

① 
② 
③ 
④ 
⑤ 

2 대화를 듣고, 무엇에 관한 내용인지 가장 적절한 것을 고르시오.

① 비용 ② 날씨 ③ 학교 ④ 음식 ⑤ 운동

3 다음을 듣고, 오늘 오후의 날씨로 가장 적절한 것을 고르시오.

① 
② 
③ 
④ 
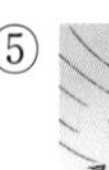
⑤ 

4 대화를 듣고, 남자의 마지막 말의 의도로 가장 적절한 것을 고르시오.

① 허락 ② 실망 ③ 칭찬 ④ 충고 ⑤ 동의

5 다음을 듣고, 여자에 대해 알 수 없는 것을 고르시오.

① 나이 ② 사는 곳 ③ 가족 관계
④ 학교 이름 ⑤ 장래 희망

Take Notes

6 대화를 듣고, 남자가 타게 될 기차 시간으로 가장 적절한 것을 고르시오.

① 5:30 ② 6:00 ③ 6:10 ④ 6:30 ⑤ 7:00

7 대화를 듣고, 여자의 취미 활동으로 가장 적절한 것을 고르시오.

① 요리하기 ② 독서하기 ③ 쇼핑하기
④ 게임 하기 ⑤ 하이킹하기

8 대화를 듣고, 남자의 심정으로 가장 적절한 것을 고르시오.

① 그리워함 ② 화남 ③ 행복함
④ 부러워함 ⑤ 미안함

9 대화를 듣고, 두 사람이 오늘 오후에 할 일로 가장 적절한 것을 고르시오.

① 배구하기 ② 학교 가기 ③ 쇼핑하기
④ 병문안 가기 ⑤ 서점 가기

10 다음을 듣고, 여자가 설명하는 동물을 고르시오.

①  
② 
③ 
④ 
⑤ 

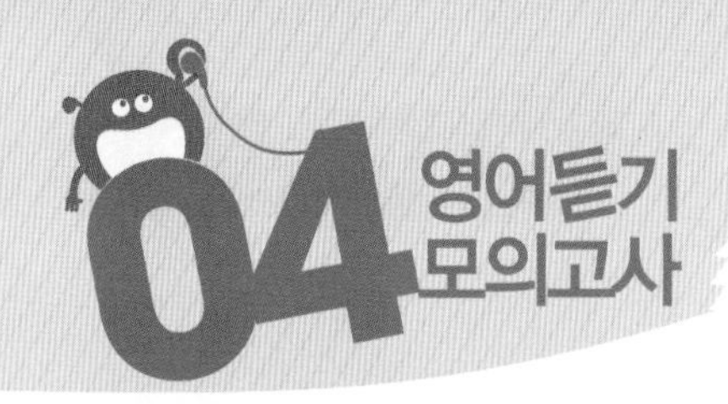

Take Notes

11 대화를 듣고, 남자가 제안한 것으로 가장 적절한 것을 고르시오.

① 호텔 예약
② 가이드북 구매
③ 웹사이트 검색
④ 여행 동호회 가입
⑤ 여행자 안내센터 방문

12 대화를 듣고, 여자가 영어 선생님을 좋아하는 이유로 가장 적절한 것을 고르시오.

① 잘 가르쳐서
② 친절해서
③ 잘생겨서
④ 재미있어서
⑤ 숙제가 적어서

13 대화를 듣고, 두 사람의 관계로 가장 적절한 것을 고르시오.

① 교사 - 학생
② 간호사 - 환자
③ 사장 - 종업원
④ 식당 점원 - 고객
⑤ 서점 점원 - 학생

14 대화를 듣고, 여자가 가려고 하는 장소를 고르시오.

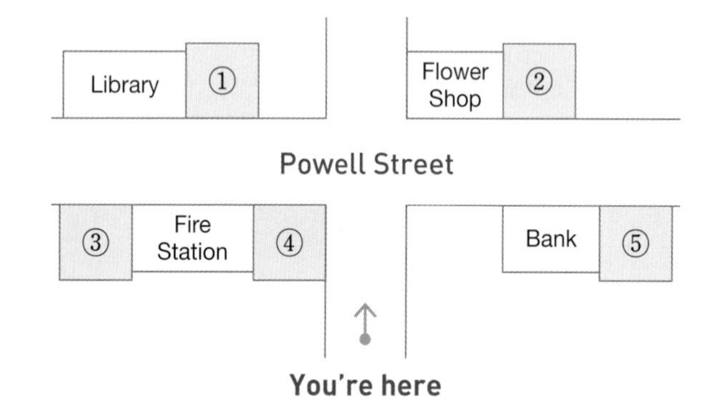

15 대화를 듣고, 여자가 남자에게 부탁한 일로 가장 적절한 것을 고르시오.

① 요리 도와주기
② 청소하기
③ 청소기 구입하기
④ 손님 마중 나가기
⑤ 식당 예약하기

16 대화를 듣고, 여자가 남자에게 제안한 것으로 가장 적절한 것을 고르시오.

Take Notes

① 자신의 자동차 사용하기
② 자신의 집에 머무르기
③ 일기 예보 확인하기
④ 파티 참석하기
⑤ 휴가 가기

17 다음을 듣고, 두 사람의 대화가 어색한 것을 고르시오.

① ② ③ ④ ⑤

18 다음을 듣고, 말하고 있는 사람의 직업을 고르시오.

① 배우 ② 기자 ③ 경찰관 ④ 정치가 ⑤ 소설가

19-20 대화를 듣고, 남자의 마지막 말에 이어질 여자의 응답으로 가장 적절한 것을 고르시오.

19 Woman ______________________________

① No, I don't.
② It's not my book.
③ That's a great idea.
④ He doesn't like them.
⑤ She doesn't share her books.

20 Woman ______________________________

① Math class is up next.
② Friends are important.
③ English is my favorite.
④ I really like my new school.
⑤ I have to do my math homework.

정답 및 해설 p.15

1

W Where's your hat?

M I ________ ________ ________ when I got this face painting.

W I like it. What is it?

M My face painting? It's a ________ ________! It's Canada Day.

2

M Hey, Wendy. How was Guam?

W Beautiful! We ________ ________ ________ ________.

M How was the weather there?

W It was perfect! ________ ________ ________ every day.

M Wasn't it too hot?

W No. Anyway, I like hot weather.

M Lucky you. ________ ________ ________ ________ ________ ________ here.

3

W Good morning. This is the weather report for today and tomorrow. It is ________ ________ ________ ________ this morning. We expect heavy snow this afternoon. The snow will stop tomorrow morning. Tomorrow will be ________ ________ ________.

4

M Did you make these cookies yourself?

W Yes. I ________ ________ this morning.

M Can I try one?

W Sure. Here's one just for you.

M Wow! That's ________ ________!

5

W Hi, everyone. My name is Anna Clark. I'm fourteen years old, and I'm ________ ________ ________ ________. I live in Richmond with my mother, father, and sister. My favorite class is ballet. I ________ ________. I want to be a dancer. Thank you for listening.

6

W Hey, Felix. Where are you going?

M I'm catching the 6 o'clock ________ ________ to Busan.

W But it's 6 o'clock now.

M Oh, no! I missed it. I have to ________ ________ ________ for the next one.

7

M What do you like to do when you ________ ________ ________?

W I love going on long walks in nature.

M Do you ________ ________ ________ and a hat?

W Yes, and I take a backpack with water and snacks, too.

8

W Is this a picture of your family?

M Yes. Those are my mom and dad.

W ________ ________ ________ ________?

M Oh, that's my sister. She's here with me. We miss our parents a lot.

W I understand. ________ ________ ________ ________ ________?

M I came here to study two years ago. I really want to see them.

9

W Did you ________ ________ Susie? She can't play volleyball this weekend.

M Why not?

W She's ________ ________ ________. She has a high fever.

M Poor Susie. Can we go and see her?

W Of course! ________ ________ ________ after school.

10

W This animal is ________ ________ ________. It has four legs and a tail. It can run very fast. It likes to eat grass and carrots. ________ ________ ________ ________ in races and on farms.

11

W Hi, can you recommend ________ ________ ________ ________ ________?

M There are backpacker hostels all around. Just take your pick.

W Do you know anything about any of them?

M Sorry, I don't. You could try "goodtraveller.com." It has ________ ________ ________.

W Thanks. I'll look it up.

12

M Mr. Jones is my favorite teacher. He's really funny.

W He's your biology teacher, right? ________ ________ ________, I like Ms. Bell.

M The English teacher? Why do you like her most?

W She's very kind. She ________ ________ ________ ________ us.

Dictation

13

M Good morning, Ms. Smith. How are you feeling today?

W The pain is ________ ________.

M OK. I'll tell the doctor. She'll see you soon.

W Okay.

M Here's your medicine. ________ ________ ________ after breakfast.

W Sure. Thank you.

14

W Excuse me. Do you know ________ ________ ________ ________ ________?

M The movie theater? It's on Powell Street.

W Where's that?

M Straight ahead. That's Powell Street. ________ ________ on Powell Street.

W OK.

M Go straight until you reach the fire station. The theater is directly ________ ________ ________.

W Thanks!

15

M You ________ ________, Grandma.

W I am. Your grandpa is bringing guests at 6.

M That's why you're ________ ________ now?

W Yes. Can you quickly ________ ________ ________?

M Sure, where's the vacuum cleaner?

16

W Would anybody like some more coffee?

M Actually, it's ________ ________. I should go.

W I'll see you to the door. Oh my goodness! Look at the snow!

M It's a blizzard!

W I think you should ________ ________ tonight. We have a guest room.

M You're right. ________ ________ ________ ________ ________. Thanks.

17

① M May I speak to Ray?
W ________ ________ ________, please.

② M May I take your order?
W I'd like fish and chips.

③ M How old is your dad?
W Fine, thank you.

④ M ________ ________ ________ ________ ________?
W It's 4 o'clock.

⑤ M May I help you?
W Yes. Where is the bathroom?

18

M Our job is to tell people important things. We ________ ________ for newspapers, magazines, websites, and blogs. Many of us ________ ________ ________, too.

19

W Do you like to _______ _______?

M Books? Of course!

W Me, too. What kind of books do you like?

M I _______ _______ _______ _______ _______.

W Really? My favorite stories are mysteries, too.

M I have a lot of mystery books. Let's _______ _______ _______.

W ______________________________

20

M How's your new school?

W It's great. The teachers are nice, and I _______ _______ _______ _______.

M Good for you! Which subject do you like most?

W ______________________________

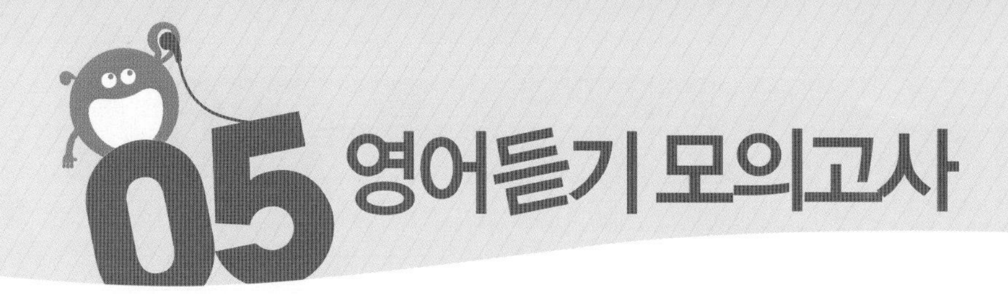

05 영어듣기 모의고사

정답 및 해설 p.16

Take Notes

다음을 듣고, 'I'가 무엇인지 가장 적절한 것을 고르시오.

① 
② 
③ 
④ 
⑤ 

다음을 듣고, 오늘 오후의 날씨를 고르시오.

① 
② 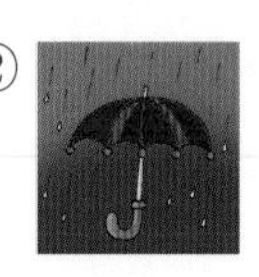
③ 
④ 
⑤ 

3 다음 대화가 이루어지는 장소를 고르시오.

① church ② farm ③ pet shop
④ zoo ⑤ toy shop

4 다음을 듣고, 무엇을 만드는 과정인지 고르시오.

① doll ② kite ③ clothes ④ card ⑤ mask

5 대화를 듣고, 여자의 심정을 고르시오.

① 지루하다 ② 재미있다 ③ 행복하다
④ 걱정스럽다 ⑤ 자랑스럽다

Take Notes

6 대화를 듣고, 여자가 지불해야 할 금액을 고르시오.

BREAKFAST MENU

Food			Salad		Drinks	
Eggs	$1.50	per egg	Tomato	$3	Orange juice	$3
Sausages	$2	per sausage	Fruit	$4	Coffee	$4
Bacon	$2	per slice			Tea	$4

① $8.50　② $10　③ $11.50　④ $13　⑤ $14.50

7 대화를 듣고, 영화가 시작되는 시각을 고르시오.

① 6:30　② 6:45　③ 6:55　④ 7:15　⑤ 7:30

8 다음을 듣고, 무엇에 관한 설명인지 고르시오.

① strawberry　② pineapple　③ watermelon
④ banana　⑤ grape

9 대화를 듣고, 언급되지 않은 것을 고르시오.

① Name: Martin
② Problem: Arm pain
③ Period: For about 1 week
④ Cause: Falling off his bike
⑤ Doctor's Recommendation: Get plenty of rest

10 대화를 듣고, 두 사람이 일요일에 할 일을 고르시오.

① 산악자전거 타기　② 미술관 관람하기
③ 집안 청소하기　④ 결혼식에 가기
⑤ 보고서 쓰기

Take Notes

11 대화를 듣고, 남자가 전화를 건 목적으로 가장 적절한 것을 고르시오.

① 식당을 물어보려고
② 약속 시간을 확인하려고
③ 야구장 가는 길을 물어보려고
④ 야구 경기 일정을 알려 주려고
⑤ 야구 경기를 같이 보러 가자고 부탁하려고

12 대화를 듣고, 두 사람이 Harry에게 줄 선물을 고르시오.

① 그림책 ② 크레파스 ③ 스케치북
④ 운동화 ⑤ 미술 연필

13 대화를 듣고, 두 사람의 관계로 가장 적절한 것을 고르시오.

① 학부모 - 교사 ② 코치 - 선수
③ 요리사 - 손님 ④ 아들 - 어머니
⑤ 남편 - 아내

14 대화를 듣고, 남자의 직업으로 가장 적절한 것을 고르시오.

① 경기 심판 ② 경찰관 ③ 의사
④ 스포츠 기자 ⑤ 운동 코치

15 대화를 듣고, 남자가 할 일로 가장 적절한 것을 고르시오.

① 숙제 하기 ② 방 청소하기
③ 독후감 쓰기 ④ 동생 돌보기
⑤ 재활용 쓰레기 버리기

16 대화를 듣고, 남자가 일주일에 받을 용돈의 총액을 고르시오.

① $5 ② $10 ③ $15 ④ $20 ⑤ $25

Take Notes

17 다음을 듣고, 두 사람의 대화가 어색한 것을 고르시오.

① ② ③ ④ ⑤

18 다음을 듣고, Grace가 점원에게 할 말로 가장 적절한 것을 고르시오.

Grace ________________________________

① Let me try it on.
② What color is it?
③ I'll take one in red, too.
④ How much is a red one?
⑤ Do you have a cheaper one?

19-20 대화를 듣고, 남자의 마지막 말에 대한 여자의 응답으로 가장 적절한 것을 고르시오.

19 Woman ________________________________

① You're welcome.
② Can I come, too?
③ Thanks for showing me.
④ Yeah, I'm really excited.
⑤ I know how to play cards.

20 Woman ________________________________

① If you want, I can lend it to you.
② Is she your favorite writer, too?
③ I'll go to the library.
④ She'll buy you one.
⑤ It's nice of you.

Dictation

정답 및 해설 p.19

1

M I'm a big animal. I am ________ ________ ________. I am white. I have four legs. I love cold weather, and I ________ ________ ________ ________ and snow. I eat a lot of fish and seals.

2

W Here's today's weather forecast. It will ________ ________ ________ ________, but the rain will clear up by afternoon. We will ________ ________ ________ ________ ________. It will be very cold. Stay warm!

3

M Good morning, ma'am.

W Good morning. I'm ________ ________ ________ ________ for my four-year-old niece.

M What about "My Baby Rabbit"? It's the most popular toy this year. It can ________ ________ ________, too.

W Oh, the pink one is really cute.

4

M Get two pieces of cloth, scissors, and a needle and thread. ________ ________ ________ ________ on the pieces of cloth. Cut out the body shape. Sew them with a needle and thread, and ________ ________ ________ between them. Draw eyes, a nose, and a mouth. And also draw a T-shirt and some pants. ________ ________ ________ on its head.

5

M Is everything all right, Ms. James?

W Actually, ________ ________ ________ my daughter. She spends all her time alone on her computer.

M Why don't you talk to her? Encourage her to ________ ________ ________.

W I tried. But she has her final exams soon. I don't want to bother her.

6

M Are you ________ ________ ________?

W Yes, please. I'll have two eggs and one fruit salad.

M ________ ________ ________ ________ the eggs?

W Fried. And I'd like orange juice, too.

M Certainly. ________ ________ ________.

7

W ________ ________! It's 6:30 already.

M But the movie starts at 7:30.

W No, it doesn't. ________ ________ ________ ________ ________.

M Really? I didn't know that. Let's go.

8

M This fruit has ________ ________ ________. It grows in bunches on trees in hot climates. It has ________ ________ ________ ________, and later the skin turns yellow. We have to peel it before we eat it. It's ________ ________.

9

W Martin. What can I help you with?

M It's my arm. ________ ________ ________.

W When did it start hurting?

M A week ago. I ________ ________ ________ ________.

W Let's get it X-rayed right now.

M Okay.

10

M ________ ________ ________ ________ ________ for this weekend?

W On Saturday, I'm going to a family wedding.

M How about Sunday?

W Nothing special. Why? Do you ________ ________ ________ ________?

M Yes. I want to go mountain biking.

W Okay. Let's do it.

11

[Cell phone rings.]

W Hello?

M Hi, Fiona. It's James. You live near the ballpark, don't you?

W Yes. ________ ________ ________ ________?

M I'm going to a game there tomorrow.

W That's right. It's a big game.

M Yeah. Is there ________ ________ ________ ________ ________ after the game?

W Yes. There is a nice pizza restaurant by Gate 12. It's called Mario's.

M Thanks a lot.

Dictation

12

M What should we get Harry for his birthday?

W How about a set of artist's pencils? He ________ ________.

M Yeah. But he already has a lot of pencils.

W Then, how about a pair of sneakers? He also ________ ________ ________.

M Good idea! Let's do that.

13

M I'm home. Where are the kids?

W At basketball practice.

M Do you want me to ________ ________ ________?

W Yes, please. I'll make dinner for us. It'll be ready ________ ________ ________ ________.

M Okay. Great.

14

M Great job, Tina!

W Thanks, Mr. Brown. ________ ________ ________ ________ ________, wasn't it?

M I'm proud of all of you. Well done!

W You ________ ________ ________ ________ and advice.

M I'm glad you think so. See you at practice next week.

15

W Max, did you ________ ________ ________?

M Yes, Mom. I'm watching TV with Emma now.

W Then, would you help me?

M What is it, Mom? I already ________ ________ ________.

W Could you take the recycling down to the street?

M Sure. Don't worry. I'll ________ ________.

16

M Mom, can I have five dollars, please?

W What happened to ________ ________ ________? Dad gives you ten dollars a week.

M Right, but it's ________ ________.

W How much do you need?

M ________ ________ ________.

W That's too much! But I can give you an extra five dollars a week.

M Thanks, Mom.

17

① W What's your favorite subject?
M Art. I ________ ________ ________ ________.

② W How often do you go running?
M I usually run at the park.

③ W I made you your favorite sandwich.
M ________ ________ ________ ________!

④ W Can I borrow your scissors, please?
M Sure. Here they are.

⑤ W ________ ________ ________ ________?
M I'll have a pepperoni pizza and a Coke.

18

W Grace went shopping ________ ________ ________ ________ for her father. She asked the sales clerk for a red tie. He showed Grace a nice red one. Grace ________ ________ ________ ________. But it was fifty dollars. She thought it was ________ ________. In this situation, what would she say to the sales clerk?

Grace ________________________________

19

M My mom and dad are ________ ________ ________ this summer.

W Awesome. I love camping.

M Me, too. Will you ________ ________ ________?

W I'll take a magic class. I'll learn how to play card magic.

M Wow! ________ ________ ________!

W ________________________________

20

M You look so happy. What is it?

W Look at this. My mom ________ ________ ________ ________. It's my favorite writer's new novel.

M Oh, I like this writer, too.

W Do you? I didn't know that.

M Yeah. She is ________ ________ ________ ________ ________. I want to read that book.

W ________________________________

06 영어듣기 모의고사

정답 및 해설 p.19

Take Notes

1 대화를 듣고, 남자가 여자에게 선물한 것을 고르시오.

① 
② 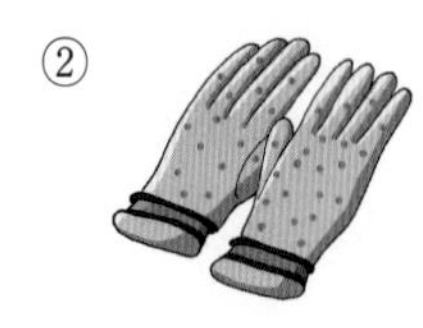
③ 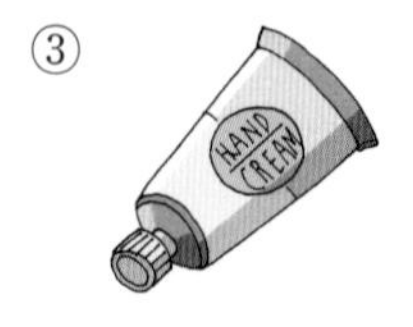

④ 
⑤ 

2 대화를 듣고, 두 사람의 관계로 알맞은 것을 고르시오.

① 손님 - 점원　② 교사 - 학생　③ 승객 - 승객
④ 직원 - 관람객　⑤ 역무원 - 승객

3 대화를 듣고, 현재 시각을 고르시오.

① 6:10　② 6:20　③ 6:40　④ 7:00　⑤ 7:20

4 다음을 듣고, 그림에 대한 설명으로 틀린 것을 고르시오.

①　②　③　④　⑤

5 다음을 듣고, 남자에 대해 알 수 없는 것을 고르시오.

① 생일　② 나이　③ 사는 곳　④ 취미　⑤ 가족 관계

Take Notes

6 대화를 듣고, 여자의 장래 희망을 고르시오.

① 의사 ② 교수 ③ 요리사 ④ 무용수 ⑤ 만화가

7 대화를 듣고, 두 사람이 가져가지 않을 물건을 고르시오.

① 등산화 ② 모자 ③ 지도 ④ 선크림 ⑤ 음료수

8 다음을 듣고, 무엇에 관한 설명인지 고르시오.

① 
② 
③ 
④ 
⑤  

9 다음을 듣고, 내용과 일치하지 않는 것을 고르시오.

①	②	③	④	⑤
사과	체리	포도	바나나	수박
3명	6명	6명	7명	14명

10 다음을 듣고, 오늘 오후의 날씨를 고르시오.

① 
②  
③  
④  
⑤  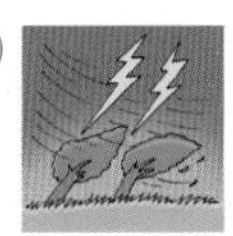

Take Notes

11 다음을 듣고, 남자의 심경으로 가장 적절한 것을 고르시오.

① 기쁨 ② 그리움 ③ 속상함
④ 자랑스러움 ⑤ 만족스러움

12 대화를 듣고, 남자가 기분 나쁜 이유를 고르시오.

① 배가 고파서 ② 성적이 나빠서
③ 친구와 싸워서 ④ 지갑을 잃어버려서
⑤ 부모님께 꾸중을 들어서

13 대화를 듣고, 남자가 대화 후에 할 일로 가장 적절한 것을 고르시오.

① 일정 확인하기 ② 채점 다시 하기
③ 선생님 만나기 ④ 선생님께 전화하기
⑤ 역사 시험 보기

14 대화를 듣고, 남자가 지불해야 할 금액을 고르시오.

$1 $1.50 $2

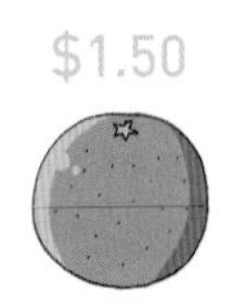

① $2 ② $3 ③ $4 ④ $5 ⑤ $6

15 대화를 듣고, 여자가 전화를 건 목적으로 가장 적절한 것을 고르시오.

① 약속 시간을 변경하려고
② 파티 시간을 물어보려고
③ 남자의 주소를 물어보려고
④ 파티에 같이 가자고 말하려고
⑤ 파티 불참 의사를 전달하려고

16 다음을 듣고, 무엇에 관한 설명인지 고르시오.

Take Notes

① golf ② volleyball ③ soccer
④ basketball ⑤ tennis

17 대화를 듣고, 여자에 대한 설명으로 알맞은 것을 고르시오.

① 책을 구입했다.
② 신문을 읽고 있다.
③ 책 읽기를 좋아한다.
④ 쇼핑 목록을 쓰고 있다.
⑤ 커튼을 직접 만들려고 한다.

18 다음을 듣고, 두 사람의 대화가 어색한 것을 고르시오.

① ② ③ ④ ⑤

19-20 대화를 듣고, 남자의 마지막 말에 이어질 여자의 응답으로 가장 알맞은 것을 고르시오.

19 Woman ______________________________

① By train.
② For a week.
③ That's right.
④ How wonderful!
⑤ It takes three hours.

20 Woman ______________________________

① No problem.
② To go, please.
③ Don't mention it.
④ I like coffee a lot.
⑤ Because it is too cold.

정답 및 해설 p.22

1

M Happy birthday, Mom. ________ ________ ________!

W Oh, Alex! Thank you! It smells wonderful.

M It keeps your hands ________ ________ ________.

W I love it. It's so creamy.

2

M I'm sorry, but I think you're in my seat. My ticket says 10B.

W ________ ________ ________ ________ ________. It's 10B, too.

M Yes, but we're in Car A. Your ticket says Car C.

3

W What time is ________ ________?

M Tonight? The newspaper says sunset is at 7:20 pm tonight.

W ________ ________ ________ ________ ________ ________ ________ until then?

M Just 20 more minutes.

4

① M There is a picture on the desk.

② M There is ________ ________ ________ ________ ________.

③ M There are pencils in a cup.

④ M There is a bed in the room.

⑤ M There is ________ ________ ________ ________ ________.

5

M Hello. My name is Michael. My birthday is May 7th. I'm fifteen. I ________ ________ ________ Ohio, but now I live in Washington. My hobbies are ________ ________ ________ and swimming.

6

W What do you want to be ________ ________ ________?

M I love cooking. I want to be a chef. How about you?

W I wanted to be a dancer, but I ________ ________ ________. Now I want to be a doctor.

M Your mother is a doctor, isn't she?

W Yes, she is. She ________ ________ ________.

7

W ________ ________ ________ ________ for our school camp?

M We need hiking shoes and a hat.

W Right. How about a backpack?

M Of course. And ________ ________ sunscreen.

W Got it. I'll bring some snacks for the bus.

M I'll bring soft drinks!

8

W We can ________ ________ in this. This has wheels and wings. The wheels are necessary for takeoffs and landings. This ________ ________ ________ ________ ________ ________ ________. We need a ticket to ride in this. The ticket costs a lot of money.

9

M I asked my classmates what their favorite fruit is. ________ ________ ________ like apples best. Six classmates like cherries, and ________ ________ ________ ________ ________ likes grapes best. Seven classmates like bananas best. ________ ________ ________ ________ of all is watermelon. Thirteen classmates like watermelon best.

10

W Hi. I'm Ella Jones. Here is the weather for today. ________ ________ is expected this morning, but the skies will be clear by noon. We'll have ________ ________ ________ ________ ________. But don't forget to take an umbrella this morning! Late at night, ________ ________ ________ ________. Thank you.

11

M Yesterday I ________ ________ a snack bar and bought a cheese sandwich. I was hungry, and I was ________ ________ ________ ________ that I dropped the sandwich. It got dirty, and I couldn't eat any more.

12

W You don't look good.

M Yeah, ________ ________ ________.

W Really? What happened?

M I ________ ________ ________ ________ with Jason.

W But you guys are best friends. Why don't you talk to him first?

Dictation

13

W Did you get your history test result?

M Yes. But I think I should check the score.

W _______ _______ _______ _______?

M Well, I only got 79. I'm sure I did _______ _______ _______.

W Why don't you talk to your teacher?

M Yeah. I'll _______ _______ _______ _______ now. Thanks.

14

W May I help you?

M I'd like to buy two apples.

W Okay. Do you need _______ _______?

M Yes, I'd also like two bananas.

W Here you are. _______ _______ _______ _______?

M Yes, thank you.

15

[Cell phone rings.]

W Hey, Brett. Did you get the text from Jack?

M What text?

W _______ _______ _______ to his birthday party.

M Oh, that. I got it.

W Good. _______ _______ _______ _______ again? I think I erased the text.

M Let's see. Here it is. It's this Friday at Pizza House at 6 pm.

W Thanks. _______ _______ _______ _______?

M Of course!

16

M There are _______ _______ and _______ _______ on each team. They play on a court. There is a high net between the two teams. Players _______ _______ _______ with their hands. They jump very high to hit the ball _______ _______ _______. They win points when they make the ball land on the other team's side.

17

M Hi, Donna. _______ _______ _______ _______?

W It's a book called *DIY World.*

M What's it about?

W It's about how to make and fix things.

M Really? Are you going to _______ _______?

W Yes. Some curtains for my room.

18

① M ________ ________ ________ some pizza?
W Of course! I love pizza!

② M What are you doing now?
W I'm very well.

③ M Did you ________ ________ ________ ________?
W Yes. Do you like it?

④ M What do your parents do?
W They ________ ________ ________.

⑤ M Where's the movie theater?
W It's on the eighth floor.

19

M How was your summer vacation?

W Great. Mom and Dad took us to Hawaii!

M Lucky you! ________ ________ ________ ________ ________?

W

20

M Can I ________ ________ ________?

W One latte and one iced americano, please.

M Would you like any syrup?

W No, thanks.

M OK. ________ ________ ________ ________ ________?

W

07 영어듣기 모의고사

정답 및 해설 p.23

Take Notes

1 대화를 듣고, 남자의 선생님을 고르시오.

① ② ③ ④ ⑤

2 대화를 듣고, 남자의 심정을 고르시오.

① 놀람 ② 실망 ③ 걱정 ④ 설렘 ⑤ 부러움

3 대화를 듣고, 남자가 가려고 하는 장소를 고르시오.

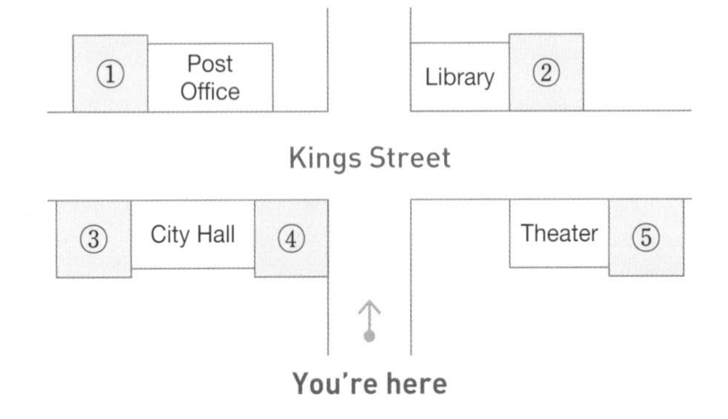

4 다음을 듣고, 내일 제주도의 날씨를 고르시오.

①  ②  ③  ④  ⑤ 

5 대화를 듣고, 남자가 지불해야 할 금액을 고르시오.

① $2 ② $5 ③ $10 ④ $15 ⑤ $20

6 대화를 듣고, 두 사람이 만나기로 한 시각을 고르시오.

Take Notes

① 4:50 ② 5:00 ③ 5:10 ④ 5:20 ⑤ 6:00

7 대화를 듣고, 대화가 이루어지는 장소를 고르시오.

① 은행 ② 자동차 안 ③ 엘리베이터 안
④ 비행기 안 ⑤ 가방 가게

8 대화를 듣고, 여자가 전화를 건 목적을 고르시오.

① 잃어버린 책을 찾기 위해
② 놓고 온 가방을 찾기 위해
③ 가방을 하나 주문하기 위해
④ 주문한 음식을 확인하기 위해
⑤ 카페의 위치를 물어보기 위해

9 다음을 듣고, 설명에 가장 알맞은 것을 고르시오.

①

②

③

④
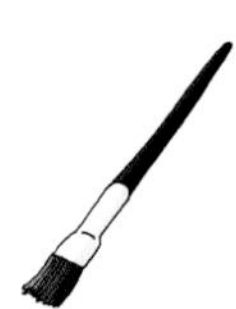

⑤

10 다음을 듣고, 두 사람의 대화가 어색한 것을 고르시오.

① ② ③ ④ ⑤

11 대화를 듣고, 남자의 직업으로 가장 적절한 것을 고르시오.

Take Notes

① 점원 ② 경찰관 ③ 기관사
④ 은행원 ⑤ 전화 교환원

12 대화를 듣고, 무엇에 관한 내용인지 고르시오.

① 수업 과목 ② 가족 관계 ③ 취미 활동
④ 영화배우 ⑤ 장래 희망

13 다음을 듣고, 이 상황의 분위기로 가장 적절한 것을 고르시오.

① 위태롭다 ② 평화롭다 ③ 지루하다
④ 활기차다 ⑤ 다급하다

14 대화를 듣고, 여자가 지난 주말에 한 일로 가장 적절한 것을 고르시오.

① 책 읽기 ② 스키 타기 ③ 영화 보기
④ 쇼핑하기 ⑤ 가족과 식사하기

15 대화를 듣고, 남자가 축구팀에 들어간 이유로 가장 적절한 것을 고르시오.

① 친구들 때문에
② 선생님의 권유로
③ 축구 선수가 되려고
④ 축구 하는 것이 좋아서
⑤ 다른 동아리 가입 시기를 놓쳐서

Take Notes

16 대화를 듣고, 무엇에 관한 내용인지 가장 적절한 것을 고르시오.

① 운동 ② 교육 ③ 건강 ④ 다이어트 ⑤ 여가 생활

17 다음을 듣고, 대화 직후 남자가 할 일로 알맞은 것을 고르시오.

① 쇼핑하기 ② 책 읽기 ③ 청소하기
④ 숙제 하기 ⑤ 설거지하기

18~20 대화를 듣고, 남자의 마지막 말에 이어질 여자의 응답으로 가장 알맞은 것을 고르시오.

18 Woman ______________________

① I'll take two loaves.
② I'm sorry you can't.
③ Give me your recipe.
④ Would you like some?
⑤ I don't know about that.

19 Woman ______________________

① Same with me. I don't usually get jealous.
② I'll do it. Thank you for the information.
③ Take a partner to the school dance.
④ They know how to use it.
⑤ Sorry to trouble you.

20 Woman ______________________

① I'm sure.
② I'll take it.
③ No, thanks.
④ That's too bad.
⑤ You're welcome.

Dictation

정답 및 해설 p.26

1

W Is your teacher here now?

M Yes. But she's busy ________ ________ ________.

W Is she talking on the phone?

M No. She's in the right corner. You can ________ ________ ________.

2

W ________ ________ ________ ________ New Zealand for the holidays?

M Yes, my grandparents live there.

W ________ ________ ________. What will you do?

M They live right near a beautiful beach. I can swim every day.

W You're ________ ________.

M I know. I can't wait!

3

M Excuse me. I'm looking for the shoe shop.

W ________ ________ ________ to Kings Street.

M OK.

W Then, turn right on Kings Street and keep walking. ________ ________ ________ ________ ________ ________, next to the theater.

M Thanks for your help!

4

W Here's the forecast for tomorrow. Seoul ________ ________ ________ ________ ________, and so will most other parts of the country. However, Busan will be ________ ________, and Jejudo will have ________ ________. And it's the weather report. Thank you.

5

W May I help you?

M Yes, I want to ________ ________ ________.

W Sure. Here you are.

M These grey ones are good. How much are they?

W They're ________ ________ ________ ________.

M I'll take two pairs, please.

6

W I'm ________ ________ ________ our date this afternoon.

M Me, too. What time shall I ________ ________ ________?

W The movie starts at 6. We need about 40 minutes to get there.

M OK. I'll see you at ________ ________ ________.

7

M Ma'am, ________ ________ __________ waiting behind you.

W I'm sorry.

M Let me help you with your suitcase.

W Thank you. It was ________ ________ ________ ________ ________ ________.

M No problem. Now take your seat and fasten your seat belt, please.

W Okay.

8

[Telephone rings.]

M Mario's Cafe. How may I help you?

W Hi. I had breakfast at your café this morning. I think I ________ ________ ________ there.

M What does it look like?

W It's bright pink, and it has a long thin strap.

M Yes. We have it. Come and ________ ________ ________ anytime.

W Thank you. I'll come right away.

9

M You can use this when you ________ ________ ________ ________ ________.
If you make a mistake, you can use this. Just ________ ________ ________ ________ ________, and it will disappear.

10

① M Who used this computer last?
W Yes. I'll use it, too.

② M ________ ________ ________ ________ my painting?
W Wow! You're really talented.

③ M What subject do you like most?
W I love science.

④ M ________ ________ ________ ________ ________ ________?
W I'd like to be a painter.

⑤ M What did you do on Friday?
W I watched a baseball game on TV.

11

W Excuse me. ________ ________ ________ ________.

M Where and when did it happen, ma'am?

W It was on the train. Just ________ ________ ________.

M Okay. Exactly what happened?

W I ________ ________ a while. When I woke up, my bag was gone.

M Okay, ________ ________ ________ ________. When we find your bag, we'll call you.

Dictation

12

W What do you want to be when you grow up?

M I _______ _______ _______ _______ _______ _______.

W That would be great.

M Do you think so? Thank you. How about you?

W I _______ _______ _______ _______ _______ like my father.

13

W It was Wednesday night _______ _______ _______. The skies were clear, and the air _______ _______. There were six patients in the room. One patient _______ _______ his family. Another watched TV. The others _______ _______ on their beds.

14

W Hey, Joe. How was your weekend?

M It was fine. I went to _______ _______ _______.

W Oh, how was the movie?

M Not bad. How about you?

W I went to the mall to _______ _______ _______. I need a pair of ski pants.

M Oh, that's right. You _______ _______.

15

W Do you like soccer?

M It's OK, but I _______ _______ _______ _______.

W Then why did you join the team?

M All my friends are on the soccer team, and they _______ _______ _______ _______.

W Ah, that's why.

16

M I'm thinking of starting an exercise program. _______ _______ _______ _______ _______ _______, running or swimming?

W I think swimming is better.

M Why do you think so?

W Nowadays, it is _______ _______ _______ _______ _______.

M That's right. Why don't we go swimming together?

W Sounds great!

17

M Can I come shopping with you, Mom?

W No. I told you to _______ _______ _______ _______.

M I'll do it when we get back. I promise! Please?

W All right. Make sure you do it _______ _______ _______ _______ _______ _______.

M Thanks, Mom.

18

M Did you bake this bread?

W Yes. _______ _______ _______ _______?

M Yes. I love eating bread, especially fresh bread. It _______ _______ _______.

W ....

19

W What's new?

M Do you remember I auditioned for the musical *Mamma Mia*? I _______ _______ _______!

W Congratulations! I'm jealous.

M Well, next week they have auditions for the musical *Cats*. _______ _______ _______ _______ for a part?

W ....

20

W It's Dad's birthday this week.

M What shall we _______ _______ _______ _______ _______?

W He says he doesn't need anything.

M But we should _______ _______.

W Then let's make him a birthday cake.

M _______ _______ _______ he'll like it?

W ....

08 영어듣기 모의고사

정답 및 해설 p.26

Take Notes

다음 그림을 바르게 설명하고 있는 것을 고르시오.

① ② ③ ④ ⑤

2. 다음을 듣고, 오늘 오후 서울의 날씨를 고르시오.

①  ②  ③ 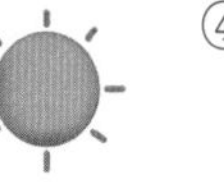 ④ ⑤ 

3. 대화를 듣고, 남자가 지불해야 할 금액을 고르시오.

① $1.25 ② $1.50 ③ $2.00 ④ $2.50 ⑤ $5.20

4. 대화를 듣고, 여자의 직업으로 가장 적절한 것을 고르시오.

① 건축가 ② 역사가 ③ 식물학자
④ 고궁 관리자 ⑤ 관광 안내원

대화를 듣고, 현재 시각을 고르시오.

① 8:00 ② 8:15 ③ 8:30 ④ 8:45 ⑤ 9:00

6 대화를 듣고, 수영 대회가 있는 날짜를 고르시오.

Take Notes

July

Sun	Mon	Tue	Wed	Thu	Fri	Sat
1	2	3	4	5	6	7
8	9	10	11	12	13	14
15	16	17	18	19	20	21
22	23	24	25	26	27	28
29	30	31				

① 7월 3일 ② 7월 6일 ③ 7월 13일
④ 7월 20일 ⑤ 7월 27일

7 대화를 듣고, 대화가 이루어지는 장소를 고르시오.

① 횡단보도 ② 버스 정류장 ③ 비행기 안
④ 엘리베이터 안 ⑤ 지하철역

8 대화를 듣고, 남자가 일주일에 스케이트 타는 횟수를 고르시오.

① 1~2회 ② 2~3회 ③ 2~4회
④ 3~4회 ⑤ 4~5회

9 대화를 듣고, 여자의 심정으로 가장 적절한 것을 고르시오.

① 미안함 ② 외로움 ③ 부러움
④ 행복함 ⑤ 자랑스러움

10 다음을 듣고, 두 사람의 대화가 <u>어색한</u> 것을 고르시오.

① ② ③ ④ ⑤

11 대화를 듣고, 여자가 남자에게 부탁한 일로 가장 적절한 것을 고르시오.

Take Notes

① Amy에게 전화하기　② 대신 일해 주기
③ 메시지 전해 주기　④ 여자를 기다려 주기
⑤ 파티 준비하기

12 다음을 듣고, 대화 직후 두 사람이 하게 될 일을 고르시오.

① 산책을 한다.
② 산을 내려간다.
③ 텐트를 설치한다.
④ 다른 장소를 찾는다.
⑤ 쓰레기를 한 곳으로 모은다.

13 다음을 듣고, 숙제에 들어가야 할 내용을 고르시오.

① 친구　② 취미　③ 습관　④ 학교　⑤ 가족

14 다음을 듣고, 무엇에 대해 이야기하고 있는지 고르시오.

① 교통사고　② 자연 재해
③ 관광 명소　④ 수학여행
⑤ 뉴스 속보

15 대화를 듣고, 두 사람의 관계로 알맞은 것을 고르시오.

① 직장 동료　② 엄마 - 아들　③ 동창생
④ 교사 - 학생　⑤ 의사 - 환자

Take Notes

16 다음을 듣고, 수업 소개에 포함되지 않은 내용을 고르시오.

① 수업 내용 ② 수업 요일 ③ 수업 시간
④ 수업 장소 ⑤ 시험 횟수

17 대화를 듣고, 휴대 전화의 문제점을 고르시오.

① 카메라 기능이 없다. ② 배터리의 수명이 짧다.
③ 전원이 켜지지 않는다. ④ 통화 음질이 좋지 않다.
⑤ 사진이 잘 찍히지 않는다.

18 다음을 듣고, 무엇에 관한 내용인지 고르시오.

① 요리법 ② 장보기 ③ 저녁 메뉴
④ 식탁 예절 ⑤ 소스 보관 방법

19-20 대화를 듣고, 남자의 마지막 말에 이어질 여자의 응답으로 가장 알맞은 것을 고르시오.

19 Woman ______________________________

① He lives in New York.
② He is watching a movie.
③ He's really good-looking.
④ He's my brother's best friend.
⑤ He's a computer programmer.

20 Woman ______________________________

① It's brown with pink stripes.
② I want to get a backpack.
③ I'll take the other one.
④ I look like my mother.
⑤ It's the wrong size.

정답 및 해설 p.29

1

① M She is ________ ________ ________ ________.

② M She is standing in a crowd.

③ M She is ________ ________ ________.

④ M She is walking with her friend.

⑤ M She is running ________ ________ ________.

2

W This is the weather forecast for Seoul. This morning, there's ________ ________ ________ ________, so be careful on the roads. Snow will ________ ________ ________ ________ ________, but tomorrow will be fine and sunny.

3

W Can I help you?

M Yes, please. I don't know ________ ________ ________ ________. I want to buy an all-day bus pass.

W Let's see. Here it is. OK. Now, you put two dollars in here and put fifty cents in here.

M I see. ________ ________ ________ ________ ________ ________ ________. There we go.

W And there's your bus pass.

4

W Now, if you ________ ________ ________ ________, you will see Chinatown.

M That's really famous. Can we stop and look around?

W Of course. It's ________ ________ ________.

M Oh, I see. The Palace tour is the first.

W Yes. Then the Botanical Gardens, and then Chinatown.

5

W What time is ________ ________?

M The boarding time is 9 am.

W What time is it now?

M It's ________ ________ ________ ________.

W Eight-fifteen? We have 45 minutes to wait.

6

W The swimming contest ________ ________, isn't it?

M It's on the calendar. See? It's the third Friday in July.

W You're right. There it is, ________ ________ ________.

7

M Hi.

W Hello.

M Can I help you with those bags?

W No, that's OK. But can you ________ ________ ________ for me?

M Of course. What floor are you going to?

W ________ ________, please.

8

W ________ ________ ________ ________ ________?

M Yes. I love ice skating.

W Really? How often do you go ice skating?

M I go ________ ________ ________ ________ ________ ________.

W That's pretty cool.

9

W I heard you and your family ________ ________ ________ ________.

M Yeah. We will move to South Beach.

W Wow! You're so lucky! I really ________ ________.

M I guess. But I don't have any friends there.

W Yeah, but you can make friends soon. In addition, you can ________ ________ ________.

10

① M ________ ________ ________ for your drink.
W Thank you very much.

② M How many sisters do you have?
W I don't have any sisters.

③ M ________ ________ ________ ________ ________, please?
W Sure. Here you are.

④ M Who is your favorite movie actress?
W Emma Watson. She was in *Harry Potter*.

⑤ M Hello, I'd like to speak to Anna, please.
W It starts next year.

11

[Telephone rings.]

M Hi, Kate.

W Hi, Jim, are you ________ ________ ________ already?

M Yes, what time will you be here?

W That's why I called. ________ ________ ________ ________ ________ and can't make it to the party. Tell her I'm really sorry.

M She's not here ________ ________ ________, but I'll let her know.

Dictation

12

W Here we are.

M That was ________ ________ ________.

W It sure was.

M Let's find a good spot for the tent. ________ ________ ________ ________?

W Hmm. I think it's too close to the main road.

M OK. ________ ________ ________ near the big tree over there.

W Good idea.

13

W OK, girls and boys. For homework, I want you all to ________ ________ ________ ________ ________ ________. Tell us about your family, where you were born, and ________ ________ ________. But don't include anything about your friends. That will be next week's topic.

14

M Did you ________ ________ ________?

W About the school trip? Yeah, I read it on the school website.

M It's so sad that this year's school trip ________ ________.

W Don't be too sad. They said we would go to New Zealand next year.

15

M Jasmine? Hi! Do you remember me?

W Eric! Of course. We were ________ ________ ________ ________.

M Right. And you were the best student. What are you doing these days?

W I'm a doctor. How about you?

M I ________ ________ in middle school.

W You became a teacher just like your mom. Good for you.

16

M Welcome, everybody. I'm Dan Black, ________ ________ ________ ________ ________. We will meet every Monday and Wednesday for two hours from 1 to 3 pm. Mondays we are ________ ________ ________, but Wednesday classes are in the meeting room. This semester, you will ________ ________ ________.

17

M I bought this phone here a few weeks ago. ________ ________ ________ ________ with it.

W Isn't it working?

M No, it's not that. It doesn't take clear pictures.

W May I see it? Oh, ________ ________ ________ ________. I'll get you a new phone.

18

W First, fill a big pot with water. Add a tablespoon of salt. _______ _______ _______ until it boils. Put the spaghetti in the water. After about 8 minutes, _______ _______ _______ _______. Pour all the water out. Put the spaghetti in a bowl. Mix some sauce into the spaghetti. Put cheese _______ _______.

19

W Do you like this picture of me?

M You _______ _______. Who is that with you?

W That's my uncle, Max.

M _______ _______ _______ _______?

W

20

M May I help you?

W I _______ _______ _______.

M Do you know when and where?

W It was on yesterday's train from London.

M OK. What does it _______ _______?

W

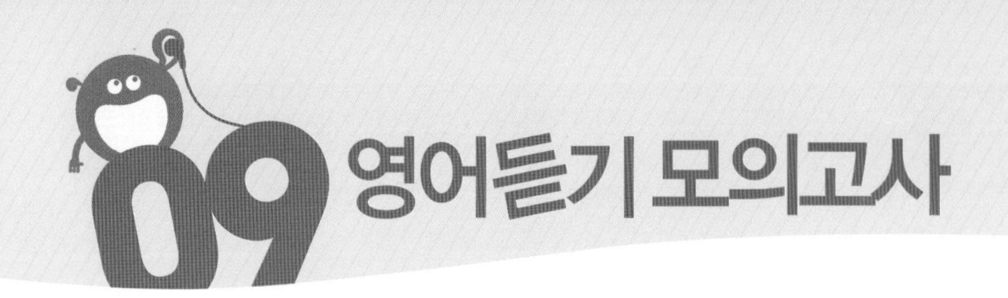

09 영어듣기 모의고사

정답 및 해설 p.30

1 다음을 듣고, 'this'가 가리키는 것을 고르시오.

Take Notes

① 
② 
③ 
④ 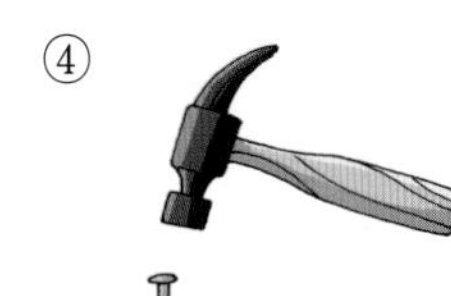
⑤ 

2 다음을 듣고, 내일 아침 밴쿠버의 날씨로 알맞은 것을 고르시오.

① 
② 
③ 
④ 
⑤ 

3 대화를 듣고, 두 사람이 야구 경기를 볼 시각을 고르시오.

① 9:00 ② 9:20 ③ 9:30 ④ 9:40 ⑤ 9:50

4 대화를 듣고, 남자의 장래 희망을 고르시오.

① 의사 ② 변호사 ③ 연주가 ④ 배우 ⑤ 작가

5 대화를 듣고, 마지막 말에 담긴 남자의 의도로 적절한 것을 고르시오.

① 위로 ② 비난 ③ 칭찬 ④ 동의 ⑤ 충고

Take Notes

6 대화를 듣고, 남자가 주말에 할 일을 고르시오.

① 번지점프 ② 암벽 등반 ③ 박물관 견학
④ 보고서 작성 ⑤ 할머니 댁 방문

7 다음을 듣고, 여자에 대해 알 수 없는 것을 고르시오.

① 나이 ② 사는 곳 ③ 가족 수
④ 취미 ⑤ 장래 희망

8 대화를 듣고, 남자가 전화를 건 목적을 고르시오.

① 분실물을 찾으려고
② 수리를 의뢰하려고
③ 이용 시간을 문의하려고
④ 도서 대출 기간을 연장하려고
⑤ 분실 도서 처리 방법에 대해 문의하려고

9 대화를 듣고, 여자가 지불할 금액을 고르시오.

① $1.00 ② $1.60 ③ $2.00 ④ $2.60 ⑤ $6.00

10 대화를 듣고, 남자의 여행이 즐겁지 않았던 이유를 고르시오.

① 몸이 아파서 ② 잠자리가 불편해서
③ 사고를 당해서 ④ 날씨가 안 좋아서
⑤ 음식이 맛이 없어서

Take Notes

11 대화를 듣고, 오늘 두 사람이 하게 될 운동을 고르시오.

① 
② 
③ 
④ 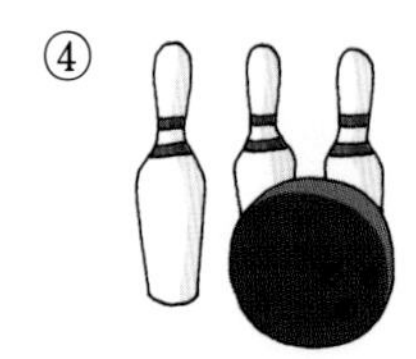
⑤ 

12 대화를 듣고, 여자가 남자에게 한 충고로 알맞은 것을 고르시오.

① 운동을 해라.
② 지각하지 마라.
③ 아침을 먹어라.
④ 과제를 미루지 마라.
⑤ 일찍 잠자리에 들어라.

13 대화를 듣고, 여자가 남자의 제안을 거절한 이유를 고르시오.

① 배가 불러서 ② 배가 아파서 ③ 맛이 없어서
④ 살을 빼야 해서 ⑤ 디저트를 먹고 싶어서

14 대화를 듣고, Alex의 생일에 해당하는 날짜를 고르시오.

① Nov. 1 ② Nov. 2 ③ Nov. 3
④ Nov. 15 ⑤ Nov. 16

15 대화를 듣고, 두 사람이 같이 갈 장소를 고르시오.

① airport ② hospital ③ train station
④ bus terminal ⑤ subway station

Take Notes

16 다음을 듣고, 두 사람의 대화가 어색한 것을 고르시오.

① ② ③ ④ ⑤

17 대화를 듣고, 여자가 주문하지 않은 것을 고르시오.

① sandwich ② French fries ③ water
④ fruit salad ⑤ muffin

18~20 대화를 듣고, 남자의 마지막 말에 이어질 여자의 응답으로 가장 알맞은 것을 고르시오.

18 Woman ______________________________

① It'll be fine.
② Don't worry.
③ Good for you.
④ Don't blame me.
⑤ They believe you.

19 Woman ______________________________

① Yes. I'll buy them.
② I will cook for you.
③ Let's give him this one.
④ Thank you for letting me know.
⑤ It's next to the children's books.

20 Woman ______________________________

① Cheer up.
② Well done.
③ Thank you, Dad.
④ I'm sorry you lost it.
⑤ You had better try hard.

Dictation

정답 및 해설 p.33

1

M This is very useful but _______ _______ _______, too. You need experience to use this safely. You can _______ _______ _______ in this. Don't go too fast in this. You might crash!

2

W Here's the weather forecast for Vancouver. It will be _______ _______ _______. Tomorrow morning, it will be very cloudy. Later in the afternoon, it will _______ _______ _______, and it will continue to rain until late at night. Remember to _______ _______ _______!

3

W What time does the baseball game start?

M _______ _______ _______.

W Really? What time is it now?

M It's 8:30.

W We got here too early. We _______ _______ _______ _______.

M But we got good seats.

4

M What do you want to be _______ _______ _______ _______?

W I want to be like my mother.

M _______ _______ _______ _______ _______?

W She plays the violin in an orchestra. How about you?

M I want to be an actor, but my parents _______ _______ _______ _______ _______ _______.

5

W Dad, I have _______ _______ _______ _______.

M What is it? Tell me.

W I won this year's Science Prize.

M Wow! _______ _______ _______ _______ _______.

6

M Do you have any plans for the weekend?

W Nothing special. I have to _______ _______ _______.

M That's too bad. I'm going rock-climbing.

W Wow! _______ _______ _______.

7

W Hi, everyone! My name is Kim Yuna, and I'm fourteen years old. I ________ ________ Busan, and I'm in the first year of middle school. ________ ________ ________ ________ ________. I want to be the best swimmer in the world.

8

[Telephone rings.]

W State Library of Victoria.

M Hi. I ________ ________ ________ from your library three weeks ago.

W Is there any problem?

M Actually, yes. I lost that book. ________ ________ ________ ________?

W You just need to pay for the price of the book.

M Okay. I'll go to the library and ________ ________ ________ tomorrow. Thanks a lot.

9

M Good afternoon, ma'am.

W Hi, Joe. ________ ________ are your lemons?

M Three for a dollar, ma'am.

W Three for a dollar? ________ ________ ________ ________, please?

M Six lemons. Here you are.

10

W Hey, Chris. How was your snowboarding trip?

M Terrible! I got really sick and ________ ________ ________ ________ ________.

W That's why you don't look well.

M Right. I'm going to ________ ________ ________ now.

11

M Hey, Jane. Can you play tennis?

W Yes, I can. Why?

M ________ ________ ________ ________ to play tennis with.

W I would, but I don't have a tennis racket with me, and I want to play badminton. ________ ________ ________ ________?

M OK. If you want to, let's play badminton.

W Then see you ________ ________.

12

W What's the matter with you today?

M I'm tired. ________ ________ ________ ________ ________.

W Did you have breakfast?

M No. I skipped it because I was late for school.

W You ________ ________ ________ every day.

M That's good advice.

Dictation

13

M Have some pizza. My dad made it.

W Really? It looks good. Mmm, ________ ________ ________! What's on it?

M Tomato, basil, and cheese. Have another slice.

W No, thanks. I'm OK.

M Go on! Aren't you hungry?

W Actually, ________ ________ ________ ________. I need to lose weight.

14

W What's the date today?

M It's the first of November.

W November first? It's Alex's birthday ________ ________ ________ ________.

M Two weeks from today?

W Yes. ________ ________ ________.

M I hope he has a party.

15

M Excuse me. How can I get to the airport from here?

W You can take the train, but ________ ________ ________ ________ ________.

M Oh. Where can I catch an express bus?

W At the Central Bus Terminal. Actually, I'm ________ ________ ________ to the bus terminal now. I'll show you if you like.

M Thanks a lot.

W You're welcome. ________ ________.

16

① M ________ ________ ________ ________ ________ ________?
W She likes cooking.

② M How often do you go skiing?
W I go about twice a year.

③ M You look worried. ________ ________?
W I have a test tomorrow.

④ M How was the math test?
W Easy. Math is my favorite subject.

⑤ M How many hours do you sleep usually?
W Two hours is too long.

17

M ________ ________ ________ ________ ________, ma'am?

W Yes. I'll have a tuna sandwich, please.

M Would you like French fries with that?

W Yes, please. Oh, and ________ ________ ________ ________ and a blueberry muffin, too.

M Will that be all?

W Yes, thank you.

18

W Felix! You look so happy. _______ _______ _______?

M You won't believe it. I can't believe it!

W _______ _______ _______? Tell me!

M Mom and Dad are taking me to Disneyland!

W ______________________________

19

W Can I help you?

M Yes. _______ _______ _______ _______ travel books?

W Travel books? They're on the second floor.

M Thank you. And _______ _______ _______ _______ _______?

W ______________________________

20

M _______ _______ _______?

W I came fourth in my swimming race today.

M _______ _______! I know you can do better next time.

W ______________________________

10 영어듣기 모의고사

정답 및 해설 p.33

Take Notes

1 대화를 듣고, 여자가 생일 선물로 받은 것을 고르시오.

①  ② 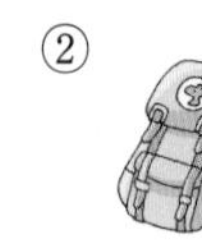 ③  ④  ⑤ 

2 대화를 듣고, 남자가 일요일 아침에 주로 하는 일을 고르시오.

①  ②  ③ 

④  ⑤ 

3 대화를 듣고, 마지막 말에 담긴 여자의 의도로 알맞은 것을 고르시오.

① 감사 ② 거절 ③ 수락 ④ 충고 ⑤ 제안

4 대화를 듣고, 남자가 가려고 하는 장소를 고르시오.

5 대화를 듣고, 여자가 거스름돈으로 받은 금액을 고르시오.

① $2 ② $3 ③ $6 ④ $8 ⑤ $13

Take Notes

6 다음을 듣고, 여자에 대해 알 수 없는 것을 고르시오.

① 나이 ② 학교 ③ 가족 구성원 ④ 사는 곳 ⑤ 취미

7 대화를 듣고, 여자의 직업으로 가장 적절한 것을 고르시오.

① 경찰관 ② 과학자 ③ 큐레이터
④ 의사 ⑤ 교수

8 대화를 듣고, 여자가 남자에게 부탁한 일을 고르시오.

① 청소하기 ② 아기 돌보기 ③ 설거지하기
④ 빨래하기 ⑤ TV 끄기

9 다음 방송을 듣고, 무엇에 관한 것인지 고르시오.

① 학교 교칙 소개
② 독감 예방 안내
③ 보건실 이용 안내
④ 화장실 청소 지도
⑤ 겨울 방학 특별 활동 안내

10 다음을 듣고, 무엇에 관한 설명인지 고르시오.

Take Notes

11 대화를 듣고, 남자가 할 일로 가장 적절한 것을 고르시오.

① 산책하기
② 집 방문하기
③ 영화 관람하기
④ 경찰관에게 묻기
⑤ 경찰에 신고하기

12 다음을 듣고, 두 사람의 대화가 어색한 것을 고르시오.

① ② ③ ④ ⑤

13 다음을 듣고, 스프링힐의 오늘 오후 날씨를 고르시오.

①  
② 
③ 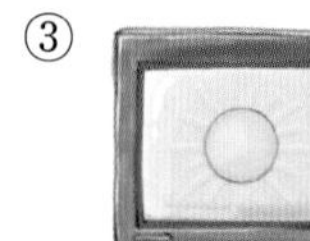
④ 
⑤ 

14 대화를 듣고, 남자가 컴퓨터를 할 수 없는 이유를 고르시오.

① 숙제를 해야 해서
② 운동을 해야 해서
③ 지금 수리 중이어서
④ 집안일을 도와야 해서
⑤ 다른 사람이 사용 중이어서

15 대화를 듣고, 남자의 심정으로 가장 적절한 것을 고르시오.

① 지루함 ② 화남 ③ 기쁨
④ 슬픔 ⑤ 만족스러움

16 대화를 듣고, 현재 시각을 고르시오.

Take Notes

① 10:10 ② 10:50 ③ 11:00 ④ 11:10 ⑤ 11:50

17 대화를 듣고, 여자가 도서관까지 가는 방법을 고르시오.

① 걸어서 ② 지하철로 ③ 버스로
④ 승용차로 ⑤ 택시로

18 대화를 듣고, 두 사람의 관계로 가장 적절한 것을 고르시오.

① 의사 - 환자 ② 교사 - 학생
③ 점원 - 고객 ④ 시민 - 경찰관
⑤ 수의사 - 강아지 주인

19-20 대화를 듣고, 남자의 마지막 말에 이어질 여자의 응답으로 가장 적절한 것을 고르시오.

19 Woman ______________________

① I read it.
② I'll take it.
③ It's too small.
④ I don't like it.
⑤ I don't have enough time.

20 Woman ______________________

① It's for you.
② I don't think so.
③ You're welcome.
④ I'm sorry. That's too bad.
⑤ Thank you. You're so kind.

정답 및 해설 p.36

1

W Ben, look! I got this for my birthday!

M Cool. Now we can ________ ________ ________ together.

W I know. I got a safety helmet, too.

M ________ ________ ________ ________ ________ now!

2

W I ________ ________, so I always swim early on Saturdays and Sundays. How about you?

M I like to read, so I usually get up early and ________ ________ ________ ________ ________ on Sundays.

3

M Did you see the new horror movie?

W That one? No. It ________ ________ ________.

M Let's go and see it on Saturday.

W I can't, I'm sorry. I ________ ________ ________ for an exam.

4

M Is there an eye-glass store around here?

W Yes. ________ ________ ________. Go straight and turn right at the second corner.

M Sorry, go straight and then what?

W ________ ________ ________ ________ ________ ________. The store will be on your left.

M Great! Thanks.

5

M Hi. Can I help you?

W Yes. ________ ________ ________ some hand cream.

M OK. This one is very good.

W Oh, ________ ________ ________. How much is it?

M It's seven dollars.

W OK, ________ ________ ________. Here's twenty dollars.

M Thank you. Here's your change.

6

W Good afternoon. My name is Yumico Sato. I'm 14 years old. I'm ________ ________ ________ ________ at Hana Middle School. I live with my family. There are ________ ________ ________ ________ ________: my parents, my twin sister, and me. I love reading books and ________ ________. Thanks for listening.

7

M Hi, Kate. Long time no see.

W Yes, ________ ________ ________ ________, Peter! What are you doing these days?

M I am a police officer. How about you?

W As you know, I ________ ________ Art. Now I work at the Modern Art Museum. I love taking care of beautiful paintings.

8

W Tom, can you ________ ________ ________ ________ please?

M Sure. I'll turn off the TV first.

W Thanks. Would you ________ ________ ________? I'm busy doing the laundry.

M No problem.

9

W ________, ________. The flu season is coming. All students and teachers will get a flu shot next week. And please remember the most important rule. ________ ________ ________ with soap and water often. Don't forget to cover your mouth when you cough or sneeze. ________ ________ ________ ________ together!

10

M I ________ ________ ________ ________. I'm a good pet because I'm friendly and amusing. I ________ ________ ________ ________ ________. My favorite foods are seeds and crackers. My favorite hobby is talking!

11

M ________ ________ ________ ________ ________, Amy.

W Yeah. It seems that we keep going the same way.

M I saw this park twice already.

W We'll ________ ________ ________ ________ ________. We'd better ask somebody the way to the theater.

M Okay, I'll do it.

W Look! There are police officers over there. ________ ________ ________!

Dictation

12

① M What day is it today?
W It's January tenth.

② M ________ ________ ________ ________?
W I'm from Kenya.

③ M What are you doing?
W I'm studying for finals.

④ M Hello. ________ ________ ________ ________ Kevin?
W Who is calling, please?

⑤ M What's your favorite subject?
W It's science.

13

W Good morning. Here's the weather for Spring Hill. We ________ ________ ________ ________ ________ this morning. But the rain should clear around noon. ________ ________ ________ ________ ________ ________, it will be fine and sunny. However, it will rain again tomorrow.

14

M Mom, I just finished my homework. ________ ________ ________ ________ ________ ________?

W Not right now.

M Why?

W Your brother is doing his homework on the computer.

M OK. Then I'll ________ ________ until he's finished.

15

W The movie was so touching. What did you think?

M I'm not sure. I ________ ________ ________ ________.

W Really? I couldn't stop crying.

M I ________ ________. I couldn't open my eyes.

16

M What are you doing, Amanda?

W ________ ________ ________ ________ Tina's birthday party.

M What time do you have to be there?

W Twelve. I ________ ________ here at 11 o'clock.

M Well, you have 10 minutes to go.

W That's OK. ________ ________ ________.

17

W What's the best way to get to the Central Library?

M The best way is ________ ________.

W How about walking?

M It's a little ________ ________ ________ ________.

W Then I'll take your advice. Thanks.

18

M What happened to your dog?

W I'm not sure, but _______ _______ _______.

M Let me take an X-ray.

W Please do. He looks like he's in pain. Please help him.

M Don't worry. It's my job to _______ _______ _______ _______ _______.

19

W How much is this smartphone case?

M The black one? It is twenty-eight dollars.

W Wow! _______ _______ _______.

M These ones are cheaper.

W Oh, good. I like that green one. _______ _______ _______ _______?

M It's nine dollars ninety cents.

W

20

M _______ _______ _______?

W I can't find my dog!

M What kind is she?

W She's a little white Maltese.

M _______ _______ _______ _______ _______. Don't worry.

W

11 영어듣기 모의고사

정답 및 해설 p.37

Take Notes

1 다음을 듣고, 'it'이 가리키는 것으로 가장 적절한 것을 고르시오.

① 
② 
③ 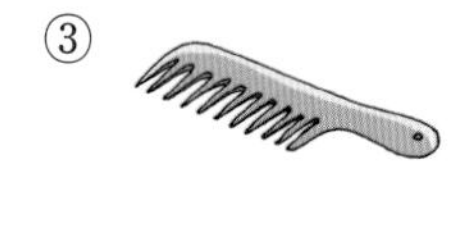
④ 
⑤ 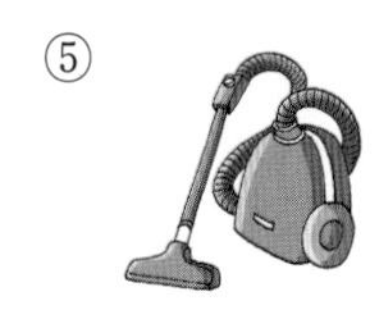

2 대화를 듣고, 무엇에 관한 내용인지 가장 적절한 것을 고르시오.

① 국제 뉴스　② 교우 관계　③ 가족 여행
④ 삼촌의 결혼　⑤ 친구의 생일파티

3 다음을 듣고, 내일 아침의 날씨로 가장 적절한 것을 고르시오.

① 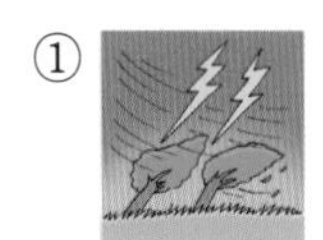
② 
③ 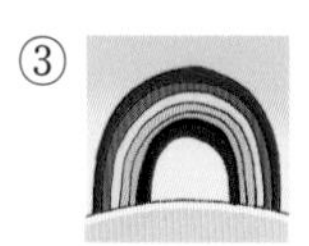
④ 
⑤  

4 대화를 듣고, 남자의 마지막 말의 의도로 가장 적절한 것을 고르시오.

① 비난　② 충고　③ 허락　④ 칭찬　⑤ 기쁨

5 다음을 듣고, 오늘 남자가 먹지 않은 것을 고르시오.

① 달걀　② 토스트　③ 스파게티
④ 바나나　⑤ 만두

6 대화를 듣고, 두 사람이 만나기로 한 시간을 고르시오.

Take Notes

① 9:00 ② 9:20 ③ 9:40 ④ 10:00 ⑤ 10:20

7 대화를 듣고, 남자가 할 일로 가장 적절한 것을 고르시오.

① 손 씻기
② 카레 사 오기
③ 음식 주문하기
④ 저녁 준비 도와주기
⑤ 아버지에게 전화하기

8 대화를 듣고, 여자의 심정을 고르시오.

① happy ② bored ③ angry ④ funny ⑤ scared

9 대화를 듣고, 여자가 할 일로 가장 적절한 것을 고르시오.

① 책 들어 주기
② 도서관 가기
③ 선생님과 면담하기
④ 친구에게 책 전해 주기
⑤ 역사 보고서 제출해 주기

10 대화를 듣고, 남자가 전화를 건 목적으로 가장 적절한 것을 고르시오.

① 데이트를 신청하려고
② 좋은 식당을 물어보려고
③ 식당 예약을 부탁하려고
④ 약속 시간을 변경하려고
⑤ 여자 친구를 소개해 주려고

Take Notes

11 대화를 듣고, 남자가 지불한 금액을 고르시오.

① $7 ② $9 ③ $12.50 ④ $16 ⑤ $20

12 대화를 듣고, 여자가 남자에게 전화를 했던 이유를 고르시오.

① 할머니가 실종되어서
② 할머니가 전화하셔서
③ 할머니가 돌아가셔서
④ 할머니가 병원에 가셔야 해서
⑤ 할머니가 교통사고를 당하셔서

13 대화를 듣고, 두 사람의 관계로 가장 적절한 것을 고르시오.

① 점원 - 손님
② 승무원 - 승객
③ 안내소 직원 - 관광객
④ 버스 기사 - 승객
⑤ 호텔 직원 - 손님

14 대화를 듣고, 남자가 여자에게 부탁한 일로 가장 적절한 것을 고르시오.

① 청소하기 ② 세차하기 ③ 빨래하기
④ 저녁 차리기 ⑤ 식당 예약하기

15 대화를 듣고, 두 사람이 만나기로 한 장소로 가장 적절한 곳을 고르시오.

① 파티 장소 ② 강의실 ③ 지하철역
④ 남자의 집 ⑤ 여자의 집

Take Notes

16 대화를 듣고, 남자가 책을 다 사지 못한 이유로 가장 적절한 것을 고르시오.

① 품절되어서 ② 돈이 부족해서
③ 책이 너무 낡아서 ④ 서점이 문을 닫아서
⑤ 책 제목을 잊어버려서

17 대화를 듣고, 여자가 휴가 동안 한 일을 고르시오.

① 여행 ② 독서 ③ 텔레비전 시청 ④ 영어 공부 ⑤ 운동

18 다음을 듣고, 두 사람의 대화가 어색한 것을 고르시오.

① ② ③ ④ ⑤

19-20 대화를 듣고, 남자의 마지막 말에 이어질 여자의 응답으로 가장 적절한 것을 고르시오.

19 Woman ______________________________

① It's so kind of you.
② I'm happy for you.
③ I have to study for the tests.
④ Good job! I knew you could do it.
⑤ Don't worry. You'll do better next time.

20 Woman ______________________________

① I'll give you a key.
② I'll be home all day.
③ I'll meet you at four.
④ I'll put it in the mailbox.
⑤ I'll see you next weekend.

Dictation

정답 및 해설 p.40

1

M We can use it when we ________ ________ ________. It has a handle with buttons on it. We can use the buttons to turn this on and off. When we use this, we have to be careful because it can ________ ________ ________.

2

M ________ ________ ________ ________ ________?

W What news?

M About Uncle Bob's wedding.

W Really? ________ ________ ________? With whom?

M A lady he met at school.

W Did you meet her?

M No. He will ________ ________ ________ ________ ________ with her today.

3

W Here's the weather for today and tomorrow. It will be ________ ________. However, a storm is coming from the east. So, tomorrow morning, we will see ________ ________ ________ ________. The rain will stop in the afternoon, and we'll finally have clear skies. Thank you and good night.

4

M ________ ________ ________ ________ the weekend?

W Yes, Dad. What are we doing?

M We're going to the cabin on Clear Lake.

W Yay! ________ ________ ________ Beth? She's my best friend.

M Yes, you may.

5

M Dad made me toast and eggs for breakfast. For lunch at school, I had ________ ________ ________. After school, I came back home. Mom made spaghetti for dinner. I also ate two bananas ________ ________ today.

6

W Are you going to the school fair on Saturday?

M Of course! ________ ________ ________ ________ ________?

W It starts at 10 in the morning.

M Do you want to meet at my house and go together?

W Sure. How about 9 o'clock?

M ________ ________ ________ ________. Let's meet at 9:40. Twenty minutes before the fair starts, OK?

7

M Mom, I'm hungry.

W Wait a little longer. ________ ________ ________ ________.

M When will Dad come?

W He called to say he would be here in ten minutes.

M Great. Do you need any help?

W It's okay. I made curry and rice. ________ ________ ________ ________ ________ before eating dinner.

M Okay, Mom.

8

W Your English is ________ ________.

M Do you think so? I study more often now.

W I'm proud of you. You're such a good son.

M ________ ________ ________ that you are pleased, Mom.

9

W Where are you going?

M I'm going to the library.

W Those books look heavy. ________ ________ ________ ________?

M It's okay. By the way, did you hand in the history report?

W Not yet. How about you?

M Me, too. Would you mind handing it in for me?

W Not at all. ________ ________ ________ ________ and mine together.

10

[Cell phone rings.]

W Hello?

M Hey, Jessica. ________ __________ is 6 o'clock this Friday, right?

W That's right.

M I'm sorry, but I don't think I can make it.

W Then ________ ________ ________ ________ ________ ________?

M I think I can be there by 7:30. I will treat you for dinner instead.

W Okay. See you then.

11

M I'd like two large Cokes and one family-sized popcorn please.

W That's ________ ________ ________ ________ ________ and nine dollars for the popcorn.

M Wow, five dollars for a large Coke?

W Medium Cokes are three dollars fifty cents.

M I'll have ________ ________ ________ ________.

W That's seven dollars for the Cokes and nine dollars for the popcorn.

M Here you are.

12

W Finally, you are here. I ________ ________ ________ ________ all day.

M I'm sorry. What's the matter?

W Grandma was in a car accident.

M No way! Where is she? Is she OK?

W ________ ________ ________ ________. But she's fine. We have to pick her up.

13

M Welcome to Gold Hills. Here's ________ ________ ________.

W Thanks. Can you recommend a hostel, please?

M The Golden Saloon is popular with backpackers.

W What's the best way to get there?

M ________ ________ ________ ________. It leaves here every hour.

14

W Dad, ________ ________ ________ ________ ________ to prepare for dinner?

M It's okay. I can do it by myself.

W I have some free time. Is there anything I can do for you?

M Why don't you ________ ________ ________ for me?

W Sure. I'll do it right away.

15

[Cell phone rings.]

W Hello?

M Hey, Rachel. ________ ________ ________?

W I'm at home. I'm getting dressed for the party.

M I just finished my class. Shall I pick you up?

W No, you don't have to. My mom will ________ ________ ________ ________ ________ ________ ________. Let's meet there.

M Okay, see you there.

16

W Did you get all your books for the course?

M Yes, ________ ________ the English grammar book.

W Why?

M All the copies were sold out.

W Don't you need it by next week?

M No. ________ ________ ________ ________ ________ until next month. And they will call me when they have the books.

17

W Hi, Finn. How was the holiday?

M I didn't do much. Did you? ________ ________ ________ ________.

W Thanks. I went to the gym a lot.

M Well done. Did you lift weights?

W Yes. I ________ ________ ________ ________, too.

18

① M Who is John's best friend?
W I think it's Danny.

② M Did you ________ ________ ________?
W Yes, a few minutes ago.

③ M Mom, are you busy?
W Not really. ________ ________ ________ ________ ________?

④ M Where did you go for summer vacation?
W We went to Paris.

⑤ M ________ ________ ________ ________ ________ to the dance party on Friday?
W I like dancing most.

19

W Why do you ________ ________ ________?

M I just got my test results. I got a D.

W You said the ________ ________ ________ ________.

M It was. I got an A on English. The D was ________ ________ .

W ______________________________

20

[Cell phone rings.]

W Hello, James. Are you coming today?

M Sure. I'm leaving now.

W ________ ________ ________ ________ ________ ________?

M Four. I'll be at your house around 6.

W I'll still be at work then.

M Oh. Then how can I ________ ________ ________?

W ______________________________

12 영어듣기 모의고사

정답 및 해설 p.40

Take Notes

1 다음을 듣고, 'I'가 무엇인지 가장 적절한 것을 고르시오.

①  ②  ③ 

④  ⑤ 

2 다음을 듣고, 오늘 밤의 날씨로 가장 적절한 것을 고르시오.

①  ②  ③  ④  ⑤  

3 대화를 듣고, 여자의 마지막 말의 의도로 가장 적절한 것을 고르시오.

① 허락 ② 칭찬 ③ 제안 ④ 위로 ⑤ 사과

4 다음을 듣고, 남자에 대해 언급되지 않은 것을 고르시오.

① 태어난 곳 ② 사는 곳 ③ 부모님의 직업
④ 나이 ⑤ 장래 희망

5 대화를 듣고, 두 사람이 보게 될 경기의 시작 시간을 고르시오.

① 7:20 ② 7:30 ③ 8:00 ④ 8:10 ⑤ 8:30

6 대화를 듣고, 여자가 주말에 하게 될 운동으로 가장 적절한 것을 고르시오.

Take Notes

① 
② 
③ 
④ 
⑤ 

7 대화를 듣고, 여자의 장래 희망으로 가장 적절한 것을 고르시오.

① 교사 ② 과학자 ③ 예술가
④ 의사 ⑤ 헤어 디자이너

8 대화를 듣고, 여자의 심정으로 가장 적절한 것을 고르시오.

① 다급함 ② 미안함 ③ 반가움
④ 부러움 ⑤ 걱정됨

9 대화를 듣고, 두 사람이 오늘 오후에 할 일로 가장 적절한 것을 고르시오.

① 수영하기 ② 숙제 하기 ③ 소풍 가기
④ 장난감 사기 ⑤ 애완동물 사기

10 대화를 듣고, 무엇에 관한 내용인지 가장 적절한 것을 고르시오.

① 날씨 ② 봉사 활동 ③ 직업 구하기
④ 인터넷 사용 ⑤ 신문 기사

Take Notes

11 대화를 듣고, 남자가 여자에게 제안한 교통수단으로 가장 적절한 것을 고르시오.

① 버스 ② 택시 ③ 승용차 ④ 자전거 ⑤ 지하철

12 대화를 듣고, 남자가 전화를 걸지 못한 이유로 가장 적절한 것을 고르시오.

① 수업이 늦게 끝나서
② 전화기를 잃어버려서
③ 전화 배터리가 없어서
④ 전화기를 안 가져가서
⑤ 전화해야 한다는 것을 잊어버려서

13 대화를 듣고, 두 사람의 관계로 가장 적절한 것을 고르시오.

① 교사 - 학생 ② 부하 직원 - 상사 ③ 점원 - 손님
④ 승무원 - 승객 ⑤ 아내 - 남편

14 대화를 듣고, 여자가 가려고 하는 장소를 고르시오.

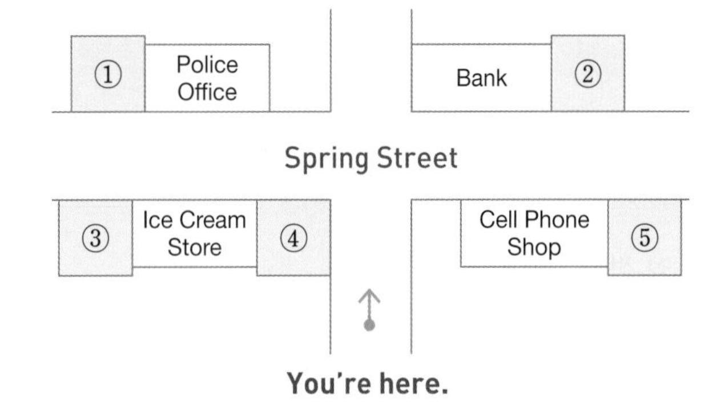

15 대화를 듣고, 남자가 여자에게 부탁한 일로 가장 적절한 것을 고르시오.

① 세탁물 찾아오기 ② 저녁 요리해 주기
③ 축구 유니폼 사 주기 ④ 시험공부 도와주기
⑤ 축구 유니폼 세탁해 주기

16 대화를 듣고, 여자가 남자에게 제안한 것으로 가장 적절한 것을 고르시오.

Take Notes

① 다른 재료 사용하기　② 가게 다녀오기
③ 다시 만들기　④ 엄마에게 물어보기
⑤ 요리책 찾아보기

17 다음을 듣고, 두 사람의 대화가 어색한 것을 고르시오.

①　②　③　④　⑤

18 대화를 듣고, 남자의 직업으로 가장 적절한 것을 고르시오.

① 관광 가이드　② 택시 기사　③ 거리 예술가
④ 경찰관　⑤ 부동산 직원

19-20 대화를 듣고, 남자의 마지막 말에 이어질 여자의 응답으로 가장 적절한 것을 고르시오.

19 Woman ______________________

① Actually, I don't.
② How can I refuse?
③ When did you go?
④ Maybe two is enough.
⑤ It's the last week in May.

20 Woman ______________________

① No, they can't swim.
② It's too far from here.
③ Yes, but I let them go.
④ I'll never go there again.
⑤ Fish is good for your health.

정답 및 해설 p.43

1

M I am a big animal. I have four strong legs and ________ ________ ________ ________. I live in deserts. I am often used in deserts for ________ ________ ________ ________. What am I?

2

W Good evening. Here's the weather for Tiny Town. Tonight, the temperature will be warm. However, it will be ________ ________. Tomorrow morning will be cloudy, but the afternoon will be ________ ________ ________. Thank you.

3

M Look, Mom. The kids are playing soccer. ________ ________ ________ ________ ________.

W Do they? They probably live on our street.

M I'd like to ________ ________ ________ ________. Can I play soccer with them?

W Of course. ________ ________?

4

M Hi, my name is Jason Goss. I ________ ________ ________ Germany. My father is in the army. My mother is a teacher. I'm 11 years old. When I grow up, I want to ________ ________ ________, too. I'll be just like my dad.

5

M Do you want to watch TV at my house tonight?

W Sure. ________ ________?

M It's the first match in the World Cup. It starts at 8:30.

W Then, I'll ________ ________ ________ ________ ________. I'll be there 20 minutes before the game starts. OK?

6

M ________ ________ ________ ________ ________ for the weekend?

W I'm going to ride a bike with my Dad.

M I'd love to do that. ________ ________ ________, too?

W I'll ask Dad. I'm sure he'll say yes.

7

M I want to be a famous hair stylist. How about you?

W I _______ _______ _______ _______ _______ _______. Biology is my favorite subject.

M How about being a scientist?

W That's possible. But I _______ _______ _______ _______.

8

M Excuse me. Are you Tiffany Wilson?

W Yes. _______ _______ _______ _______?

M It's me, Justin Tyson from Lincoln Elementary School.

W Oh, Justin. _______ _______ _______ _______! Glad to see you.

M Me, too.

9

W It's a beautiful day today.

M _______ _______ _______ _______ _______ at the river?

W Good idea. Shall we bring the dogs?

M Sure. We can walk the dogs, too. I'll bring their toys.

W It's fun to _______ _______ _______ _______ at the park.

10

M It will be a very cold winter this year.

W I know. I feel sorry for _______ _______ _______ _______.

M We can help. We can volunteer.

W Good idea. There are a few volunteer groups downtown.

M We can _______ _______ _______ on the Internet.

11

M _______ _______ _______. What's the matter?

W The traffic was terrible. It took me an hour to get here.

M Did you take a bus or a taxi?

W Neither. I _______ _______ _______. I thought it would be a quick trip.

M Riding a bike is the best. That's what I do. _______ _______ _______ _______.

12

M I'm sorry I didn't call you.

W Why didn't you call me? I waited all day.

M I tried, but I _______ _______ _______ _______ at school.

W You mean you left it at home?

M Yeah. _______ _______ _______ _______. I'm really sorry.

Dictation

13

M Did you read the proposal, Ms. Carson?

W Yes. It looks good. Can you ________ ________ ________ on this proposal?

M Yes. Thank you for the opportunity.

W Don't mention it. It's your idea.

M I'll ________ ________ ________.

W You'll do a good job. You are a great worker.

14

W Excuse me. Do you know ________ ________ ________ ________?

M The museum? Go straight ahead.

W Is it on Spring Street?

M Yes. Turn right at Spring Street. The museum is ________ ________ ________.

W OK, thanks.

M You can't miss it. It's next to the cell phone shop.

W Thank you!

15

W What's the matter, Sam?

M My soccer uniform is dirty, but I need it tomorrow.

W Then, just ________ ________ ________ ________.

M I want to, but I have a test tomorrow. Would you do it for me?

W Sure. ________ ________ ________.

M Thank you so much, Mom.

16

W Do you need help ________ ________?

M No. I'm OK. But I have to go to the supermarket.

W Why? ________ ________ ________ ________?

M The recipe says two cups of apple slices.

W We have pears. Why don't you ________ ________ ________?

M I didn't think of that. Thanks.

17

① M What's your favorite cafe?
W I like Café Jazz the best.

② M Do you ________ ________ ________ ________?
W No, but my sister does.

③ M Is there a bus stop near here?
W Yes. It's ________ ________ ________.

④ M Do you need to see a doctor?
W Yes. You can see the doctor now.

⑤ M ________ ________ does the post office open?
W I think it opens at 10 am.

18

M ________ ________ ________. This is Chelsea Street.

W Thanks. You can let me out here.

M OK. That will be five dollars sixty cents.

W Here's six dollars. ________ ________ ________.

M Wait! Don't open the door yet! There's a motorbike coming.

19

M Did you see *Phantom of the Opera*?

W No, but I always ________ ________ ________ ________.

M I have two free tickets to the opera tonight. ________ ________ ________!

W ______________________________

20

M What did you do ________ ________ ________?

W Dad took us fishing on the lake.

M Did you ________ ________ ________?

W ______________________________

13 영어듣기 모의고사

정답 및 해설 p.44

Take Notes

1 다음을 듣고, 'it'이 가리키는 것으로 가장 적절한 것을 고르시오.

① 

② 
③ 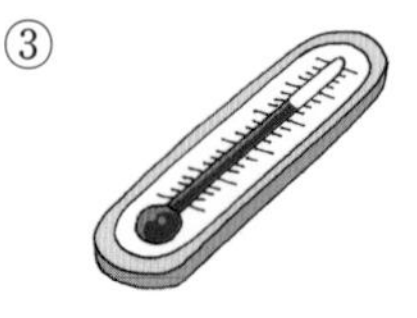
④ 
⑤ 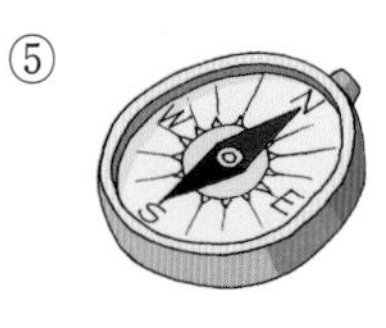

2 대화를 듣고, 무엇에 관한 내용인지 가장 적절한 것을 고르시오.

① 봉사 활동 ② 학교생활 ③ 동물 보호
④ 환경 보호 ⑤ 취미 생활

3 다음을 듣고, 오늘 저녁의 날씨로 가장 적절한 것을 고르시오.

① 
② 
③ 
④ 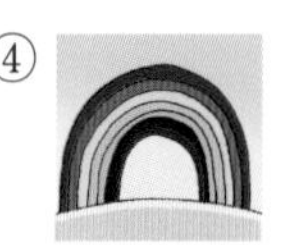
⑤ 

4 대화를 듣고, 남자의 마지막 말에 담긴 의도로 가장 적절한 것을 고르시오.

① 축하 ② 반대 ③ 허락 ④ 조언 ⑤ 꾸중

5 다음을 듣고, 여자에 대해 알 수 없는 것을 고르시오.

① 나이 ② 부모님의 직업 ③ 형제 관계
④ 장래 희망 ⑤ 좋아하는 활동

6 대화를 듣고, 두 사람이 경기장에 도착해야 할 시각으로 가장 적절한 것을 고르시오.

Take Notes

① 3:00 ② 3:30 ③ 4:00 ④ 4:30 ⑤ 5:00

7 대화를 듣고, 두 사람이 할 일로 가장 적절한 것을 고르시오.

① 외식하기
② 병원 가기
③ 농구 하기
④ 여행 계획 세우기
⑤ 농구 경기 관람하기

8 대화를 듣고, 여자의 심정으로 가장 적절한 것을 고르시오.

① 긴장한 ② 즐거운 ③ 자신 있는
④ 지루한 ⑤ 부러운

9 대화를 듣고, 남자가 전화를 건 목적으로 가장 적절한 것을 고르시오.

① 여자의 개인 정보를 확인하려고
② 새로 나온 전화기를 소개하려고
③ 전화 요금 연체를 알리기 위해서
④ 통화 불량 문제에 대해 사과하려고
⑤ 전화기 사용에 관한 설문 조사를 하려고

10 대화를 듣고, 여자가 주말에 할 일로 가장 적절한 것을 고르시오.

① 시험공부하기
② 드럼 연주하기
③ 사진 수업 듣기
④ 퍼레이드 참가하기
⑤ 퍼레이드 사진 찍기

Take Notes

11 대화를 듣고, 여자가 지불할 금액으로 가장 적절한 것을 고르시오.

① $15 ② $25 ③ $35 ④ $45 ⑤ $55

12 대화를 듣고, 여자가 원하는 집의 기준으로 가장 중요한 것을 고르시오.

① 정원 ② 위치 ③ 크기 ④ 가격 ⑤ 건축 양식

13 대화를 듣고, 두 사람의 관계로 가장 적절한 것을 고르시오.

① 아내 - 남편 ② 사장 - 직원 ③ 약사 - 손님
④ 기사 - 승객 ⑤ 안경사 - 손님

14 대화를 듣고, 남자가 여자에게 부탁한 일로 가장 적절한 것을 고르시오.

① 장보기
② 일찍 깨워 주기
③ 아침 식사 준비하기
④ 축구화 가져다주기
⑤ 축구 연습에 데려다 주기

15 대화를 듣고, 여자가 파티에 갈 수 없었던 이유로 가장 적절한 것을 고르시오.

① 아르바이트를 해야 해서
② 병원에 가야 했기 때문에
③ 동생을 돌봐야 했기 때문에
④ 저녁 식사를 준비해야 했기 때문에
⑤ 파티의 초대를 받지 않았기 때문에

Take Notes

16 대화를 듣고, 두 사람이 만나기로 한 장소로 가장 적절한 곳을 고르시오.

① 지하철역 ② 남자의 집 ③ 쇼핑몰
④ 여자의 집 ⑤ 영화관

17 대화를 듣고, 여자가 오늘 저녁에 할 일로 가장 적절한 것을 고르시오.

① 장보기 ② 숙제 하기
③ 쿠키 굽기 ④ 자원봉사하기
⑤ 생일 파티 준비하기

18 다음을 듣고, 두 사람의 대화가 어색한 것을 고르시오.

① ② ③ ④ ⑤

19-20 대화를 듣고, 여자의 마지막 말에 이어질 남자의 응답으로 가장 적절한 것을 고르시오.

19 Man ________________________________

① I'm sorry about that.
② It's a routine checkup.
③ It's just down the hall.
④ I didn't know him then.
⑤ My dentist is very good.

20 Man ________________________________

① Yes. I must wear a suit.
② I can't. It's my best one.
③ She really did a good job.
④ I agree. It's not important.
⑤ I look much better. Thanks.

정답 및 해설 p.47

1

W It shows the exact temperature. It is ________ ________ ________, and there is a liquid inside the glass. This liquid is red. The liquid moves up ________ ________ ________ ________, and it moves down when it is cold.

2

W Jake, you left ________ ________ ________ ________ ________.

M Did I? Sorry.

W Didn't you say you wanted to ________ ________?

M I am trying, Mom.

W Like how?

M As you know, I ride my bike to school. And I'm trying to ________ ________.

3

M This is Tom Bennett with today's weather. There was a little rain overnight, but this morning is ________ ________ ________. The warm weather will continue into the afternoon. A storm is developing in the west and after 6 pm there will be ________, ________ ________, and heavy rain.

4

M Maria, did you ________ ________ ________?

W What news, sir?

M You got a prize in the National Short Story Contest.

W No! It can't be true! I can't believe it!

M Congratulations! I'm really ________ ________ ________.

5

W Hi, everyone. My name is Erin Richie. I'm thirteen years old. I was born in Texas. ________ ________ ________ ________ are engineers at an oil company. I have two older sisters, but I don't have brothers. I love to ________ ________ ________ and swim in the lake.

6

M ________ ________ ________ ________ ________?

W It's 3 pm. Why?

M The baseball game starts at 5 pm.

W Right. What time do we ________ ________ ________ ________?

M We have to be there at 4:30. So, how about leaving at 4:00 pm?

W Okay. It takes 30 minutes ________ ________ ________. We won't be late.

7

[Telephone rings.]

M Hello?

W Hey, it's Katie. Do you want to ________ ________ ________?

M No, not today. I don't feel like playing.

W Then, how about eating out? I'll ________ ________ ________.

M Sounds great! Then dessert is on me.

8

M Your French exam is today. How are you feeling?

W I think it will be ________ ________ ________ ________, Dad.

M Really? What makes you think that?

W I got 100 on the practice test. And I studied a lot.

M Well, I'll ________ ________ ________ ________ for you!

9

[Telephone rings.]

M Hello. May I speak to Ms. Cullen, please?

W Speaking. ________ ________ ________?

M It's Jason from ABC Telephone.

W Yes. Is there a problem with my phone?

M No, ma'am. I would like to ________ ________ to our new phone. It has a lot of nice new things. And ….

W I'm sorry, but I just ________ ________ ________.

10

W Are you going to watch the parade this weekend?

M Yes. Are you?

W I can't. I ________ ________ ________ ________ ________ ________. My band will participate in the contest.

M Oh. I'm sorry to hear that. The parade will be fantastic.

W Yeah. ________ ________ ________ ________ ________ and show them to me later.

M Sure. I'll do it for you.

11

M Welcome to Franklin Springs Food Court.

W Hi. Do you have set meals for kids?

M Yes. ________ ________ ________ ________ ________ ________.

W Oh, I see. I'll take three kids' meals and one tomato salad, please.

M Okay. That's fifteen dollars for kids' meals and ten dollars for salad.

W Then ________ ________ ________ ________ ________, right?

M Yes, ma'am.

Dictation

12

M ________ ________ ________ ________?

W I dream of a house with a pretty garden by the sea.

M What style of house, old-fashioned or modern?

W I don't really care. I just want to live ________ ________ ________.

M My dream house is a big castle with secret chambers and passages!

13

W Now, can you read ________ ________ ________ for me?

M Of course. "A-G-S-L-P."

W Good, now cover your left eye with your hand and read ________ ________ ________ ________ ________.

M "R-V-U-T" … ah, is that an X? I can't read the next row.

W OK, we'll have to ________ ________ ________.

14

W Breakfast is ready.

M Thank you, Mom. ________ ________ ________ this afternoon?

W Not really. I will just go grocery shopping.

M Then, can you ________ ________ ________ ________ to soccer practice after school?

W Sure. Wait at the school gate. And don't forget your soccer shoes.

15

M Hey, Anna. I didn't see you at the party.

W I know. ________ ________ ________.

M I heard you were sick. But you look OK.

W I wasn't sick. I ________ ________ ________ ________ ________ at Joe's Diner.

M On Saturday? How was it?

16

W I'm going shopping for new jeans at the mall tomorrow.

M ________ ________ ________ ________ ________? I want to buy a T-shirt.

W Sure. I'll pick you up on the way.

M You don't have to. ________ ________ ________ ________. Let's meet at the mall.

W If you want. See you tomorrow.

17

M Where are you going, sweetheart?

W To the grocery store. I'll ________ ________ ________ for the church events this evening.

M Oh, are you going to sell the cookies tomorrow?

W Yeah, we are going to _______ _______ _______ _______ _______ _______.

M How nice of you!

18

① M _______ _______ _______ _______ _______?

W It's five to five.

② M Why are you so late?

W I was _______ _______ _______.

③ M What do you like to eat?

W It tasted like chicken.

④ M How's the weather there?

W _______ _______ _______.

⑤ M Who is this in the picture?

W It's me! I was very young.

19

W Hi, I'm Carol Brown. I _______ _______ _________ at 3.

M Yes, Ms. Brown. Would you like to take a seat? The dentist _______ _______ _______.

W Actually, where's your bathroom, please?

M ______________________________

20

M I'm ready for the party, Mom.

W I like your suit, but I don't think _______ _______ _______ _______.

M Really?

W Let me pick one for you. I think this violet one _______ _______ _______ _______.

M Okay. Now, how do I look?

W Great! _______ _______ _______ _______.

M ______________________________

14 영어듣기 모의고사

정답 및 해설 p.47

Take Notes

1 다음을 듣고, 'I'가 무엇인지 가장 적절한 것을 고르시오.

① 
② 
③ 
④ 
⑤ 

2 대화를 듣고, 여자가 남자에게 선물한 것을 고르시오.

① 
② 
③ 
④ 
⑤ 

3 대화를 듣고, 여자의 마지막 말에 담긴 의도로 가장 적절한 것을 고르시오.

① 거절 ② 허락 ③ 충고 ④ 제안 ⑤ 칭찬

4 대화를 듣고, 남자의 현재 심정으로 가장 적절한 것을 고르시오.

① 화남 ② 놀람 ③ 당황함 ④ 즐거움 ⑤ 행복함

5 대화를 듣고, 남자가 타게 될 비행기 시간으로 가장 적절한 것을 고르시오.

① 6:30 ② 8:00 ③ 8:30 ④ 9:00 ⑤ 9:30

Take Notes

6 다음을 듣고, 여자에 대해 알 수 없는 것을 고르시오.

① 태어난 곳　② 가족 관계　③ 남동생의 이름
④ 남동생의 학교　⑤ 부모님의 직업

7 대화를 듣고, 남자의 취미 활동으로 가장 적절한 것을 고르시오.

① 춤추기　② 노래하기　③ 음악 듣기
④ 영화 보기　⑤ 독서하기

8 다음을 듣고, 오늘 오후의 날씨로 가장 적절한 것을 고르시오.

① 
② 
③ 
④ 
⑤  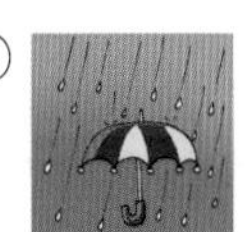

9 대화를 듣고, 두 사람이 오늘 오후에 할 일로 가장 적절한 것을 고르시오.

① 세차하기　② 새 집 꾸미기
③ 봉사활동 하기　④ 여자의 물건 옮기기
⑤ 이삿짐센터 알아보기

10 대화를 듣고, 남자가 스케이트를 주문하지 않은 이유로 가장 적절한 것을 고르시오.

① 예상한 금액보다 비싸서
② 마음에 드는 것이 없어서
③ 엄마가 사지 못하게 해서
④ 친구가 사다 주기로 해서
⑤ 아이스하키를 그만 두어서

Take Notes

11 대화를 듣고, 여자가 제안한 교통수단으로 가장 적절한 것을 고르시오.

① 택시 ② 도보 ③ 버스 ④ 자가용 ⑤ 지하철

12 대화를 듣고, 두 사람의 관계로 가장 적절한 것을 고르시오.

① 환자 – 간호사
② 손님 – 은행 직원
③ 학생 – 서점 점원
④ 직원 – 사장
⑤ 손님 – 음식점 주인

13 대화를 듣고, 여자가 가려고 하는 장소를 고르시오.

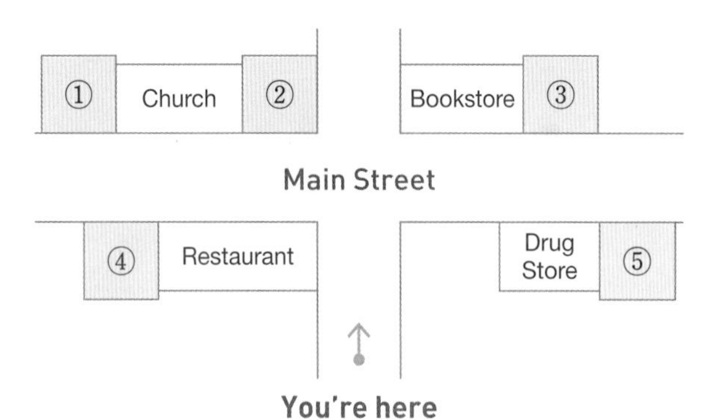

14 다음을 듣고, 두 사람의 대화가 어색한 것을 고르시오.

① ② ③ ④ ⑤

15 대화를 듣고, 여자가 무엇을 부탁하고 있는지 고르시오.

① 새 자전거 사 주기
② 학교에 데려다 주기
③ 방과 후에 데리러 오기
④ 버스 정류장까지 태워 주기
⑤ 자전거 타는 방법 가르쳐 주기

Take Notes

16 대화를 듣고, 무엇에 관한 내용인지 가장 적절한 것을 고르시오.

① 음식 ② 날씨 ③ 문화 ④ 여행 ⑤ 교통

17 대화를 듣고, 남자가 여자에게 제안한 것으로 가장 적절한 것을 고르시오.

① 파티 준비 돕기
② Oliver와 화해하기
③ 파티에 같이 가기
④ 콘서트에 함께 가기
⑤ 파티에 못 간다고 말하기

18 대화를 듣고, 남자의 직업으로 가장 적절한 것을 고르시오.

① 교사 ② 의사 ③ 연구원 ④ 학생 ⑤ 기자

19-20 대화를 듣고, 여자의 마지막 말에 이어질 남자의 응답으로 가장 적절한 것을 고르시오.

19 Man ______________________________

① Sure, here you are.
② Thank you so much.
③ I'm sure you're right.
④ The address is wrong.
⑤ That's the right number.

20 Man ______________________________

① I'm glad you think so.
② That's her in the middle.
③ My father was born there.
④ The sea is so clear and blue.
⑤ I love to walk along the beach.

정답 및 해설 p.50

1

M I am a kind of animal. I am _______ _______ _______. I don't have arms and legs. I have very smooth skin. I _______ _______, so I am very dangerous.

2

W Look, Dad. It's for you.

M Wow! I love it. Did you _______ _______ _______?

W Yes. Mom taught me how to knit.

M It's _______ _______ _______. It will make my neck really warm this winter.

3

M What are you going to do tonight?

W _______ _______. I'll stay home.

M I have two tickets for a rock concert. Will you come with me?

W Sorry. I _______ _______ _______. I'll take a rain check.

4

W _______ _______ _______ _______, Danny?

M Michael hit me!

W Why did your brother hit you? You made him angry, didn't you?

M No! I didn't do anything. Mom, you are always _______ _______ _______. You don't listen to me.

5

W Wake up, Josh. Your alarm started ringing at 6 am.

M Oh no! Is it 6:30? I'll be _______ _______ _______ _______.

W What time is your flight?

M It's 9 am. I have to be at the airport at 8 am.

W Take a taxi. It will take _______ _______ _______. You won't be late.

6

W Hi. My name is Kelly Swan. I was _______ _______ _______ _______ in Germany. I don't have any sisters, but I have a little brother. He is in the first grade at Greenwood Elementary school. My parents _______ _______ at Yale University.

7

W My favorite thing to do is dancing. What's yours?

M I like listening to music, so I download new songs ________ ________ ________.

W Wow! You must know about new songs and singers. Who is your favorite singer?

M It's Taylor Swift. ________ ________ ________.

8

W Hello, here's today's ________ ________.
A lot of snow fell last night. It's lighter now, but it will ________ ________ until around noon. The rest of the day will be cloudy and very cold.

9

W Can you give me a hand today?

M Sure. What do you need ________ ________?

W I'm moving. I hired two guys and a truck to move my stuff tomorrow.

M So, ________ ________ today?

W I want to move as much as I can in my car. Then it will be easier tomorrow.

10

W How are the new ice skates? You ordered them from Canada, didn't you?

M No, I didn't order them ________ ________.

W Why not? Did you quit playing ice hockey?

M No, a friend of mine is visiting his family in Canada. He offered to ________ ________ ________ ________.

11

M Excuse me. Is Central Station that way?

W Yes, but it's ________ ________ ________ ________.

M OK. Is there a bus stop near here?

W No. You had better take a taxi. They're ________ ________ ________.

M Thanks. I'll take your advice.

12

M I'd like to ________ ________ ________, please.

W Certainly, sir. What type of account?

M Just an ordinary savings account and a checking account.

W Okay. Do you ________ ________ ________ ________?

M No, I have two credit cards already. Thanks anyway.

W OK, please fill out these forms.

Dictation

13

W Excuse me. Is there a shoe repair place around here?

M Sure. There's a good one on Main Street.

W Main Street?

M Yes. It's ________ ________.

W OK. Do I go left or right at Main Street?

M Turn left. The shoe repair place is ________ ________ ________ to the restaurant.

W Thank you.

14

① M What's he like?
W He's my uncle.

② M May I go out and play?
W No. ________ ________ ________ ________.

③ M When is Mike's birthday?
W It's next Tuesday.

④ M ________ ________ ________ ________ ________?
W Yes, tell him Jane Koo called.

⑤ M How do you like your new teacher?
W She's very generous and kind.

15

M Your mother can't ________ ________ ________ after school today. You'd better ride your bike to school.

W But Dad, it's going to rain. Can you just drive me there, please? I can ________ ________ ________ after school.

16

M What do you want to eat for dinner?

W I like Thai food. ________ ________ ________ ________?

M Thai food? Isn't it too hot?

W No, but you don't like it, do you?

M I like Chinese food. ________ ________ ________?

W I know a fancy Chinese restaurant downtown. Let's go in my car.

17

M Were you invited to Oliver's party?

W Yes, but I can't go. I will ________ ________ ________ ________ ________.

M Oh, really? Does Oliver know that?

W No. I'm afraid to tell him.

M You have to. ________ ________ ________ ________ if you don't.

W You're right. I will.

18

M Hello, Mary. So you're ________ ________ ________?

W No. My whole body hurts. I have a fever.

M Let me see. Yes, your temperature is high.

W I ________ ________ ________ ________, too.

M I'll give you some medicine. It's a bad cold.

19

W I want to send your parents a thank-you card.

M I'll _______ _______ _______ _______.
Do you have a pen?

W No, can I borrow yours for a second?

M

20

W Who took this photo? It's beautiful!

M Thanks! _______ _______ _______. It's a picture of my family on holiday in Greece.

W Wow! Which one is _______ _______?

M

15 영어듣기 모의고사

정답 및 해설 p.51

Take Notes

1 다음을 듣고, 오늘 오후 날씨를 고르시오.

① ② ③ ④  ⑤ 

2 다음을 듣고, 무엇에 관한 설명인지 고르시오.

①  ② ③ 

④  ⑤ 

3 대화를 듣고, 두 사람이 대화하는 장소를 고르시오.

① 문구점 ② 도서관 ③ 약국 ④ 병원 ⑤ 학교

4 다음을 듣고, 무엇을 만드는 과정인지 고르시오.

① bag ② pants ③ doll ④ socks ⑤ mask

5 다음을 듣고, 여자의 심경으로 가장 적절한 것을 고르시오.

① 슬픔 ② 그리움 ③ 부러움 ④ 궁금함 ⑤ 화가 남

Take Notes

6 대화를 듣고, 남자가 지불해야 할 금액을 고르시오.

ROSIE'S CAFÉ — LUNCH MENU

SOUP		SANDWICHES		SALADS	
Corn	$4	Ham & Cheese	$5	Coleslaw	$3
Clam Chowder	$6	Tuna Salad	$5	Creamy Potato	$4
Vegetable with Beef	$8	Smoked Salmon Deluxe	$8	Caesar	$5

① \$5　② \$9　③ \$10　④ \$13　⑤ \$15

7 대화를 듣고, 경기가 시작되는 시각을 고르시오.

① 10:50　② 11:00　③ 11:10　④ 11:30　⑤ 12:00

8 다음을 듣고, 무엇에 관한 설명인지 고르시오.

① corn　② carrot　③ potato　④ pumpkin　⑤ orange

9 대화를 듣고, 언급되지 않은 것을 고르시오.

SCHOOL PICNIC

① Place: Children's Science Museum
② Date: May 8th
③ Time: 9 am
④ Transportation: School Bus
⑤ Lunch: Bring Your Own

10 대화를 듣고, 두 사람이 토요일에 할 일을 고르시오.

① 쇼핑하기　② 머리 자르기
③ 아르바이트 하기　④ 하이킹 가기
⑤ 미용실에서 일하기

Take Notes

11 대화를 듣고, 여자가 전화를 건 목적을 고르시오.

① 안부를 물으려고
② 약속을 취소하려고
③ 시험 범위를 물으려고
④ 약속 시간을 확인하려고
⑤ 동생을 돌봐 달라고 부탁하려고

12 대화를 듣고, 두 사람이 아버지에게 줄 선물을 고르시오.

① 안전모 ② 자전거 ③ 운동화
④ 목도리 ⑤ 넥타이

13 다음을 듣고, 두 사람의 대화가 어색한 것을 고르시오.

① ② ③ ④ ⑤

14 대화를 듣고, 두 사람의 관계로 가장 적절한 것을 고르시오.

① 경찰 - 운전자 ② 엄마 - 아들 ③ 교사 - 학생
④ 사장 - 직원 ⑤ 의사 - 환자

15 대화를 듣고, 남자가 할 일로 가장 적절한 것을 고르시오.

① 주유하기 ② 가게 가기
③ 만화책 읽기 ④ 저녁 준비하기
⑤ 아버지에게 전화하기

Take Notes

16 대화를 듣고, 남자가 받을 금액을 고르시오.

① $25 ② $50 ③ $ 75 ④ $100 ⑤ $125

17 대화를 듣고, 남자의 직업으로 가장 적절한 것을 고르시오.

① 디자이너 ② 기자 ③ 연기자 ④ 모델 ⑤ 화가

18 다음을 듣고, Toby가 Alison에게 할 말로 가장 적절한 것을 고르시오.

Toby ________________________________

① What a beautiful sunset!
② Let's go down. Hurry up!
③ Why don't we take a rest?
④ Mom is worried about you.
⑤ Do you want to come again?

19-20 대화를 듣고, 남자의 마지막 말에 대한 여자의 응답으로 가장 적절한 것을 고르시오.

19 Woman ________________________________

① OK. I'll have a vanilla cone.
② The sand is so soft and clean.
③ No, the waves are dangerous.
④ It's a scary book about sharks.
⑤ Here it is. I'll help you put it on.

20 Woman ________________________________

① For two weeks.
② You can go, too.
③ That's not my plan.
④ Fraser Island is beautiful.
⑤ It was a very long vacation.

정답 및 해설 p.54

1

W Here's your weather forecast for today and tomorrow. Right now, the city is ________ ________, so be careful when you go out. In the afternoon, it will rain heavily. However, the rain will ________ ________ ________. Tomorrow morning, we'll see very clear skies. And tomorrow will be ________ ________ ________.

2

M I am ________ ________. I can fly very well. I have very big eyes and a big head. I usually ________ ________ ________ ________ ________, and I usually sleep during the day. What am I?

3

W Why are you late this morning, Jack?

M I had to ________ ________ ________. I'm sorry, Ms. Jones.

W Do you have a note from the doctor?

M Yes, ma'am. Here it is.

W Okay. You can ________ ________ ________ ________ ________.

4

M Prepare two pieces of ________ ________. They must be square and the same size. Sew the pieces of cloth together. Remember to keep ________ ________ ________. Now, turn the cloth inside out. Make handles and put them on it.

5

W I went to play in the woods near my house. Suddenly, I ________ ________ ________. I stayed very still. It was my brother! He didn't see me. He hid something in a tree. What could it be? I ________ ________ ________ ________.

6

W ________ ________ ________ ________ ________, sir?

M Yes, I'll have the vegetable soup and a ham and cheese sandwich, please.

W OK. How about a salad?

M No, thanks. Oh, wait. ________ ________ ________ ________, please.

W Just the sandwich, then?

M No, I'd like corn soup ________ ________.

7

W It's already 11:10. Aren't we late for the game?

M No, it's okay. We ________ ________ ________ ________.

W Then, I can go to the bathroom before the game starts.

M Sure, ________ ________.

8

M This vegetable is ________, ________, ________ ________. It is orange-colored. It grows under the ground. We eat this without cooking. However, we also eat this after frying with other vegetables. And we use this ________ ________ ________ ________.

9

W ________ ________ ________ ________ to the Children's Science Museum?

M It's on the eighth of May.

W How are we getting there?

M We'll ________ ________ ________ ________.

W Will they give us lunch?

M No. We have to ________ ________ ________.

10

W I heard you're going to the mall this Saturday.

M Yeah, I'll ________ ________ ________ ________. The shop is in the mall.

W Can I come with you?

M Are you getting your hair cut, too?

W No, I have ________ ________ ________.

M I need to buy shoes, too. Let's go together.

11

[Cell phone rings.]

M Hello.

W Mark? It's Mandy.

M Hey, Mandy. ________ ________ ________ ________?

W It's not that. I can't meet you at 5.

M Why not?

W My parents aren't home yet, and they left my little sister with me.

M Do you want to meet ________ ________ ________?

W No, I'm sorry. I can't make it anytime today.

Dictation

12

M ________ ________ ________ ________ Dad for his birthday?

W How about a warm scarf?

M I think he has enough scarves.

W He loves ________ ________ ________. Why don't we buy him a safety helmet?

M That's a good idea! He will surely like it.

13

① W I'm cold. Aren't you cold?
M Yes, I'll ________ ________ ________ ________.

② W How can we avoid colds?
M You have to wash your hands a lot.

③ W ________ ________ do you ride your skateboard?
M I ride it almost every day.

④ W Do you look like your father or your mother?
M I love them both the same.

⑤ W You look tired. Why don't you ________ ________ ________ ________?
M Thanks, I will.

14

M Ma'am, ________ ________ your driver's license, please.

W What seems to be the trouble, sir?

M You just passed the crosswalk when there was ________ ________ ________.

W Oh, really? I didn't know.

M I have to give you a ticket, so will you show me your license?

W I'm sorry. ________ ________ ________.

15

W Chris, ________ ________ ________ now?

M I'm reading my favorite cartoon.

W Again? Would you stop reading the same cartoon and help me, please?

M Okay, what is it?

W I'm ________ ________. I ran out of cooking oil.

M I'll go to the store and get it.

W Your father will come soon, so would you hurry up?

16

M Mom, Ms. Stokes asked me to ________ ________ ________ ________ ________ while she is gone.

W Really? It's your new part-time job, right?

M Yeah.

W So, how much will she pay you?

M She will pay me ________ ________ ________ ________.

W How long will she be away?

M Four weeks.

17

W Wow, this dress is really beautiful.

M Thank you! It _______ _______ _______ _______.

W Many models like to wear your clothes. When is the next fashion show?

M Next month. I'm _______ _______ _______.

W Are these your clothes? They are so elegant.

18

W Toby and Alison _______ _______ _______. Alison felt too tired. She wanted to take a rest, so they stayed on top of the mountain for a while. _______ _______ _______ _______ _______. Toby worried that it was getting dark. In this situation, what would Toby say to Alison?

19

M How's your book, Mom?

W It's perfect for _______ _______ _______ _______. How was your swim?

M Good! The water was beautiful!

W You have to put sunscreen on again _______ _______.

M I will, Mom. Can you pass me the sunscreen?

W

20

M What are your plans _______ _______ _______?

W I'm going to stay with my cousins.

M Oh. _______ _______ _______ _______?

W They live on Fraser Island, _______ _______ _______.

M How long will you stay there?

W

16 영어듣기 모의고사

정답 및 해설 p.54

Take Notes

1 대화를 듣고, 현재 여자의 모습으로 알맞은 것을 고르시오.

①  ②  ③ 

④  ⑤ 

2 대화를 듣고, 엄마가 집에 도착할 시간을 고르시오.

① 4:45 ② 5:00 ③ 5:15 ④ 5:30 ⑤ 5:45

3 다음을 듣고, 그림에 대한 설명으로 알맞은 것을 고르시오.

① ② ③ ④ ⑤

4 대화를 듣고, 남자의 심정을 고르시오.

① 슬픔 ② 기쁨 ③ 피곤함 ④ 부러움 ⑤ 설렘

5 대화를 듣고, 여자의 장래 희망을 고르시오.

① 농부 ② 교사 ③ 배우 ④ 무용수 ⑤ 요리사

6 다음을 듣고, 오늘 오후의 날씨를 고르시오.

Take Notes

① 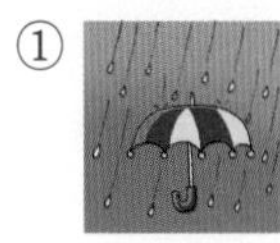 ② 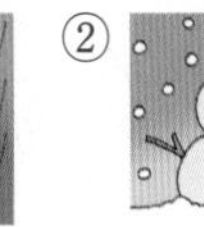 ③  ④  ⑤ 

7 대화를 듣고, 두 사람이 가져가지 않을 물건을 고르시오.

① 샌드위치 ② 돗자리 ③ 냅킨
④ 물 ⑤ 음료수

8 다음을 듣고, 무엇에 관한 설명인지 고르시오.

①  ②  ③ 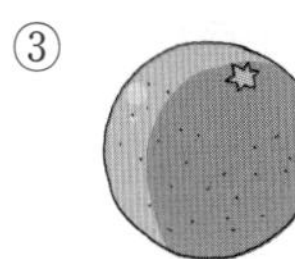
④  ⑤ 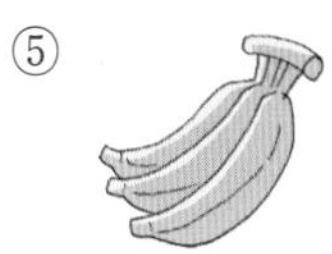

9 대화를 듣고, 두 사람의 관계로 알맞은 것을 고르시오.

① 식당 종업원 - 손님 ② 의사 - 환자
③ 직장 동료 ④ 교사 - 학생
⑤ 친구

10 다음을 듣고, 내용과 일치하지 않는 것을 고르시오.

①	②	③	④	⑤
1월	3월	6월	9월	11월
3명	0명	2명	4명	2명

Take Notes

11 다음을 듣고, 두 사람의 대화가 어색한 것을 고르시오.

① ② ③ ④ ⑤

12 대화를 듣고, 남자의 아버지가 연극을 보러 오지 못한 이유를 고르시오.

① 출장 중이어서
② 교통사고가 나서
③ 비행기가 연착되어서
④ 중요한 회의가 있어서
⑤ 삼촌을 보러 가야 해서

13 대화를 듣고, 남자가 주말에 할 일을 고르시오.

① 등산하기 ② 서점 가기 ③ 엄마와 쇼핑하기
④ 집에 있기 ⑤ 영화 보러 가기

14 대화를 듣고, 여자에 대한 설명으로 알맞은 것을 고르시오.

① 휴가를 다녀왔다.
② 영화를 보고 있다.
③ 본다이해변에 갈 것이다.
④ 텔레비전 시청을 좋아한다.
⑤ 인명 구조원이 되고자 한다.

15 대화를 듣고, 여자가 전화를 건 목적을 고르시오.

① 회의 시간을 정하려고
② 독감에 대해 주의를 주려고
③ 휴가를 잘 다녀왔음을 알리려고
④ 아들이 결석한 이유를 설명하려고
⑤ 아들의 성적에 대해 상담을 하려고

Take Notes

16 대화를 듣고, 남자가 지불한 금액을 고르시오.

① $2.00 ② $2.20 ③ $2.50 ④ $3.00 ⑤ $3.50

17 다음을 듣고, 무엇에 관한 설명인지 고르시오.

① 농구 ② 배구 ③ 축구 ④ 럭비 ⑤ 하키

18 다음을 듣고, 알 수 없는 것을 고르시오.

① 학년 ② 학교 이름 ③ 사는 곳
④ 가족 관계 ⑤ 아버지의 직업

19-20 대화를 듣고, 남자의 마지막 말에 이어질 여자의 응답으로 가장 알맞은 것을 고르시오.

19 Woman ______________________________

① I don't like it.
② That's not enough.
③ I can lend you some.
④ It's my favorite sport.
⑤ Once or twice a month.

20 Woman ______________________________

① Tickets are too expensive.
② Oh, that'll be really great.
③ I heard it's very good.
④ I'm too busy today.
⑤ We can see it later.

정답 및 해설 p.57

1

M I like your glasses.

W Really? ________ ________ ________.
Actually, I wanted a different pair.

M Is that why you look unhappy?

W No. I just ________ ________ ________ ________ ________, and I don't like it!

2

W What time will Mom be home?

M She'll be home ________ ________ ________ ________.

W What time is it now?

M It's ________ ________ ________ ________.

3

① M A boy is ________ ________ ________.

② M A boy is walking with a dog.

③ M There is a tree ________ ________ ________ ________.

④ M A girl is sliding down the slide.

⑤ M A boy is ________ ________ ________.

4

W You look sad. ________ ________?

M I'm not sad.

W But your eyes are red and watery.

M ________ ________ ________ ________ today.
I had to take five tests today.

W You must be very tired! Don't worry! It's nearly over!

M I want to go home ________ ________ ________ ________.

5

W What would you like to be?

M I'd like to ________ ________ ________ ________.

W Really? I don't want to be famous.

M Why not?

W I just want to live a normal life. My dream is to ________ ________ ________ for many people to eat.

6

W Here is the weather forecast for Littleton. It's ________ ________ ________. Wear your rain boots and don't forget your umbrella. The rain will ________ ________ ________ ________, but it will be very windy. Be careful!

7

W What do we have to bring to the picnic?

M I'll bring egg sandwiches and potato chips. Will you bring _______ _______ _______ _______?

W Sure, what else do we need?

M How about water?

W _______ _______ _______ _______ bring it. There is a water fountain in the park.

M Oh, good.

W I'll bring some beverages.

8

M This is fruit. It has _______ _______ _______. It is not too big but not too small. It is usually _______ _______ _______ _______ _______. It is sweet. We usually don't eat its skin. However, if we wash this clean enough, we can eat its skin, too.

9

M Are you ready to order? I want spaghetti.

W I don't know. I'm _______ _______ _______.

M Why not? Are you feeling sick?

W No, I ate a big lunch at school.

M Oh, I _______ _______ _______ for the test during the lunch break. Do you think you did well on the test?

W I'm not sure, but I _______ _______ _______. Anyway, you must be hungry. Let's order.

10

W There are twelve girls in my class. These are our birthday months. There are _______ _______ _______ _______. There's only one birthday in March. Two birthdays are in June. Four birthdays are in September. And two birthdays are in November _______ _______, on November 17th!

11

① M Where are you going?
  W I'm _______ _______ _______.

② M What color is her hair?
  W It's very curly.

③ M How do you know that?
  W I read it _______ _______ _______.

④ M Why did you go there?
  W To visit grandma and grandpa.

⑤ M Who is your favorite movie star?
  W _______ _______ _______ _______.

Dictation

12

W Why didn't your dad come to the school play?

M He isn't here in Korea.

W _______ _______ _______ _______?

M He went to China on business.

W Oh, I see. You must be sorry that your father can't come.

M It's okay. Mom is here, and _______ _______ _______ _______.

13

W Do you have any plans for the weekend?

M I plan to _______ _______ _______.

W But it's going to rain.

M Is it? Then, I'll go to see a movie. Do you want to _______ _______ _______?

W I have to ask my mom, first. She said she might take me shopping this weekend.

14

M _______ _______ _______ _______?

W It's a TV reality show.

M Is it interesting?

W It's great! It's _______ _______ on Bondi Beach.

M Oh, right! You're planning to be a lifeguard, aren't you?

W Yes. I _______ _______ a lifeguarding course last week.

15

[Telephone rings.]

W Hello, Mr. Brown. This is Lisa Shelton, Justin's mother.

M Yes, Ms. Shelton. _______ _______ _______ _______?

W It was lovely. But Justin caught the flu.

M In the Philippines?

W No, he caught it here. The doctor said he needs to _______ _______ _______ _______.

M OK, I got it. Tell Justin "get well soon."

16

W Can I help you?

M Yes. I have two cans of grape soda and one pack of chips.

W OK. That's three dollars and fifty cents, please.

M Sorry. I only have three dollars. _______ _______ _______, please.

W Okay. Then, that's two cans of soda. It's two dollars and twenty cents.

M Here's three dollars.

W _______ _______ _______, eighty cents.

17

M The players run around ________ ________ ________ ________ field. They kick a ball to each other. They try to kick the ball into the goal net. But a goalkeeper stands ________ ________ ________ ________ ________. Goalkeepers can catch the ball and hold it. Other players ________ ________ ________ ________ with their hands.

18

W Hi. My name is Jane Cook. I'm ________ ________ at Sunflower Middle School. I was born in New York, but I ________ ________ Los Angeles. My mom works in a bank, and my dad ________ ________ ________. Thank you for listening!

19

W I get about sixty dollars a week for helping at Mom's shop.

M What do you spend it on?

W I'm saving to ________ ________ ________ ________.

M Do you like riding bikes?

W It's great fun. I love it.

M ________ ________ ________ ________ ________?

W ________________________________

20

M Do you want to ________ ________ ________ ________ ________?

W I'd love to see *Crime Family*.

M Where is it showing?

W It's on at the Cinemine Theater downtown.

M OK. Let's meet there at 6:30. Do you want me to buy tickets ________ ________?

W ________________________________

17 영어듣기 모의고사

정답 및 해설 p.58

1 대화를 듣고, 남자의 형을 고르시오.

① ② ③ ④ ⑤

2 다음을 듣고, 가장 알맞은 것을 고르시오.

① ② 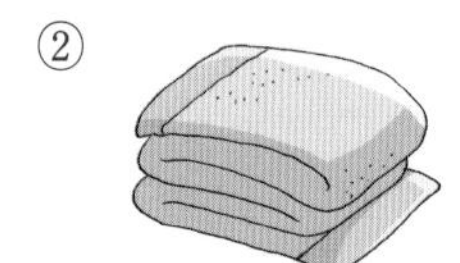 ③ 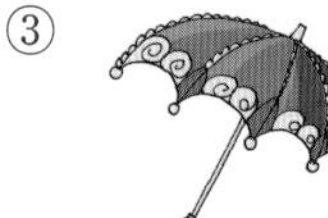

④  ⑤ 

3 대화를 듣고, 여자가 지불한 금액을 고르시오.

① $3 ② $10 ③ $11 ④ $16 ⑤ $20

4 대화를 듣고, 두 사람이 대화하는 장소를 고르시오.

① 극장 ② 학교 ③ 병원 ④ 도서관 ⑤ 비행기

5 대화를 듣고, 두 사람이 만나기로 한 시각을 고르시오.

① 4:30 ② 4:45 ③ 5:45 ④ 6:00 ⑤ 6:15

6 대화를 듣고, 남자가 가려고 하는 장소를 고르시오.

Take Notes

①

②

③

④
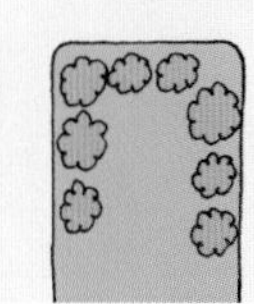

⑤

7 다음을 듣고, 내일 오후의 날씨를 고르시오.

①  ②  ③  ④  ⑤ 

8 대화를 듣고, 남자가 여자에게 전화를 건 목적을 고르시오.

① 예약을 확인하기 위해
② 숙소를 예약하기 위해
③ 약속을 변경하기 위해
④ 예약을 취소하기 위해
⑤ 약속 시간을 정하기 위해

9 대화를 듣고, 여자의 심정을 고르시오.

① 슬프다
② 지루하다
③ 자랑스럽다
④ 행복하다
⑤ 질투가 난다

10 다음을 듣고, 이 상황의 분위기로 가장 적절한 것을 고르시오.

① 활기차다
② 무료하다
③ 고요하다
④ 위태롭다
⑤ 평화롭다

Take Notes

11 다음을 듣고, 무엇에 관한 내용인지 고르시오.

① 요리법 ② 교통사고 ③ 점심 메뉴
④ 길 찾는 과정 ⑤ 자동차 운전

12 대화를 듣고, 여자가 방학 동안 한 일을 고르시오.

① 공부하기 ② 독서하기 ③ 수영하기
④ 여행하기 ⑤ 기타 배우기

13 대화를 듣고, 무엇에 관한 내용인지 고르시오.

① 애완동물 ② 환경오염 ③ 취미 생활
④ 봉사 활동 ⑤ 자원 절약

14 대화를 듣고, 여자가 전화를 한 이유를 고르시오.

① 약속을 취소하려고
② 약속 장소를 정하려고
③ 예약 일시를 변경하려고
④ 예약 내용을 확인하려고
⑤ 방문해도 되는지 물어보려고

15 다음을 듣고, 대화 직후 남자가 할 일로 알맞은 것을 고르시오.

① 소스 가져오기 ② 와인 가져오기 ③ 냅킨 정리하기
④ 바닥 닦기 ⑤ 와인 잔 치우기

Take Notes

16 대화를 듣고, 남자의 직업으로 가장 적절한 것을 고르시오.

① 경찰 ② 교수 ③ 승무원 ④ 택시 기사 ⑤ 공항 직원

17 다음을 듣고, 두 사람의 대화가 어색한 것을 고르시오.

① ② ③ ④ ⑤

18~20 대화를 듣고, 남자의 마지막 말에 이어질 여자의 응답으로 가장 알맞은 것을 고르시오.

18 Woman ______________________

① Thank you. I'll do it.
② The pictures are fantastic.
③ I want to take pictures, too.
④ I downloaded them in our computer.
⑤ It's kind of you to show them to me.

19 Woman ______________________

① Certainly. Would you like anything else?
② No longer than five minutes.
③ OK, I'll order it extra spicy.
④ Very good, thank you.
⑤ That's all right.

20 Woman ______________________

① Jane Austen wrote it.
② It's OK. I already watched it.
③ The actors aren't very famous.
④ The next movie starts at nine o'clock.
⑤ There's nothing interesting on TV tonight.

정답 및 해설 p.61

1

W Which one is your brother?

M He is ________ ________ ________ ________.

W Oh, I see. He is wearing glasses, right?

M No, my brother is next to him. He is ________ ________ ________.

W I really got him. He is talking to the man, right?

M Right!

2

W This is ________ ________ ________. This protects your skin from the strong light. Especially, you might wear this on summer days. Many sportsmen wear it ________ ________ ________ ________. On rainy days, some people wear this to protect their hair from rain.

3

M ________ ________ ________ ________ ________?

W Yes. Two chicken sandwiches, please.

M That's ten dollars. Anything to drink?

W How much is the Coke?

M It's three dollars, ma'am.

W Then, ________ ________, please.

M OK. Two sandwiches and two Cokes. The total comes to ________ ________.

W Oh, good! I only have twenty dollars. Here you are.

4

W Excuse me, ________ ________ ________ ________?

M Yes, sorry. It's my dad's. He went to buy popcorn.

W Isn't this Row G?

M No, ma'am. This is Row H. It's hard to see ________ ________ ________, isn't it?

5

W Dad, what time is my appointment ________ ________ ________?

M Four forty-five. I'll meet you outside the building after you're done with your treatment.

W ________ ________ will my appointment take?

M The dentist said one hour.

W Okay, I'll meet you at ________ ________ ________ ________.

6

M Which way is your house from here?

W Just go straight and take ________ ________ ________. That's my street.

M OK. And on which side do you live?

W You'll see it on your right. Look for two big trees ________ ________ ________ ________.

7

M Hey, did you hear about the weather tomorrow? The forecast said it will be _______ _______ _______ _______. But there will be a lot of rain in the morning. The rain will stop after noon, but I don't think we can go on a picnic tomorrow! Moreover, it will be _______ _______ _______ _______.

8

[Telephone rings.]

W Palm Beach Villas, Tina speaking.

M Hi, Tina. I'd like to _______ _______ _______ for spring break.

W When will that be exactly?

M It's from April 1 to 4.

W OK, _______ _______ _______ _______?

M For a family of five.

W Okay. Your reservation _______ _______. See you then.

9

M Hi, Emily. You look sad. What's the matter?

W My sister _______ _______ _______ to Oxford University next year.

M Wow! That's fantastic. I'm so happy for her.

W I know that's how _______ _______ _______. But I feel the opposite. I'll miss her so much!

10

M A man and a woman are in _______ _______ _______. Big black clouds fill the sky. _______ _______ _______ starts to blow. The waves get higher and higher. They are very far from shore. _______ _______ _______ _______.

11

W First, check the seat and the mirrors. _______ _______ _______ _______. Start the engine. Hold the steering wheel. Move the gearstick to "Drive." Check for _______ _______. Go when the other cars are not coming into you. Don't go too fast and _______ _______ _______ _______ _______.

12

W Hey, Ralph. How was Pebble Beach?

M Great. Did you go anywhere special _______ _______?

W No, but I learned something.

M What did you learn?

W I learned to _______ _______ _______. It was really fun.

Dictation

13

W Do you have a pet?

M Yes, I have two dogs.

W Wow! I envy you. I want to _______ _______ _______.

M Then, why don't you adopt a dog?

W I can't. My mom _______ _______ _______ _______ _______ _______.

M Why? Dogs are good friends.

W I know! But _______ _______ _______ _______.

14

[Cell phone rings.]

W This is Dr. Allen. May I speak to Mr. Roe, please?

M _______.

W Good news, Mr. Roe. Someone called to cancel his appointment.

M Really? That's good. Then, _______ _______ _______ _______ _______, right?

W Yes. You can come and see me at 2:30 today instead of next Friday.

15

M Here's your steak, ma'am.

W Oh, waiter?

M Yes? Would you like some mustard?

W No, thank you. We're _______ _______ _______ _______.

M I'm so sorry! Two glasses of red wine! I'll be right back.

16

M Where to, ma'am?

W The airport, please. _______ _______ _______ _______ _______?

M From here it's usually around thirty dollars.

W OK. Can you open the trunk please?

M It's open. I'll help you _______ _______ _______.

17

① M _______ _______ _______ _______ _______?

W We had a great time!

② M What does she look like?

W She likes me a lot.

③ M What's your favorite color?

W I love violet. _______ _______ _______.

④ M What do you do after lunch?

W We go out and play.

⑤ M _______ _______ _______ _______ _______?

W Yes. A little black cat called Miffy.

18

W Dad! _______ _______ _______ _______ _______?

M What pictures?

W I took them on your birthday with my cell phone.

M Oh, _______ _______ _______? I want to see them.

W

19

W _______ _______ _______ _______?

M Two spicy chicken burgers, please.

W There will be _______ _______ _______ on the spicy chicken.

M That's OK. I'll wait. _______ _______ _______ _______ _______?

W

20

W _______ _______ _______ _______!

M Sorry. I thought you weren't watching anything.

W I really want to see the movie. It's on next.

M Really? Why do you want to _______ _______?

W It's based on my favorite book.

M _______ _______ _______?

W

18 영어듣기 모의고사

정답 및 해설 p.61

Take Notes

1 다음 그림을 바르게 설명하고 있는 것을 고르시오.

① ② ③ ④ ⑤

2 다음을 듣고, 오늘 오후의 날씨를 고르시오.

①  ②  ③  ④  ⑤ 

3 대화를 듣고, 남자가 지불해야 할 금액을 고르시오.

① $20 ② $14 ③ $10 ④ $7 ⑤ $4

4 다음을 듣고, 말하고 있는 사람의 직업을 고르시오.

① 약사 ② 미용사 ③ 의사
④ 조련사 ⑤ 의상 디자이너

5 대화를 듣고, 현재 시각을 고르시오.

① 10:12 ② 10:20 ③ 11:50 ④ 12:00 ⑤ 12:10

Take Notes

6 대화를 듣고, 수학여행을 갈 날짜를 고르시오.

September

Sun	Mon	Tue	Wed	Thu	Fri	Sat
1	2	3	4	5	6	7
8	9	10	11	12	13	14
15	16	17	18	19	20	21
22	23	24	25	26	27	28
29	30					

① 9월 4일 ② 9월 11일 ③ 9월 18일
④ 9월 25일 ⑤ 9월 30일

7 다음 대화가 이루어지는 장소를 고르시오.

① 부동산 ② 녹음실 ③ 호텔
④ 경찰서 ⑤ 렌터카 회사

8 대화를 듣고, 남자가 일주일에 수영을 하는 횟수를 고르시오.

① 1~2회 ② 2~3회 ③ 3~4회
④ 4~5회 ⑤ 5~6회

9 대화를 듣고, 여자의 심정을 고르시오.

① bored ② happy ③ thankful
④ excited ⑤ proud

10 다음을 듣고, 숙제에 들어가야 할 내용을 고르시오.

① 친구 ② 취미 ③ 학급 ④ 가족 ⑤ 습관

Take Notes

11 다음을 듣고, 여자가 부탁한 것을 고르시오.

① 기다려 주기
② 택시 불러 주기
③ 우산 빌려 주기
④ 함께 파티에 가기
⑤ 집에 데려다 주기

12 대화를 듣고, 두 사람이 할 일로 적절한 것을 고르시오.

① 화장실에 간다.
② 집에 돌아간다.
③ 경찰서에 간다.
④ 전화기를 구매한다.
⑤ 다른 여행사를 알아본다.

13 대화를 듣고, 두 사람의 관계로 알맞은 것을 고르시오.

① 선배 - 후배　② 손님 - 점원　③ 교사 - 학생
④ 요리사 - 지배인　⑤ 아들 - 엄마

14 다음을 듣고, 무엇에 대해 이야기하고 있는지 고르시오.

① 관광 안내　② 교통사고　③ 환경 캠페인
④ 어린이 보호　⑤ 시청의 위치

15 다음 방송을 듣고, 무엇에 관한 것인지 고르시오.

① 안전 훈련　② 휴교 안내
③ 병원 소개　④ 산불 예방 수칙
⑤ 학교 시설 이용 안내

Level 1

Take Notes

16 다음을 듣고, 여자에 대해 알 수 없는 것을 고르시오.

① 이름 ② 기분 ③ 졸업한 대학
④ 교사 경력 ⑤ 고향

17 대화를 듣고, 신발의 문제점을 고르시오.

① 굽이 닳았다 ② 너무 불편하다 ③ 굽이 너무 높다
④ 구멍이 났다 ⑤ 신발이 바뀌었다

18 다음을 듣고, 두 사람의 대화가 어색한 것을 고르시오.

① ② ③ ④ ⑤

19-20 대화를 듣고, 남자의 마지막 말에 이어질 여자의 응답으로 가장 알맞은 것을 고르시오.

19 Woman ______________________

① Orange juice, please.
② Nothing for me, thanks.
③ I'll have the fish, please.
④ Grilled, please. Thank you.
⑤ I'm sorry, but my soup is cold.

20 Woman ______________________

① How are you?
② I'll cancel my appointment.
③ I can't see any patients today.
④ Your appointment is next week.
⑤ Sure. What do you want me to say?

정답 및 해설 p.64

1

① M He is watching TV.

② M He is ________ ________ ________.

③ M He is reading a book.

④ M He is ________ ________ ________.

⑤ M He is talking on the phone.

2

W Here's the weather forecast for Seoul. The morning will be ________ ________ ________. There is still a lot of snow and ice on the ground, so ________ ________. There will be no snow this afternoon. However, the weather will continue to be cool and cloudy.

3

W Next, please!

M Hi, could I have two tickets to *The Way Home*?

W What time would you like to see it? Tickets are seven dollars ________ ________ and ten dollars ________ ________.

M OK. Then, we'll see the 11:00 am show.

W That will be ________ ________, please.

4

M My job is to ________ ________ ________ ________ ________. People see me to get a haircut, color, perm, or special style. I like my job because I help people ________ ________.

5

W What a great New Year's Eve party!

M Right! By the way, what time is it now?

W It's ________ ________ ________. Are you waiting for the New Year's countdown?

M Yeah, I'm so excited to ________ ________ ________ ________.

W Me, too.

6

W Our school trip to Boston is next Wednesday!

M Next Wednesday? ________ ________ ________? Already! What's the date today?

W Today is the first Wednesday, ________ ________ ________ ________.

7

M How may I help you?

W I'm looking for _______ _______ _______ _______.

M Here's a list of houses nearby. Which would you like to see?

W _______ _______ _______ _______ _______? It sounds good. "Sunny, $790 per month."

8

W I'm going to _______ _______.

M Good for you. I swim a lot.

W How often do you swim?

M Usually five or six times a week.

W Really? That's _______ _______ _______ _______. I'll start with two or three times a week.

9

W Dad, _______ _______ _______ reading my book.

M Why don't you watch TV?

W But there's nothing interesting on TV now.

M Then why don't you _______ _______ _______ _______?

10

W OK. Today we _______ _______ _______. Tomorrow, we'll talk about habits. For homework, ask your family their habits. Then write 250 words about it. _______ _______ _______ _______ _______ to the question as well as your family's answers.

11

M Thanks for coming to my party. Oh, look! _______ _______. Shall I call a taxi for you?

W That's OK. My house is just around the corner. But do you _______ _______ _______ _______? I can bring it back tomorrow.

12

M I'm excited to _______ _______. Let's go!

W Oh! Wait! Just wait for me here.

M Why?

W I can't find my cell phone. I think I left it at home.

M Wait! I'll go with you. I want to go to the bathroom _______ _______.

W Okay, let's hurry.

Dictation

13

M I'm going to the ice rink now.

W Wait. Did you ________ ________ ________?

M Yes. And I took the dogs for a walk.

W OK. ________ ________ ________ ________ ________. Dad's cooking tonight.

14

M The air is ________ ________ today!

W I think it's because of the city's "Drive Less" campaign.

M I agree. We need to ________ ________ ________. So, did you walk to school this week?

W Yes, nearly all the students and teachers did, too.

15

M Please remain calm. This is a drill. All students must ________ ________ ________ ________. If a fire or another emergency should happen, this practice may ________ ________ ________. Follow your teacher's instructions and get out of the school building. Wait outside with your teacher in the playground until the alarm ________ ________ ________. Thank you.

16

W Good morning, everyone. I'm Vanessa Black. I'm really ________ ________ ________ ________ ________. This is my first writing class! I just graduated two months ago. Today, we will ________ ________ ________ ________ ________. My home town is London, in the UK. Where are yours?

17

W Hi, do you remember me? ________ ________ ________ ________ last week.

M Yes. I put new heels on them. Is there something wrong?

W The heels are fine. But I found ________ ________ ________ in my shoes.

M OK, give me your shoes. I'll fix them for you.

18

① M Do you have any pets?
W I like cats.

② M Can he drive a car?
W He is ________ ________ ________ ________.

③ M Mom, can I go out and play?
W Yes, but don't be too late!

④ M Where are your parents from?
W They're from Italy.

⑤ M Excuse me, ________ ________ ________, please?
W There's one upstairs.

19

W Excuse me. I'm ready to order now.

M OK, _______ _______ _______ _______?

W I'd like the soup of the day and the fish.

M Certainly. How would you like the fish? _______ _______ _______?

W

20

W Good morning, Dr. Anderson's clinic. This is Pam.

M Hi. This is Bill. _______ _______ _______ _______ Dr. Anderson, please?

W Sorry, but she is with a patient right now.

M OK. Can you _______ _______ _______ _______ for me?

W

19 영어듣기 모의고사

정답 및 해설 p.65

Take Notes

1 다음을 듣고, 'this'가 가리키는 것을 고르시오.

①

② 

③ 

④

⑤ 

2 다음을 듣고, Mia에 대해 알 수 없는 것을 고르시오.

① 학교 이름 ② 사는 곳 ③ 가족 관계
④ 좋아하는 과목 ⑤ 장래 희망

3 대화를 듣고, 여자가 주말에 할 일을 고르시오.

① 자원 봉사 ② 식당 예약 ③ 보고서 작성
④ 어머니 돕기 ⑤ 집에서 휴식

4 대화를 듣고, 마지막 말에 담긴 여자의 의도로 알맞은 것을 고르시오.

① 감사 ② 제안 ③ 거절 ④ 실망 ⑤ 비난

5 대화를 듣고, 남자가 전화를 건 목적을 고르시오.

① 방을 예약하려고
② 아파트를 구하려고
③ 수리를 요청하려고
④ 주소를 물어 보려고
⑤ 소음에 대해 항의하려고

Take Notes

6 대화를 듣고, 두 사람이 식당에 도착해야 할 시각을 고르시오.

① 5:50 ② 6:10 ③ 6:50 ④ 7:00 ⑤ 7:10

7 대화를 듣고, 오늘 두 사람이 하게 될 운동을 고르시오.

①

②

③

④
⑤
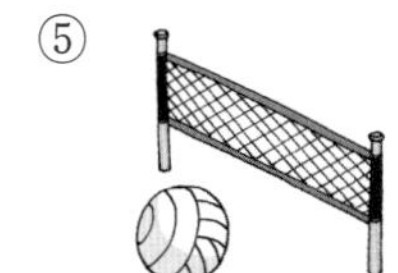

8 대화를 듣고, 여자가 지불할 금액을 고르시오.

① $36.00 ② $18.00 ③ $10.00 ④ $9.00 ⑤ $4.50

9 대화를 듣고, 남자가 기분 나쁜 이유를 고르시오.

① 친구와 싸워서
② 시험에 떨어져서
③ 엄마에게 혼이 나서
④ 성적이 친구보다 나빠서
⑤ 선생님이 차별 대우를 해서

10 대화를 듣고, 여자가 주문하지 않은 것을 고르시오.

① 스테이크 ② 구운 감자
③ 삶은 채소 ④ 콜라
⑤ 초콜릿 아이스크림

Take Notes

11 다음을 듣고, 오늘 밤의 날씨로 알맞은 것을 고르시오.

①  ②  ③  ④  ⑤ 

12 대화를 듣고, 여자가 남자에게 한 충고로 알맞은 것을 고르시오.

① 안전모를 써라.
② 자전거를 타고 가라.
③ 어두워지기 돌아와라.
④ 깊은 물에 가지 마라.
⑤ 자전거를 자물쇠로 잠가라

13 대화를 듣고, 여자가 남자의 제안을 거절한 이유를 고르시오.

① 배가 불러서
② 배가 아파서
③ 약속이 있어서
④ 몸이 좋지 않아서
⑤ 샌드위치를 좋아하지 않아서

14 대화를 듣고, 결혼식 날짜에 해당하는 날짜를 고르시오.

① May 3rd ② May 6th ③ May 7th
④ May 9th ⑤ May 10th

15 대화를 듣고, 두 사람이 대화하고 있는 장소를 고르시오.

① 공항 ② 병원 ③ 놀이공원
④ 지하철 역 ⑤ 버스 정류장

16 다음을 듣고, 두 사람의 대화가 어색한 것을 고르시오.

① ② ③ ④ ⑤

Take Notes

17 대화를 듣고, 남자의 장래 희망을 고르시오.

① 간호사 ② 교사 ③ 과학자 ④ 음악가 ⑤ 기자

18~20 대화를 듣고, 남자의 마지막 말에 이어질 여자의 응답으로 가장 알맞은 것을 고르시오.

18 Woman ______________________________

① No, I'm Korean.
② I like Boston a lot.
③ I came from China.
④ I'd like to visit Boston.
⑤ We are in the same class.

19 Woman ______________________________

① Take your time.
② I had a great time.
③ You did a good job.
④ I think you will do fine.
⑤ I would like to visit France.

20 Woman ______________________________

① It's too late.
② I have another job.
③ I usually eat hamburgers.
④ I'm really tired these days.
⑤ I want to buy some nice clothes.

정답 및 해설 p.68

1

M This has a long handle and ________ ________ ________. Builders often use this. We use this to ________ ________ ________ ________. When we use this, we have to be careful. We can hurt ourselves.

2

W Hello. My name is Mia Johns. I'm ________ ________ ________ ________ at Madison Middle School. I live with my mother and father in Canada. I don't have any brothers or sisters. My hobby is ________ ________. I want to be a journalist.

3

M I have to write a report this weekend. ________ ________ ________ ________?

W I can't. I'm working in Mom's restaurant. Sorry.

M Oh. Your mom has a restaurant?

W Yes. And it's fully booked until Sunday night. We'll be ________ ________!

4

M May I help you?

W Yes. I want to ________ ________ ________. Do you have it in size six?

M May I give you some advice? Come back on Friday. All our coats will be 50% off.

W Is that so? Well, ________ ________ ________ ________ ________!

5

[Telephone rings.]

W Best Apartments, Sandra speaking.

M Hi. This is Oliver White in apartment 704.

W Yes, Mr. White.

M Can you send someone ________ ________ ________ ________?

W What's the matter?

M Water is coming ________ ________ ________.

6

W Did you ________ ________ ________ at the restaurant?

M Yes, a table for two people.

W Did you book it for 7 pm?

M Yes, but we have to arrive ________ ________ ________ ________.

W Why?

M If we're late, we'll ________ ________ ________.

7

M It's raining outside. What can we do?

W We can ________ ________ ________.

M I don't know how to play it.

W Then, ________ ________ ________?

M Oh, that sounds good. I'd love to do it.

W Okay, let's go.

8

M May I help you?

W Yes. ________ ________ ________ ________ for some blue cheese?

M It's eighteen dollars per kilogram.

W Eighteen dollars a kilo? Give me ________ ________ ________, please.

M Sure. Here it is.

9

W What's the matter?

M I ________ ________ ________ ________ today.

W That's why you look upset. Did you do poorly?

M No. It's not that. I studied harder than Jake did. But ________ ________ ________ ________.

W Don't feel too bad. Next time, you'll do better than him.

10

M Are you ready to order?

W Yes. I'll have the beef steak, please.

M Certainly. You can ________ ________ ________ ________ from here.

W Oh, good. I'd like to have baked potatoes and boiled vegetables.

M ________ ________ ________?

W Just water, please. And chocolate ice cream for dessert.

11

M Here's the weather for today and tomorrow. This morning, it will be very cold and cloudy. But ________ ________ ________ ________ ________ ________. The snow will get heavy at night. Finally, tomorrow morning, skies will be clear and sunny. Tomorrow night, ________ ________ ________ ________ ________. Be careful not to catch a cold.

12

W Where are you going, Josh?

M ________ ________ ________ ________.

W How are you getting there?

M I'm riding my bike.

W Make sure ________ ________ ________ ________ ________.

M I will. And I'll be home before dark.

Dictation

13

M I'm making a bacon, lettuce, and tomato sandwich.

W My favorite sandwich!

M ________ ________ ________ ________ ________, too?

W No. I can't eat it now.

M Oh, that's right. You ________ ________ ________ ________ ________.

W Yes. So I'll see you later!

14

W ________ ________ ________ ________ ________ for our wedding?

M I think May is the best month.

W I agree. And it must be on a Saturday.

M The first Saturday of the month is May third.

W ________ ________ ________ the second Saturday.

M OK. That would be great.

15

M Let's try the "Super Subway Ride" now.

W But ________ ________ ________ ________.
How about the "Giant Roller Coaster" instead?

M It's too scary. You also told me it was scary last time.

W I did, but it was exciting, too. ________ ________ ________ ________ ________.

M Okay. I hope this time it's not too scary.

16

① M Do you eat ham?
W No. I don't eat meat.

② M ________ ________ ________ ________ ________?
W Dad's a train driver.

③ M Are you OK? You look sick.
W I'm really tired.

④ M ________ ________ ________ in London today?
W It's very windy and cold.

⑤ M What was your score on the math test?
W Of course. It's my favorite subject.

17

M ________ ________ ________ ________ ________ ________?

W I'd like to be a teacher, a science teacher.

M My dad is a music teacher.

W So, do you want to be a music teacher, too?

M No. I ________ ________ ________ ________ ________ like my mom.

18

W Hi. Aren't you _______ _______ _______ at Hilltop International Middle School?

M Yes. I think I saw you in science class. I'm Jun.

W I'm Sue. _______ _______ _______ _______?

M I'm from Korea. How about you?

W ____________________

19

W Hi, Charlie!

M Jessica! _______ _______ _______?

W I went to France for a year as an exchange student.

M Wow! _______ _______ _______?

W ____________________

20

M Do you have a part-time job?

W Yes. At a fast food store.

M _______ _______ _______ _______?

W Every Friday and Saturday from 6 pm to 10 pm.

M _______ _______ _______ _______.

W Yes, a little. But it's okay.

M What do you do it for?

W ____________________

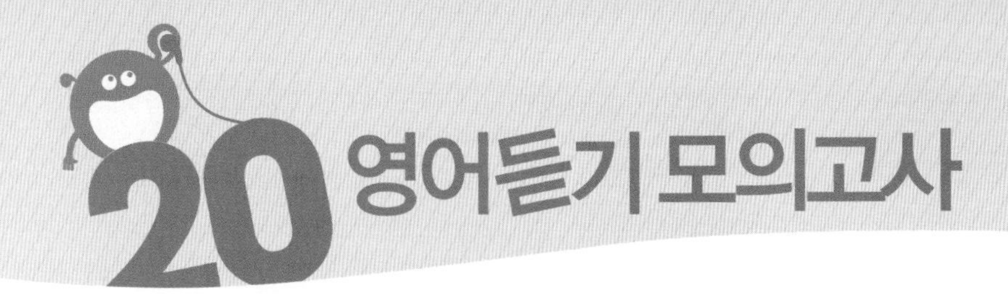

20 영어듣기 모의고사

정답 및 해설 p.68

Take Notes

1 대화를 듣고, 여자가 생일 선물로 받은 것을 고르시오.

①  ②  ③ 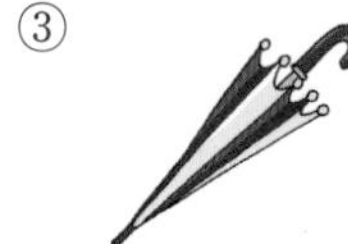 

④ 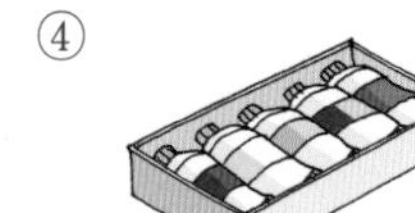 ⑤ 

2 대화를 듣고, 남자가 일요일에 주로 하는 일을 고르시오.

①  ②  ③ 

④  ⑤ 

3 다음을 듣고, 여자에 대해 알 수 없는 것을 고르시오.

① 나이 ② 학교 ③ 태어난 곳
④ 가족 구성원 ⑤ 취미

4 대화를 듣고, 여자가 거스름돈으로 받은 금액을 고르시오.

① \$2 ② \$4 ③ \$6 ④ \$8 ⑤ \$10

5 대화를 듣고, 마지막 말에 담긴 여자의 의도로 적절한 것을 고르시오.

① 칭찬 ② 충고 ③ 허락 ④ 위로 ⑤ 비난

6 대화를 듣고, 현재 시각을 고르시오.

Take Notes

① 2:45 ② 2:50 ③ 3:00 ④ 3:05 ⑤ 3:15

7 대화를 듣고, 남자가 가려고 하는 장소를 고르시오.

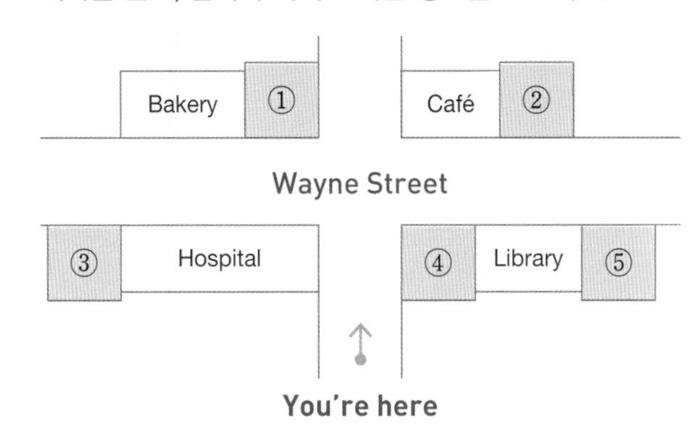

8 대화를 듣고, 여자의 직업으로 가장 적절한 것을 고르시오.

① 제빵사 ② 수의사 ③ 프로게이머
④ 웹 디자이너 ⑤ 프로그래머

9 대화를 듣고, 남자의 현재 심정으로 가장 적절한 것을 고르시오.

① 외롭다 ② 부럽다 ③ 자랑스럽다
④ 당황스럽다 ⑤ 반갑다

10 다음을 듣고, 무엇에 관한 설명인지 고르시오.

① ②  ③ 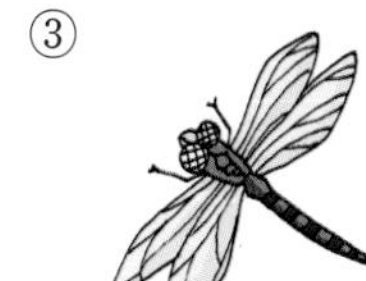

④ ⑤ 

Take Notes

11 대화를 듣고, 여자가 남자에게 부탁하는 일을 고르시오.

① 전화 받기
② 독후감 쓰기
③ 원서 제출하기
④ 과제 검토해 주기
⑤ 영어 공부 가르쳐 주기

12 대화를 듣고, 무엇에 관한 내용인지 고르시오.

① 축구 경기
② 여가 활동
③ 장래 희망
④ 학교생활
⑤ 시간 관리

13 대화를 듣고, 남자가 할 일로 가장 적절한 것을 고르시오.

① 차에 가기
② 책 읽기
③ 병원에 가기
④ 음악 듣기
⑤ 운동하기

14 다음을 듣고, 오늘 밤의 날씨를 고르시오.

① 
② 
③ 
④ 

⑤ 

15 대화를 듣고, 남자가 텔레비전을 볼 수 없는 이유를 고르시오.

① 숙제 때문에
② 설거지 때문에
③ 학교가 늦게 끝나서
④ 텔레비전이 고장 나서
⑤ 이미 텔레비전을 보아서

Take Notes

16 다음을 듣고, 두 사람의 대화가 어색한 것을 고르시오.

① ② ③ ④ ⑤

17 대화를 듣고, 여자가 박물관까지 가는 방법을 고르시오.

① 지하철로 ② 승용차로 ③ 버스로
④ 택시로 ⑤ 걸어서

18 대화를 듣고, 두 사람의 관계로 가장 적절한 것을 고르시오.

① 교사 - 학생 ② 직장 동료 ③ 엄마 - 아들
④ 손님 - 점원 ⑤ 직장 상사 - 부하 직원

19-20 대화를 듣고, 남자의 마지막 말에 이어질 여자의 응답으로 가장 적절한 것을 고르시오.

19

Woman ______________________

① I like swimming.
② The river was dirty.
③ About an hour and a half.
④ Three or four times a week.
⑤ It will take quite a long time.

20 Woman ______________________

① I don't know her.
② Is she your sister?
③ She is not my classmate.
④ I am not good at science.
⑤ Sure. You two can be good friends.

Dictation

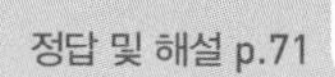

정답 및 해설 p.71

1

W Thanks, Dad. What a nice present!

M Mom told me you are very ________ ________ ________ ________.

W Yeah, right. Oh, it has a big lens, and it can zoom in and out.

M I'm very happy that ________ ________ ________.

2

W I ________ ________ in the park. So, I do it every Sunday. What about you?

M I like jogging, too. But I usually ________ ________ ________ on Sundays.

3

W Hi, everyone. My name is Lily. I'm ________ ________ ________, and I was born in Hong Kong. In my family, there are six people: my grandmother, parents, twin brothers, and me. My hobby is ________ ________. I want to be a photographer. Thank you.

4

M ________ ________ ________ ________ ________ ________?

W I'd like a jar of strawberry jam, please.

M Okay. Anything else?

W ________ ________ ________ ________, please.

M Strawberry Jam and two loaves of bread. That's sixteen dollars.

W Here's a twenty.

M Thank you, ma'am. ________ ________ ________.

5

M I'm home, Mom,

W Oh, dear. It looks like ________ ________ ________ ________ ________.

M You're right. I didn't win even one game.

W Well, cheer up. OK? How about I ________ ________ ________ for pizza?

6

M ________ ________ ________.

W It's apple pie. It's in the oven.

M Yum! When will it be ready?

W It will be ready ________ ________ ________.

M Fifteen more minutes?

W Yes. It will be ready at 3 o'clock.

7

M Excuse me. Where is the supermarket?

W Can you see the cafe on the corner ________ ________?

M Yes. I see it.

W Turn left there. It's Wayne Street.

M Turn left on Wayne Street? And then?

W It's on your right. It's ________ ________ ________ ________.

M Thanks for your help!

8

M Hi, Emma. It's nice to see you.

W It's nice to see you, too, Alex! ________ ________ ________ ________ nowadays?

M I design websites. How about you?

W I work for Fun Computer Games. I ________ ________ ________.

9

M Hey, Rachel!

W ________ ________ ________?

M Are you Rachel Brown from Jefferson Elementary School?

W No. I'm not Rachel Brown. And I went to Saint John Elementary School.

M Oh, I'm sorry. I must have ________ ________ ________.

10

M I am a bird, but ________ ________ ________. My favorite food is fish. I'm strong enough to ________ ________ cold weather, and I live in the coldest place on Earth. I ________ ________. My husband and I protect our eggs in turn.

11

W Luke, I need your help ________ ________.

M What is it, Karen?

W Can you read my essay and check if ________ ________ ________ ________? You are really good at English.

M Is it your English homework? Of course, I'll help!

12

W What do you usually do ________ ________ ________ ________?

M I play soccer every weekend. What about you?

W Whenever I have time, I read books.

M Wow, you must be smart. I think that's ________ ________ ________.

W Right! I'll recommend some books to you, if you want.

Dictation

13

M What's wrong, Amy?

W ________ ________, Dad.

M Why don't you read your book?

W I want to, but I can't find it.

M I saw your book ________ ________ ________. I'll get it for you.

14

W Hello, everyone. Here is the weather forecast for today. This morning will be ________ ________ ________. The afternoon will be a little warmer but still cloudy. There will be ________ ________ ________ ________.

15

W Thanks for helping me with the dishes, Max.

M Is it OK if I watch TV now, Mom?

W No. You already watched TV ________ ________ ________ right after school.

M But Mom, please.

W You know the rule. ________ ________ ________ ________.

16

① M ________ ________ ________ ________?

W I'm a pro golfer.

② M Did you have lunch?

W ________, ________ ________.

③ M Where are you going?

W I go there often.

④ M May I speak to Emma Smith?

W ________ ________ ________ ________.

⑤ M Do you like English?

W Yes, I do. My English teacher is nice.

17

W Does this bus go to the National Museum?

M No. Number eleven and number twelve do.

W Do they leave ________ ________ ________ ________?

M Yes, but the museum is only three blocks from here. You can walk there.

W Oh, good. Then ________ ________ ________.

18

W Where is your homework, Peter?

M I think I ________ ________ ________ ________.

W Are you sure that you did your homework?

M Yes, Ms. Johnson. I really did my homework. I thought I put it in my backpack, but it is not there.

W Okay. ________ ________ ________ ________ ________.

19

M ________ ________ ________ ________ in the river yesterday?

W We swam across it.

M Wow! That must have been very hard! ________ ________ ________ ________ ________?

W ____________________

20

M Do you know Mary Jane?

W Do you mean the girl ________ ________ ________ ________?

M Yes.

W Are you interested in her?

M Yes. She seems ________ ________ ________ ________.

W Yeah. She is nice and kind, and even pretty.

M Can you introduce me to her?

W ____________________

1회 기출모의고사

정답 및 해설 p72

1 대화를 듣고, 두 사람이 구입할 넥타이로 가장 적절한 것을 고르시오.

 ①  ②  ③  ④ 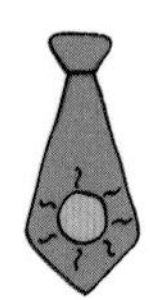 ⑤ 

2 다음을 듣고, 오늘 밤의 날씨로 가장 적절한 것을 고르시오.

 ①  ② 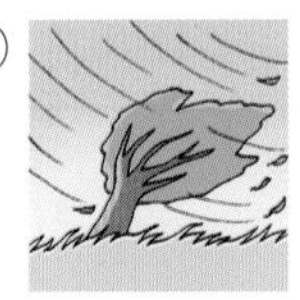 ③  ④  ⑤ 

3 다음을 듣고, 'I'가 무엇인지 가장 적절한 것을 고르시오.

 ①  ②  ③  ④  ⑤ 

4 대화를 듣고, 남자의 마지막 말의 의도로 가장 적절한 것을 고르시오.

① 실망 ② 칭찬 ③ 충고 ④ 초대 ⑤ 허락

5 다음을 듣고, 오늘 남자가 먹지 않은 것을 고르시오.

① 바나나 ② 샌드위치 ③ 스파게티
④ 오렌지 주스 ⑤ 피자

6

대화를 듣고, 두 사람이 보게 될 콘서트의 시작 시간을 고르시오.

① 6:00 ② 6:30 ③ 7:00 ④ 7:30 ⑤ 8:00

7

대화를 듣고, 여자의 장래 희망으로 가장 적절한 것을 고르시오.

① 화가 ② 건축가 ③ 음악가
④ 운동선수 ⑤ 영화감독

8

대화를 듣고, 남자의 심정으로 가장 적절한 것을 고르시오.

① 행복한 ② 지루한 ③ 기대하는
④ 자랑스러운 ⑤ 실망스러운

9

대화를 듣고, 두 사람이 오늘 오후에 할 일로 가장 적절한 것을 고르시오.

① 쇼핑하기 ② 숙제 하기 ③ 학교 가기
④ 서점 가기 ⑤ 병문안 가기

10

대화를 듣고, 무엇에 관한 내용인지 가장 적절한 것을 고르시오.

① 성적 상담 ② 적성검사 결과
③ 체육대회 날짜 변경 ④ 중간고사 일정 확인
⑤ 여름방학 계획표 작성

11

다음을 듣고, 두 사람의 대화가 어색한 것을 고르시오.

① ② ③ ④ ⑤

12

대화를 듣고, 여자가 수학 선생님을 좋아하는 이유로 가장 적절한 것을 고르시오.

① 친절해서
② 재미있어서
③ 목소리가 좋아서
④ 고민을 잘 들어주어서
⑤ 발표 기회를 많이 주어서

13

대화를 듣고, 두 사람의 관계로 가장 적절한 것을 고르시오.

① 교사 - 학생
② 경찰 - 시민
③ 승무원 - 승객
④ 수의사 - 강아지 주인
⑤ 음식점 주인 - 요리사

14

대화를 듣고, 남자가 가려고 하는 장소를 고르시오.

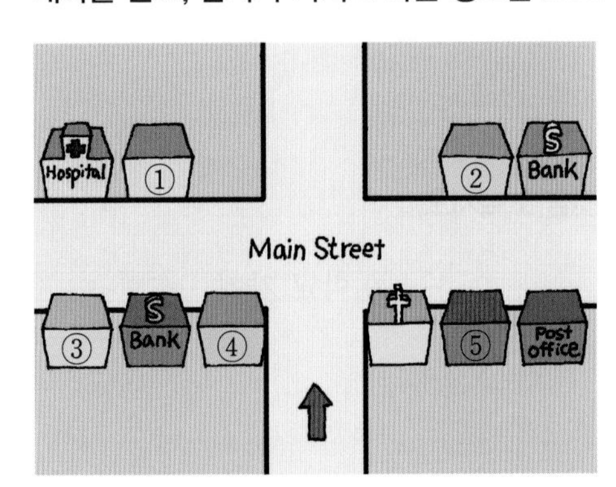

15

대화를 듣고, 남자가 여자에게 부탁한 일로 가장 적절한 것을 고르시오.

① 일찍 깨워 주기
② 숙제 도와주기
③ 방 청소 해 주기
④ 학교 데려다 주기
⑤ 도시락 챙겨 주기

16 대화를 듣고, 여자가 어제 병원에 간 이유로 가장 적절한 것을 고르시오.

① 눈병이 나서 ② 감기에 걸려서 ③ 봉사활동을 하기 위해서
④ 엄마의 병문안을 위해서 ⑤ 정기 건강 검진을 받기 위해서

17 대화를 듣고, 여자가 남자에게 제안한 것으로 가장 적절한 것을 고르시오.

① 도서관 가기 ② 과학 실험하기 ③ 인터넷 활용하기
④ 안내소 방문하기 ⑤ 친구에게 물어보기

18 대화를 듣고, 남자가 전화를 건 목적으로 가장 적절한 것을 고르시오.

① 좋은 식당을 물어보려고
② 요리 방법을 알려주려고
③ 약속 날짜를 변경하려고
④ 친구의 이메일을 물어보려고
⑤ 박물관 위치를 확인하려고

19-20 대화를 듣고, 남자의 마지막 말에 이어질 여자의 응답으로 가장 적절한 것을 고르시오.

19 Woman ______________________

① No problem.
② Can I join you?
③ Sure. I can't wait.
④ You must be kidding.
⑤ You can be a good cook.

20 Woman ______________________

① Ten dollars.
② So delicious.
③ On the table.
④ With a spoon.
⑤ Five minutes later.

2회 기출모의고사

정답 및 해설 p76

1 다음을 듣고, 'it'이 가리키는 것으로 가장 적절한 것을 고르시오.

① 
② 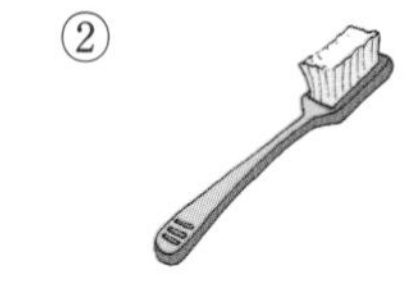
③ 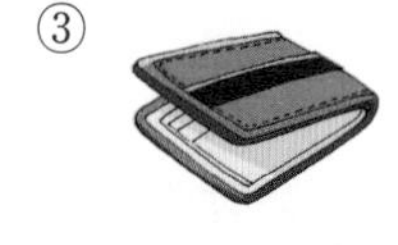
④ 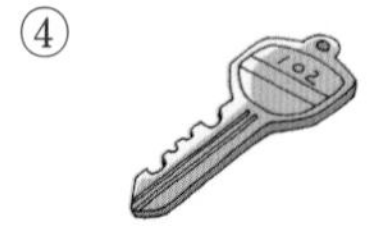
⑤ 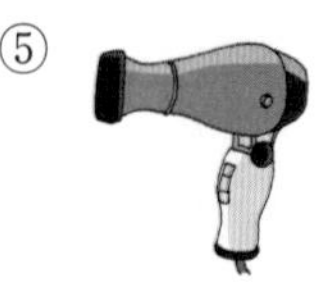

2 다음을 듣고, 내일 대구의 날씨로 가장 적절한 것을 고르시오.

① 
② 
③ 
④ 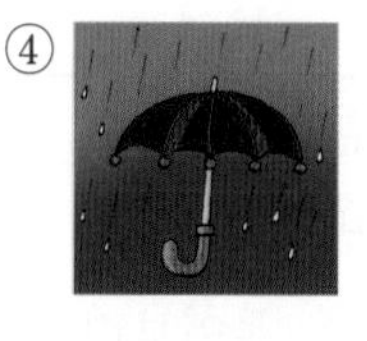
⑤ 

3 대화를 듣고, 무엇에 관한 내용인지 가장 적절한 것을 고르시오.

① 환경 보호
② 가족 여행
③ 요리 강습
④ 봉사 활동
⑤ 교우 관계

4 대화를 듣고, 여자의 마지막 말의 의도로 가장 적절한 것을 고르시오.

① 꾸중
② 제안
③ 칭찬
④ 사과
⑤ 허락

5 대화를 듣고, 두 사람이 만날 시각을 고르시오.

① 6:00
② 6:30
③ 7:00
④ 7:30
⑤ 8:00

6

다음을 듣고, 남자에 대해 언급되지 않은 것을 고르시오.

① 이름 ② 나이 ③ 출신 국가
④ 사는 곳 ⑤ 장래 희망

7

대화를 듣고, 두 사람이 할 일로 가장 적절한 것을 고르시오.

① 카드 만들기 ② 옷 가게 가기 ③ 파티 준비하기
④ 인터넷 검색하기 ⑤ 아버지에게 전화하기

8

대화를 듣고, 여자의 심정으로 가장 적절한 것을 고르시오.

① 반가움 ② 부러움 ③ 지루함 ④ 걱정됨 ⑤ 미안함

9

대화를 듣고, 여자가 지난 주말에 한 일로 가장 적절한 것을 고르시오.

① 숙제 하기 ② 수영하기 ③ 쿠키 만들기
④ 만화 그리기 ⑤ 화분에 물 주기

10

대화를 듣고, 무엇에 관한 내용인지 가장 적절한 것을 고르시오.

① 장래 희망 ② 건강 검진 ③ 경시 대회
④ 학교 축제 ⑤ 봉사 활동

11 다음을 듣고, 두 사람의 대화가 어색한 것을 고르시오.

① ② ③ ④ ⑤

12 대화를 듣고, 여자가 음악 동아리에 가입한 이유로 가장 적절한 것을 고르시오.

① 가수가 되고 싶어서
② 친구를 사귀고 싶어서
③ 음악 선생님이 권유해서
④ 악기를 함께 연주하고 싶어서
⑤ 다양한 노래를 배우고 싶어서

13 대화를 듣고, 두 사람의 관계로 가장 적절한 것을 고르시오.

① 교사 - 학생
② 영화감독 - 배우
③ 택시 기사 - 승객
④ 동물원 사육사 - 관람객
⑤ 라디오 진행자 - 청취자

14 대화를 듣고, 여자가 가려고 하는 장소를 고르시오.

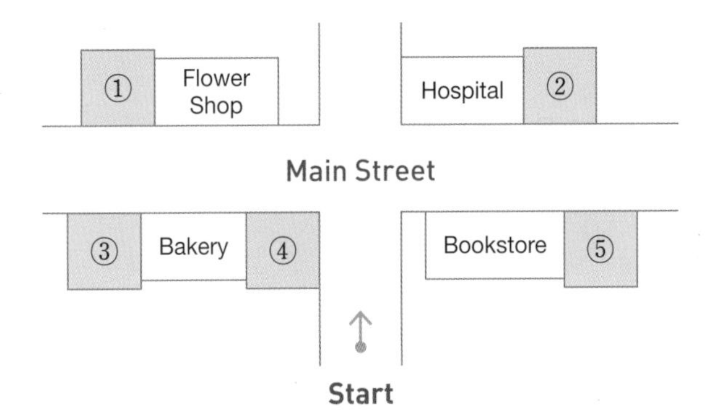

15 대화를 듣고, 여자가 남자에게 부탁한 일로 가장 적절한 것을 고르시오.

① 청소하기
② 채소 씻기
③ 과일 사기
④ 케이크 주문하기
⑤ 요리책 가져오기

16 대화를 듣고, 남자가 어제 모자를 사지 못한 이유로 가장 적절한 것을 고르시오.

① 너무 비싸서
② 가게 문이 닫혀서
③ 지갑을 두고 와서
④ 맞는 크기가 없어서
⑤ 원하는 색이 없어서

17 대화를 듣고, 두 사람이 만나기로 한 장소로 가장 적절한 곳을 고르시오.

① 공원
② 영화관
③ 도서관
④ 지하철 역
⑤ 버스 정류장

18 대화를 듣고, 여자가 남자에게 제안한 것으로 가장 적절한 것을 고르시오.

① 한식 체험
② 박물관 관람
③ 웹사이트 검색
④ 한옥마을 방문
⑤ 관광안내소 문의

19-20 대화를 듣고, 남자의 마지막 말에 이어질 여자의 응답으로 가장 적절한 것을 고르시오.

19 Woman: ______________________

① Of course!
② Take care.
③ Same here.
④ I envy you.
⑤ It's my fault.

20 Woman: ______________________

① Here you are.
② To go, please.
③ Don't mention it.
④ I like it very much.
⑤ Because it is too hot.

Grammar Bridge
Level 1~3
중학영문법 뽀개기
Level 1~3

The Grammar
Starter
Level 1~3
OK Grammar
Level 1~4

This Is Grammar
초급 1·2
중급 1·2
고급 1·2

LISTENING

영어듣기 모의고사 [20회+2회]

Answers

넥서스영어교육연구소 지음

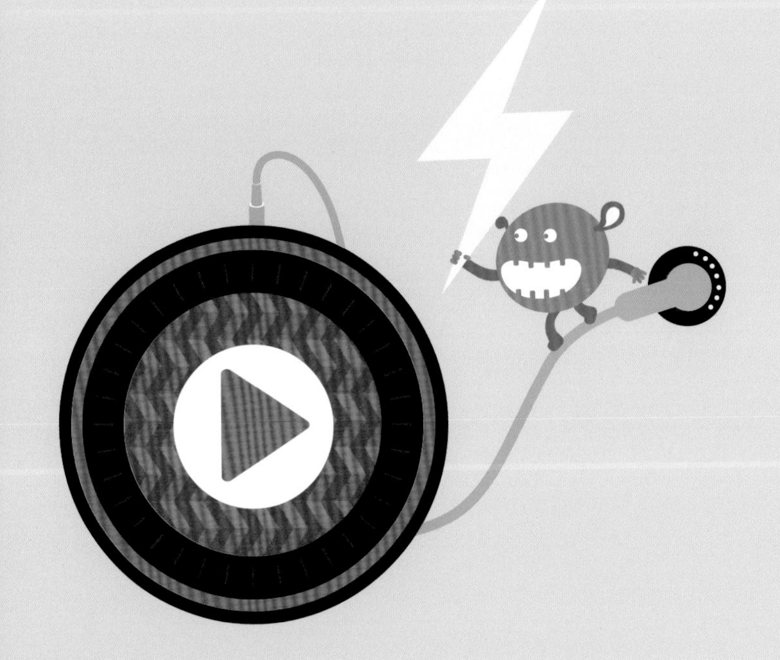

Level 1

NEXUS Edu

영어듣기 모의고사 [20회+2회]

Level 1

NEXUS Edu

01회 영어듣기 모의고사 p.8~11

01 ④	02 ②	03 ①	04 ②	05 ④
06 ①	07 ③	08 ④	09 ④	10 ③
11 ⑤	12 ③	13 ①	14 ②	15 ③
16 ②	17 ④	18 ③	19 ②	20 ④

1 ④

해석

여 우리는 돈과 중요한 카드를 가지고 다니기 위해 이것을 이용할 수 있다. 이것은 유용하고 편리하다. 이것은 작아서 우리는 이것을 주머니에 넣을 수도 있다. 만약 이것을 잃어버리면 큰 문제가 생긴다. 조심해야 한다. 이것은 무엇인가?

해설

돈과 카드를 넣을 수 있고, 주머니에 넣고 다닐 수 있는 물건은 지갑이다.

어휘

use 사용하다 / carry ~을 가지고 가다 / useful 유용한 / convenient 편리한 / put ~을 넣다 / pocket 주머니 / lose ~을 잃어버리다 / get into trouble 문제에 직면하다 / careful 조심성 있는, 주의 깊은

2 ②

해석

남 나는 어른이 되면, 아픈 사람을 도와주고 싶어.
여 그럼, 너는 의사가 되고 싶은 거야?
남 맞아. 내 꿈은 의사가 되는 거야. 너는?
여 나는 예술가가 되고 싶어. 네가 꿈을 이루기를 바랄게.
남 너도.

해설

두 사람은 커서 무엇이 되고 싶은지에 관해 이야기하고 있다.

어휘

sick 아픈 / exactly 정확히, 꼭 / achieve 이루다, 달성하다

3 ①

해석

여 내일의 일기 예보입니다. 중부는 서늘하고 구름이 낀 채로 남아 있겠습니다. 동부는 바람이 아주 세게 불겠습니다. 남부는 따뜻하고 맑을 것입니다. 마지막으로, 북부에는 눈이 30센티미터까지 쌓이겠습니다. 날씨를 마칩니다. 좋은 밤 보내십시오.

해설

내일 동부에는 바람이 많이 불 것이다.

어휘

weather forecast 일기 예보 / central 중앙의, 중심의 / remain ~인 상태로 있다 / cloudy 구름이 낀 / east 동쪽(의), 동부(의) / windy 바람이 센, 바람이 부는 / south 남쪽(의), 남부(의) / sunny 화창한 / finally 마지막으로 / north 북쪽(의), 북부(의) / up to ~까지

4 ②

해석

남 엄마, 숙제 다 했어요.
여 잘했어. 내일 수학 시험 준비는 다 했니?
남 네, 엄마. 이제 Tom네 집에 가도 되나요?
여 물론이지. 저녁 시간까지 돌아오렴.

해설

Tom네 집에 가도 되느냐고 묻는 말에 긍정의 대답을 했으므로 허락의 의도로 볼 수 있다.

어휘

do one's homework 숙제를 하다 / Well done. 잘했어. / prepare for ~에 대해 준비하다

5 ④

해석

남 안녕, 나는 Dylan이야. 나는 아일랜드 출신이야. 우리 부모님과 여동생과 나는 더블린에 살아. 내가 가장 좋아하는 배우는 Colin Farrell이야. 그도 더블린 출신이야! 내 꿈은 비행기를 조종하는 거야. 고마워.

해설

남자는 좋아하는 배우에 대해 언급했지만, 좋아하는 영화에 대해서는 언급하지 않았다.

어휘

Ireland 아일랜드 / live in ~에 살다 / actor 배우 / fly 비행하다, 운항하다

6 ①

해석

여 내일 있을 음악 축제가 몹시 기다려져.
남 나도야. 몇 시에 만나고 싶어?
여 열한 시 어때?
남 하지만 축제는 열 시에 시작하는데. 아홉 시에 만나자.
여 알았어. 내가 아홉 시에 데리러 갈게.
남 알겠어. 그때 보자.

해설

두 사람은 내일 아홉 시에 만나기로 했다.

어휘

cannot wait to+동사원형 ~을 몹시 바라다, 기다리다 / festival 축제 / pick A up A를 데리러 가다

7 ③

해석

[전화벨이 울린다.]
여 Louisa입니다.
남 안녕, Louisa. 나 Paul이야.
여 Paul! 안녕. 무슨 일이야?
남 오늘 도서관에서 같이 공부할래?

여 안 돼. 동생을 돌봐야 해.
남 아, 그렇구나.
여 대신 내일 하자.

해설
남자는 같이 공부하자고 말하기 위해 여자에게 전화를 걸었다.

어휘
speaking (전화를 받을 때) ~입니다 / together 함께, 같이 / library 도서관 / babysit 아기를 봐주다 / instead 대신에

8 ④

해석
남 와! 저거 봤어?
여 뭐?
남 저기 배들 근처에 있었어.
여 말해 줘. 내가 뭘 놓친 거니?
남 큰 고래 한 마리가 물 위로 올라왔었어. 정말 놀라웠어!

해설
남자는 고래가 물 위로 튀어 오르는 것을 목격해서 놀라워하고 있다.

어휘
over ~의 위에 / near 근처에 / boat 배, 보트 / miss 놓치다 / whale 고래 / come up 오르다, 위로 올라오다 / above ~위로 / amazing 놀라운

9 ④

해석
여 너 주말에 무엇을 했니?
남 내 친구 Josh와 함께 스케이트보드를 타러 갔었어.
여 재미있는 시간을 보냈니?
남 물론이지! 네 주말은 어땠어?
여 좋았어. 나는 엄마와 요양원에 자원봉사를 하러 갔었어.
남 훌륭하구나!

해설
여자는 엄마와 함께 요양원에 자원봉사를 하러 갔었다고 했다.

어휘
weekend 주말 / skateboard 스케이트보드를 타다 / have a good time 좋은 시간을 보내다 / volunteer 자원봉사 / nursing home 요양원

10 ③

해석
남 이 테니스 라켓이 얼마죠?
여 15달러입니다. 그리고 이 테니스공은 오늘 반값 할인이에요.
남 정말이요? 이건 얼마인가요?
여 그것은 1달러 밖에 안돼요.
남 좋네요. 다섯 개 주세요. 그리고 라켓도요.
여 알겠습니다. 총 20달러입니다.
남 여기 있어요.

해설
남자는 15달러짜리 테니스 라켓 하나와 1달러짜리 공 다섯 개를 샀으므로 20달러를 지불했다.

어휘
racket 라켓 / half-price 반값의 / take ~을 사다, 잡다

11 ⑤

해석
① 남 소풍이 즐거웠니?
　여 응, 재미있었어.
② 남 내 자전거 어때?
　여 멋진 것 같아.
③ 남 네가 가장 좋아하는 음식이 무엇이니?
　여 나는 피자를 정말 좋아해.
④ 남 네 펜을 빌려도 될까?
　여 나는 펜이 없어, 미안해.
⑤ 남 너는 어떤 종류의 영화를 좋아하니?
　여 그건 정말 재미있었어.

해설
어떤 영화를 좋아하냐고 물었는데 재미있었다는 대답은 자연스럽지 않다.

어휘
borrow ~을 빌리다 / interesting 흥미로운

12 ③

해석
남 너 음악 동아리 회원이니?
여 아니. 나는 올해는 영화 동아리에 가입했어.
남 아. 왜 거기에 가입했어?
여 나는 연기하는 것을 정말 좋아하거든.
남 그럼 너는 알맞은 동아리에 가입했구나.

해설
여자는 연기하는 것이 좋아서 영화 동아리에 가입했다고 말했다.

어휘
member 회원, 일원 / club 동아리, 클럽 / join 가입하다 / act 연기하다 / right 알맞은, 적절한

13 ①

해석
여 서두르지 않으면 버스를 놓칠 거야.
남 전화기를 찾을 수가 없어요.
여 욕실은 확인해 봤니?
남 네. 거기에는 없어요.
여 학교 가방은?
남 거기에도 없어요.
여 아 맞다. 지난밤에 내가 네 교복 바지에서 전화기를 꺼내 놓았어. 탁자 위에 두었단다.

해설

아침에 학교 등교를 도와주고, 교복을 챙겨 주는 것으로 보아 엄마와 아들의 대화임을 알 수 있다.

어휘

hurry up 서두르다 / miss ~을 놓치다 / find ~을 찾다 / check 확인하다, 살피다 / bathroom 욕실 / take A out of B B에서 A를 꺼내다

14 ②

해석

남 엄마, 무엇을 하고 계세요?
여 아빠의 생일 케이크를 만들고 있단다.
남 제가 도와드릴까요?
여 그래. 가게에 좀 다녀올 수 있니? 버터가 필요하구나.
남 알겠어요. 얼마나 필요하세요?

해설

여자는 남자에게 가게에서 버터를 사다 달라고 부탁했다.

어휘

run 달리다 / need 필요하다 / butter 버터 / how much 얼마나 많이

15 ③

해석

여 Mark, 그래서 바지를 샀니?
남 아니요. 안 샀어요.
여 왜? 너무 비쌌니?
남 꼭 그런 건 아니에요. 저는 검정 청바지를 사고 싶었는데, 다 팔렸어요.
여 아, 그랬구나.

해설

남자는 검정 청바지를 사고 싶었는데, 매진이 되어서 사지 못했다.

어휘

a pair of 한 쌍의 / expensive 비싼 / black jeans 검정 청바지 / sold out 다 팔린, 매진된

16 ②

해석

[전화벨이 울린다.]
여 여보세요?
남 안녕, Emma? 나 Max야. 오늘 밤에 영화 보러 갈래?
여 좋아! 보고 싶은 것이 있니?
남 응. 「Super Stars 4」가 상영 중이야. 시네마서클 앞에서 만날까?
여 시네마서클은 우리 집에서 가까워. 우리 여기서 만날 수 있겠다.
남 맞다! 거기서 보자.

해설

두 사람이 가려는 영화관이 여자의 집에서 가까워서 여자의 집에서 만나기로 했다.

어휘

watch a movie 영화를 보다 / have something in mind ~을 마음에 두다 / be on 상영 중이다 / in front of ~의 앞에 / near 가까운

17 ④

해석

남 Jane, 몸이 안 좋아 보여.
여 두통이 너무 심해.
남 나에게 약이 있어. 여기, 두 알을 먹어.
여 고마워.
남 물 한 잔 가져다줄게.

해설

남자가 여자에게 약을 주며 물을 가져다준다고 했으므로 여자는 약을 먹을 것이다.

어휘

look well 건강해 보이다 / terrible 심한, 끔찍한 / headache 두통 / medicine 약 / pill 알약 / a glass of ~ 한 잔

18 ③

해석

[전화벨이 울린다.]
여 여보세요?
남 안녕, Maisie. 오늘 영화 볼래?
여 그러고 싶어. 하지만 아빠가 나를 수영장에 데려갈 거야.
남 수영장에? 언제?
여 점심 먹고 나서. 너도 갈래?
남 응. 재미있겠다!

해설

수영장에 같이 가겠냐는 여자의 권유에 남자는 재미있겠다는 말로 동의했으므로 수영을 하러 갈 것이다.

어휘

take 데리고 가다 / pool 수영장

19 ②

해석

남 배고파요, 엄마! 먹을 거 있나요?
여 그럼. 내가 달걀 샐러드 샌드위치를 만들었단다.
남 고마워요! 어디에 있어요?
여 부엌에 있단다.

해설

샌드위치가 어디에 있느냐고 물었으므로 샌드위치가 있는 장소를 알려 주는 것이 가장 적절하다.
① 나는 배가 부르구나. ③ 나는 가게에 갔었어. ④ 내가 너를 위해 그것을 샀단다. ⑤ 그것은 너무 비쌌어.

어휘

hungry 배가 고픈 / anything 무엇인가, 어떤 것 / full 배가 부른, 가득 찬 / expensive 비싼

20 ④

해석

여 James! 너 어디니? *[아래층에서 외치는 소리]*
남 방에 있어요.
여 뭐 하고 있어?
남 책 읽고 있어요.
여 나 수건이 필요해. 하나 가져다줄래? 나 지금 욕실에 있어.
남 죄송해요. 뭐라고 하셨어요? 안 들렸어요.
여 수건을 좀 가져다줘.

해설

남자는 여자가 뭐라고 말했는지 듣지 못해서 여자에게 되물었으므로 다시 말해 주는 것이 자연스럽다.
① 너무 늦었어. ② 정말 잘했구나. ③ 너의 도움은 필요 없어. ⑤ 나는 샤워하고 싶지 않아.

어휘

towel 수건 / bathroom 욕실 / hear ~을 듣다, 들리다 / late 늦은 / bring 가져다주다 / take a shower 샤워하다

Dictation

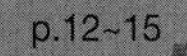
p.12~15

1 carry our money / put it in our pocket / be careful
2 grow up / to be a doctor / achieve your dream
3 remain cool and cloudy / warm and sunny
4 prepared for / Be home before dinner
5 live in / to fly airplanes
6 want to meet / starts at 10 / See you then
7 study together / tomorrow instead
8 see that / What did I miss / It was amazing
9 on the weekend / have a good time / did some volunteer work
10 fifteen dollars / just one dollar / twenty dollars
11 it was fun / your favorite food / What kind of movie
12 a member of / love acting
13 check the bathroom / not in there / on the table
14 making a cake / run to the store
15 buy a pair of pants / too expensive / were sold out
16 watch a movie / meet in front of
17 don't look well / take two pills
18 taking me swimming / That would be great
19 anything to eat / Where is it
20 reading a book / what did you say

02회 영어듣기 모의고사 p.16~19

01 ④	02 ④	03 ⑤	04 ①	05 ④
06 ③	07 ③	08 ②	09 ③	10 ⑤
11 ⑤	12 ⑤	13 ①	14 ④	15 ③
16 ④	17 ③	18 ①	19 ②	20 ③

1 ④

해석

남 나는 동물이다. 나는 다리가 네 개이다. 나는 천천히 걷고, 수영을 잘 한다. 나는 등에 집을 갖고 다닌다. 나는 무서우면 집에 숨는다. 나는 누구인가?

해설

천천히 걷고, 수영을 잘 하며, 등에 집을 지고 다니는 동물은 거북이이다.

어휘

leg 다리 / slow 느린 / walker 걷는 사람[동물] / back 등 / hide 숨다 / scared 겁먹은, 무서워하는

2 ④

해석

여 Sean, 네 목도리 어디 갔니?
남 어떤 목도리요, 엄마?
여 빨강 스카프. 내가 성탄절에 너에게 떠 준 거 말이야.
남 아, 이런! 어디에서도 그것을 볼 수가 없어요. 잃어버린 것 같아요. 정말 죄송해요, 엄마.
여 걱정 마라. 찾을 수 있을 거야. 어딘가에 있겠지.

해설

남자는 어머니께서 떠 주신 목도리를 잃어버려서 미안해하고 있다.

어휘

scarf 목도리 / knit 뜨다, 짜다 / anywhere 어디에서도 / lose ~을 잃어버리다 / worry 걱정하다 / somewhere 어딘가에

3 ⑤

해석

여 일기 예보의 Erica Jones입니다. 오늘 오후와 밤에는 춥고 구름이 끼겠습니다. 내일 아침에는 약한 눈이 내리겠습니다. 눈은 오후부터 점차 거세지겠습니다.

해설

오늘 오후와 밤에는 춥고 구름이 낀다고 했다.

어휘

weather forecast 일기 예보 / cloudy 구름이 낀 / light 가벼운, 옅은 / heavy 심한, 무거운

4 ①

해석

남 나 너무 지루해. 밖에서 나가서 뭔가 하고 싶어.
여 무엇이 하고 싶은데?
남 내가 제일 좋아하는 활동은 자전거를 타는 거야.
여 그럼, 나랑 자전거 타러 가는 게 어때?

해설

여자는 남자에게 자전거를 타러 가자고 제안하고 하고 있다.

어휘

bored 지루한 / go out 밖에 나가다 / favorite 가장 좋아하는 / activity 활동 / ride a bike 자전거를 타다 / how about ~은 어때?

5 ④

해석

남 나는 매일 아침에 아침밥을 먹는다. 오늘은 시리얼과 우유를 먹었다. 그리고 점심에는 햄 샌드위치를 먹었다. 방과 후에, 어머니께서 나와 내 친구를 이탈리아 식당에 데려가셨다. 내 친구와 나는 치즈가 잔뜩 들어간 피자를 먹었다. 우리는 콜라도 마셨다.

해설

스파게티를 먹었다는 언급은 없다.

어휘

breakfast 아침 식사 / cereal 시리얼 / take ~을 데려가다 / Italian 이탈리아의 / lots of 많은 / drink ~을 마시다 / coke 콜라

6 ③

해석

남 내가 역까지 같이 걸어가 줄까?
여 응. 그런데 우리 서둘러야 해.
남 진정해. 열차는 두 시에 떠나. 거기까지 걸어가는 데 십 분 정도가 걸려.
여 겨우 10분? 지금 1시 30분이야. 1시 40분에는 도착할 수 있어.
남 맞아. 지금 바로 출발하자.

해설

지금은 한 시 반이고, 역까지 가는 데 십 분이 걸린다고 했으므로 한 시 사십 분에 도착할 것이다.

어휘

walk to ~로 걸어가다 / station 역 / quickly 빨리 / relax 안심하다, 진정하다 / leave 떠나다 / take ~가 걸리다 / correct 올바른, 정확한 / right now 지금 곧

7 ③

해석

남 너는 커서 무슨 일을 하고 싶니?
여 나는 정말 영화감독이 되고 싶어.
남 그래서 영화 동아리에 가입한 거야?
여 응. 너는?
남 나는 학생들에게 영어를 가르치고 싶어. 나는 영어와 가르치는 게 정말 좋아.

해설

여자는 영화감독이 되고 싶어 한다.

어휘

grow up 자라다 / movie director 영화감독 / that's why 그것이 ~한 이유이다 / join ~에 가입하다 / film 영화

8 ②

해석

남 토요일에 무엇을 할 계획이니?
여 나는 야구를 할 거야. 우리 팀이 결승전에 올랐거든.
남 내가 가서 봐도 될까?
여 당연하지!

해설

여자는 주말에 야구를 한다고 했다.

어휘

plan 계획 / baseball 야구 / final 결승전

9 ③

해석

여 오늘 자전거 타러 갈래?
남 가고 싶지만, 비가 올 거야.
여 아. 그러면 영화는 어때?
남 좋은 생각이야! 새로 나온 공포 영화를 보고 싶어.
여 아주 좋아! 나도.

해설

두 사람은 오늘 비가 온다고 해서 공포 영화를 보러 가기로 했다.

어휘

bike ride 자전거 타기 / would like to+동사원형 ~하고 싶다 / how about ~? ~은 어때? / then 그러면, 그렇다면 / horror movie 공포 영화

10 ⑤

해석

남 안녕, Sophie. 방학은 어땠니?
여 재미있었어. 우리 가족과 나는 파라다이스 계곡에 갔었어.
남 거기서 무엇을 했니?
여 야영을 했어. 우리는 강에서 수영을 하고 낚시를 했어. 너는?
남 우리 가족과 나는 골든 해변에 갔었어.
여 어땠어?
남 좋았어! 해변이 정말 아름다웠어.

해설

두 사람은 방학에 다녀온 가족 여행에 대해 이야기하고 있다.

어휘

vacation 방학, 휴가 / paradise 낙원, 천국 / valley 계곡, 골짜기 / camp 야영을 하다 / go fishing 낚시를 가다

11 ⑤

해석

남 너 늦었구나. 무슨 일이 있었니?
여 중앙 역이 너무 붐볐어. 거의 움직일 수가 없더라.
남 지하철을 탄 거야?
여 응. 두 번 갈아타야 했어.
남 버스가 더 간단하고 빨라. 다음에 한번 타 봐.

해설

남자는 지하철보다 버스가 더 간단하고 빠르다며 다음에 타 보라고 권유하고 있다.

어휘

be late 늦다, 지각하다 / happen 일어나다, 발생하다 / crowded 붐비는, 복잡한 / hardly 거의 ~할 수 없다 / take ~을 타다 / subway 지하철 / transfer 갈아타다, 환승하다 / next time 다음번에

12 ⑤

해석

남 너 신발 받았니? 며칠 전에 온라인으로 주문했잖아.
여 응, 하지만 되돌려 보냈어.
남 무슨 일인데?
여 너무 컸어. 사이즈6을 주문했는데 사이즈7을 보냈더라고. 작은 사이즈로 보내줄 거야.

해설

여자가 사이즈6을 주문했는데, 사이즈7이 배송되어 돌려보낸 뒤 상품이 다시 배송되기를 기다리고 있다.

어휘

order 주문하다 / online 온라인으로 / a few 약간의, 몇 개의 / send back 돌려보내다, 돌려주다 / happen 일어나다, 발생하다 / size 사이즈, 치수

13 ①

해석

여 여기 메뉴입니다. 주문하시겠습니까?
남 아뇨, 괜찮아요. 제 친구들이 곧 올 거예요.
여 기다리시는 동안 음료를 준비해 드릴까요?
남 아이스 티 주세요.
여 알겠습니다. 차를 가지고 곧 돌아오겠습니다.

해설

여자가 남자에게 주문을 받으려 하고 있으므로 여자는 식당 종업원, 남자는 손님이다.

어휘

menu 메뉴(판) / would like to+동사원형 ~하고 싶다 / order 주문하다 / soon 곧, 금방 / get 가져다주다 / drink 음료 / while ~동안에 / wait 기다리다 / be right back 곧 돌아오다

14 ④

해석

여 실례합니다. 이 근처에 장난감 가게가 있나요?
남 네. 퀸즈거리에 있어요.
여 퀸즈거리요?
남 곧장 가서 왼쪽으로 도세요. 당신의 왼쪽에 있을 거예요.
여 알겠어요. 그래서 곧장 가서 왼쪽으로 도는 거, 맞지요?
남 맞아요. 약국 옆에 있어요.
여 정말 고맙습니다.

해설

직진 후 왼편으로 돌아서 약국 옆에 있는 곳이 장난감 가게이다.

어휘

toy shop 장난감 가게 / around 주위에, 근처에 / straight 곧장, 곧바로 / turn left 왼편으로 돌다 / next to ~의 옆에 / drug store 약국

15 ③

해석

[전화벨이 울린다.]
여 여보세요.
남 엄마? 죄송하지만, 저 좀 도와주세요.
여 무슨 일이니, George?
남 제 방에 과학 숙제를 놓고 왔어요. 학교에 가져다주실 수 있나요?
여 알았다. 점심시간에 정문에서 기다리렴.

해설

남자는 엄마에게 방에 놓고 온 숙제를 가져다 달라고 부탁하고 있다.

어휘

help 도움 / matter 문제, 일 / leave ~을 두고 오다 / bring 가져오다 / wait for ~을 기다리다 / front gate 정문 / lunchtime 점심시간

16 ④

해석

여 어디 가니, Max?
남 Jamie네 집에요. Jamie가 역사 숙제의 제 짝이어서요.
여 어떻게 되어가니?
남 좋아요. 그런데 주제에 관해 많은 정보를 찾을 수가 없어요.
여 시립 도서관을 가 보렴. 거긴 아주 좋단다.
남 정말이요? 그럴게요. 고마워요.

해설

여자는 남자에게 시립 도서관에 가볼 것을 제안하고 있다.

어휘

partner 짝, 파트너 / history 역사 / project 과제, 프로젝트; 계획 / find ~을 찾다 / information 정보 / topic 주제 / try 시도하다 / excellent 훌륭한

17 ③

해석

① 남 네 전화기를 써도 될까?
 여 물론. 여기 있어.
② 남 내가 이것을 옮기는 걸 도와주겠니?
 여 그럼. 무거워 보이는구나.
③ 남 학교생활은 어떠니?
 여 나는 과학과 수학을 가장 좋아해.
④ 남 너 어제 뭐했니?
 여 나는 Joanna랑 수영하러 갔어.
⑤ 남 이 집에 강아지가 있나요?
 여 네, 있어요.

해설

학교생활이 어떠냐고 물었는데, 과학과 수학을 좋아한다고 답하는 것은 어색하다.

어휘

use 사용하다 / carry ~을 나르다, 옮기다 / look ~하게 보이다 / heavy 무거운 / science 과학 / go swimming 수영하러 가다 / puppy 강아지

18 ①

해석

여 Steve! 안녕하세요! 뭐하고 지내나요?
남 저는 런던 책 페스티벌에서 방금 돌아왔어요.
여 오. 어땠어요?
남 좋았어요. 내 최근 작품인 시집이 천 부 팔렸어요.
여 와! 제 책에도 사인해 주실래요?

해설

최근 작품인 시집이 천 부 팔렸다는 남자의 말을 통해 남자의 직업이 시인임을 알 수 있다.

어휘

up to ~하고 있는 / get back 돌아오다 / latest 최근의, 최신의 / poem 시 / sell 팔리다, 팔다 / copy (책) 한 부 / sign 서명하다

19 ②

해석

남 너 스노보드 타는 거 좋아하니?
여 응. 아주 좋아해. 나는 매년 스노보드를 타. 너도 스노보드 타는 거 좋아하니?
남 사실 나는 스노보드를 탈 줄 몰라. 네가 가르쳐 줄래?
여 물론, 가르쳐 줄게.

해설

남자가 여자에게 스노보드를 가르쳐 달라고 부탁했으므로 가르쳐 주겠다는 응답이 가장 적절하다.
① 나도 그래. ③ 왜 그렇게 생각해? ④ 어제 아침이었어. ⑤ 나는 스노보드가 없어.

어휘

snowboard 스노보드를 타다; 스노보드 / teach ~을 가르치다 / of course 물론

20 ③

해설

남 Bell 선생님, 제 그림을 어떻게 생각하세요?
여 와! 정말 잘 그렸어. 네 그림이 정말 마음에 드는구나.
남 감사합니다! 선생님의 미술 수업이 최고예요.
여 네가 그렇게 생각한다니 기쁘구나.

해석

남자가 선생님의 수업이 최고라고 말했으므로 기쁘다고 응답하는 것이 적절하다.
① 나는 수업을 취소할 거야. ② 그런 식으로 하지 마라. ④ 5시쯤이구나. ⑤ 곧 나아질 거야.

어휘

think of ~에 대해 생각하다 / drawing 그림 / painting 그림 / art class 미술 수업

Dictation

p.20~23

1 have four legs / on my back
2 knitted it for you / lost it / must be somewhere
3 cold and cloudy / light snow
4 so bored / how about riding bikes
5 eat breakfast / After school / had pizza
6 walk to the station / 10 minutes to walk there
7 want to be a movie director / love English and teaching
8 your plans for Saturday / come and watch
9 go for a bike ride / How about a movie / So do I
10 How was your vacation / swam in the river / really beautiful
11 You're late / take the subway / easier and faster
12 sent them back / sending me a smaller size
13 Would you like to order / get you a drink
14 a toy shop around here / go straight and turn left
15 I need your help / Could you bring it
16 my partner / can't find much information / I will
17 use your phone / looks heavy / went swimming
18 What are you up to / My latest book of poems
19 I snowboard every winter / Can you teach me
20 What do you think / is the best

03회 영어듣기 모의고사 p.24~27

01 ②	02 ①	03 ①	04 ④	05 ②
06 ④	07 ②	08 ①	09 ①	10 ⑤
11 ③	12 ⑤	13 ④	14 ②	15 ②
16 ①	17 ②	18 ②	19 ③	20 ①

1 ②

해석

이것은 주로 교실에 있다. 선생님이 학생을 가르칠 때에 이것을 사용한다. 너는 이것 위에 글씨를 쓰거나 그림을 그릴 수 있다. 너는 글씨나 그림을 쉽게 지울 수 있다. 하지만 이것 위에 글을 쓰기 위해 펜과 연필을 사용해서는 안 된다.

해설

교실에 있으며, 그림을 그리거나 글씨를 쓸 수 있고, 선생님이 학생을 가르칠 때 사용하는 것은 칠판이다.

어휘

usually 대개 / classroom 교실 / draw a picture 그림을 그리다 / erase ~을 지우다 / drawing 그림 / easily 쉽게 / write on ~위에 글씨를 쓰다

2 ①

해석

남 우리 내년 크리스마스를 어디에서 보내지?
여 씨사이드리조트를 예약하자.
남 정말?
여 당연하지! 할머니와 할아버지도 좋아하실 거야.
남 좋아. 가족용 특실을 예약할게.

해설

크리스마스 휴가 계획에 대해 이야기하고 있다.

어휘

spend (시간이나 돈을) 쓰다, 보내다 / make a reservation 예약하다 / suite 특실

3 ①

해석

남 안녕, Linda! 너 왜 뛰고 있니?
여 지하철역에 다시 가야 해.
남 왜? 뭐가 잘못됐니?
여 지하철에 가방을 놓고 내렸어. 너무 걱정 돼.
남 오 저런! 찾을 수 있기를 바랄게.

해설

여자는 지하철에 가방을 놓고 내려서 지하철역으로 가면서 걱정을 하고 있다.

어휘

run 달리다 / go back to ~로 되돌아가다 / wrong 잘못된, 틀린 / worried 걱정하는 / hope 바라다, 희망하다

4 ④

해석

여 너 좋아 보인다. 무슨 일 있니?
남 별일 없는데.
여 하지만 뭔가 좀 달라 보이는데.
남 음, 머리 모양을 바꾸긴 했어.
여 맞아! 너랑 정말 잘 어울린다!

해설

남자가 머리 모양을 바꿨다고 하자 여자가 잘 어울린다며 칭찬을 하고 있다.

어휘

look ~하게 보이다 / different 다른 / change 바꾸다 / suit 어울리다

5 ②

해석

남 내 이름은 Barack이다. 믿어지는가? 우리 부모님은 Barack Obama 대통령이 유명해지기 전에 그를 만났다. 우리 부모님께서는 그의 이름을 따서 내 이름을 지으셨다. 아빠는 음악가이고, 엄마는 변호사이다. 그리고 나에게는 여동생 Martha가 있다. 그녀는 말을 좋아해서 커서 수의사가 되고 싶어 한다.

해설

남자의 고향은 언급되지 않았다.

어휘

believe ~을 믿다 / president 대통령 / famous 유명한 / name after ~의 이름을 따서 이름을 짓다 / musician 음악가 / lawyer 변호사 / animal doctor 수의사 / grow up 성장하다, 자라다

6 ④

해석

남 유람선이 언제 떠나지?
여 9시 배는 이미 떠났고, 다음 것은 11시에 떠나.
남 지금 아홉 반이야. 유람선 출발 30분 전에는 그곳에 도착해야 해.
여 걱정 마! 한 시간이면 충분해. 10시 반까지 그곳에 도착할 거야.
남 알았어.

해설

유람선이 출발하기 30분 전에 도착해야 하고, 유람선은 11시에 출발하므로 10:30분까지 도착해야 한다.

어휘

ferry 유람선, 여객선 / leave 떠나다, 출발하다 / already 이미, 벌써 / worry 걱정하다 / enough 충분한

7 ②

해석

여 나 Lucy의 생일 선물을 사야 해.
남 무엇을 사줄 건데?
여 그녀는 새 드레스를 갖고 싶어 해. 하지만 온라인으로 주문하기에는 너무 늦었어.
남 그러면 너 쇼핑몰에 가야겠구나.
여 지금 가려고 해. 너도 같이 갈래?
남 좋아.

해설

여자가 친구의 생일 선물을 사러 쇼핑몰에 가야 해서 남자도 같이 가기로 했다.

어휘

present 선물 / order ~을 주문하다 / online 온라인으로 / guess 추측하다 / mall 쇼핑몰

8 ①

해석

여 오늘과 내일의 날씨입니다. 맑고 따뜻한 날씨가 오늘도 이어집니다. 하지만 오늘 밤에는 비가 예상되며, 내일은 구름이 끼겠습니다. 그 후, 주말에는 눈이 30센티미터 정도 오겠습니다. 눈을 즐기시고 따뜻하게 지내세요!

해설

내일은 구름이 낀다고 했다.

어휘

weather forecast 일기 예보 / continue 계속되다 / expect 예상하다 / during ~동안 / centimeter 센티미터 / stay ~하게 유지하다

9 ①

해석

남 안녕, Veronica.
여 안녕, David. 주말에 무엇을 할 계획이니?
남 아빠가 낚시에 데려갈 거야. 너도 원하면 같이 가자.
여 괜찮아. 나는 우리 할아버지 농장에 갈 거야.
남 알았어. 재미있게 보내.
여 너도.

해설

남자는 아빠와 낚시를 하러 간다고 했다.

어휘

plan 계획 / weekend 주말 / fishing 낚시 / farm 농장 / have fun 재미있게 지내다

10 ⑤

해석

여 안녕하세요.
남 안녕하세요. 「Monsters」 표 네 장 주세요.
여 어른이 몇 분이신가요?
남 저뿐이에요. 아이들은 모두 9세 미만입니다.
여 그러면 24달러입니다.
남 그렇군요. 제가 9달러이고 아이들은 각각 5달러씩이네요.

해설

어른 한 명과 아이 세 명의 요금을 내야 하므로 24달러이다.

어휘

ticket 표 / adult 어른, 성인 / under ~ 아래의 / then 그러면, 그렇다면 / each 각각의

11 ③

해석

여 Jack! 나는 네가 오렌지 해수욕장에 있는 줄 알았는데.
남 아냐. 우리는 여행을 취소했어.
여 왜? 너는 이 여행을 정말 기대했었잖아.
남 너 못 들었니? 허리케인이 왔었어.
여 정말. 여행을 못 가서 안 됐다.

해설

남자는 허리케인이 와서 여행을 가지 못했다.

어휘

cancel 취소하다 / look forward to+명사(구) ~을 기대하다 / hear 듣다 / hurricane 허리케인

12 ⑤

해석

남 신발을 살 거니?
여 응. 하지만 결정할 수가 없네. 이것과 저것 중에 어떤 것이 나아 보여?
남 난 저것이 좋아. 색이 더 예뻐.
여 하지만 편안해 보이지 않아. 신발은 편안해야 해. 나한테는 그것이 매우 중요해.
남 네 말이 맞아.

해설

여자는 자신에게는 신발의 편안함이 매우 중요하다고 말했다.

어휘

a pair of ~ 한 쌍 / decide 결정하다 / which 어느 것 / comfortable 편안한

13 ④

해석

여 도와 드릴까요?
남 네. 학교에 입고 갈 셔츠가 필요해요.
여 이건 어떠세요? 좋은 천으로 만들어진 거예요.
남 괜찮네요. 하늘색으로, 중간 사이즈가 있나요?
여 여기 있습니다. 입어 보시겠어요?
남 네. 감사합니다.

해설

남자는 셔츠를 사려는 손님, 여자는 구매를 도와주는 점원이다.

어휘

wear ~을 입다 / made of ~로 만든 / cloth 천, 옷감 / light (색이) 옅은, 가벼운 / medium 중간의, 보통의 / try on ~을 입어 보다

14 ②

해석

여 늦었다, Jack. 불을 끄고 잠자리에 들어라.

남 하지만 엄마, 수업 전까지 이 과를 읽어야 해요.

여 내일 학교 가기 전에 할 수는 없니?

남 알았어요. 그러면 아침 6시에 깨워 주셔야 해요. 그래 주실 수 있죠?

여 물론이지. 잘 자라, Jack. 푹 자렴.

해설

남자는 여자에게 아침 일찍 깨워 줄 것을 부탁하고 있다.

어휘

turn off 끄다 / go to sleep 자다 / light 전등, 빛 / chapter (책의) 장 / wake up 깨우다, 일어나다 / Sleep tight. 잘 자라.

15 ②

해석

[휴대 전화가 울린다.]

여 야. 오늘 테니스 치는 거 어때?

남 좋지!

여 좋아. 스포츠 센터에 코트를 예약할게.

남 그래. 스포츠 센터는 우리 학교에서 가깝잖아. 학교에서 만날까?

여 그러자. 세 시 정각쯤 어때?

남 그때 보자!

해설

두 사람은 학교에서 만나기로 했다.

어휘

feel like ~하고 싶다 / play tennis 테니스를 치다 / make a reservation 예약하다 / court 코트, 경기장 / around ~쯤 / then 그때

16 ①

해석

① 남 닭고기로 하실래요, 아니면 생선으로 하실래요?
여 네, 그럴게요.

② 남 네 생일이 언제니?
여 다음 주 토요일이야.

③ 남 너는 학교에 어떻게 가니?
여 나는 주로 자전거를 타고 가

④ 남 네가 가장 좋아하는 운동은 무엇이니?
여 나는 야구와 축구를 아주 좋아해.

⑤ 남 네 모자 어디에서 났니?
여 아빠가 사 주셨어.

해설

닭고기를 먹을 것인지, 생선을 먹을 것인지 묻는 질문에 그렇게 하겠다고 대답하는 것은 자연스럽지 않다.

어휘

get to ~에 가다, 도착하다 / ride one's bike 자전거를 타다

17 ②

해석

여 주말에 특별한 계획이 있니?

남 응. 아빠가 나를 과학박물관에 데려갈 거야. 너는?

여 나는 보고서를 써야 해. 주말 내내 도서관에 있을 거야.

남 너무 힘들게 하지는 마!

여 괜찮아. 보고서가 꽤 재미있거든. 다음 주 수업 시간에 보자.

해설

여자는 주말 내내 도서관에서 보고서를 쓸 것이다.

어휘

plan 계획 / weekend 주말 / take A to B A를 B로 데려가다 / museum 박물관, 미술관 / research paper 연구보고서, 과제 / library 도서관 / hard 열심히 / quite 꽤 / interesting 흥미 있는

18 ②

해석

[전화벨이 울린다.]

여 여보세요?

남 안녕, Emma. 나 Paul이야.

여 안녕, Paul. 잘 있었어?

남 응, 잘 지냈어. 오늘 어디에서 만날까?

여 도서관 괜찮아?

남 시간이 충분히 있을지 모르겠어. 시내에서 만나는 건 어때?

여 좋아. 곧 보자!

해설

남자와 여자는 어디에서 만날지 장소를 정하고 있다.

어휘

would you like to+동사원형 ~하고 싶다 / library 도서관 / be sure 확신하다 / enough 충분한 / how about ~? ~은 어때? / downtown 시내 / soon 곧

19 ③

해석

남 와! 너 최신 「그린란드」 책을 구했구나!

여 응! 나는 지금 그걸 읽고 있는데 정말 훌륭해.

남 네가 다 읽으면 나에게 빌려줄 수 있니?

여 물론이지, 왜 안 되겠어?

해설

책을 빌려 달라고 했으므로 물론 빌려 주겠다는 응답이 가장 자연스럽다.
① 나도 그래. ② 응, 그랬어. ④ 어떻게 생각해? ⑤ 저 책을 사고 싶어.

어휘
latest 최신의, 최근의 / excellent 훌륭한 / borrow 빌리다 / finish 끝내다

20 ①

해석
여 여름 방학은 너무 짧았어!
남 빨리 지나간 것 같아. 너는 뭐 특별한 것을 했니?
여 아니, 이번 해에는 없었어. 너는?
남 나는 가족이랑 챔플레인 호수에서 캠핑을 했어. 남동생이 호수로 다이빙하다가 팔이 부러졌어.
여 저런. 지금은 괜찮니?
남 6주 동안 깁스를 해야 해.
여 정말 안됐다.

해설
남자의 남동생이 다쳤다고 했으므로 안됐다고 걱정하는 하는 것이 자연스러운 응답이다.
② 대단하다! ③ 그때 나는 너무 아팠어. ④ 나는 수영하는 법을 배웠어. ⑤ 캠핑은 정말 좋았어.

어휘
seem ~인 것처럼 보이다, ~ 같다 / anything 무엇인가, 어떤 것이든 / special 특별한 / camp 야영하다 / dive into ~로 다이빙하다 / break one's arm 팔이 부러지다 / wear a cast 깁스를 하다 / awesome 멋있는, 최고의 / sick 아픈

Dictation p.28~31

1 in the classroom / write and draw pictures / can't use a pen
2 make a reservation / book a family suite
3 go back to / I'm so worried
4 You look great / something different about you / suits you really well
5 Can you believe it / named me after him / loves horses
6 left already / One hour is enough
7 wants a new dress / go to the mall
8 Sunny and warm weather continues / Enjoy the snow
9 taking me fishing / Have fun
10 How many adults / five dollars for each child
11 canceled the trip / There was a hurricane
12 Which is better / must be comfortable
13 a shirt to wear / try it on
14 Turn your light off / have to read / wake me up
15 feel like playing tennis / near our school / See you then
16 When is your birthday / your favorite sport / bought it for me
17 any plans for the weekend / write a report / quite interesting
18 Where would you like to meet / How about downtown
19 Can I borrow it
20 go fast / broke his arm

04회 영어듣기 모의고사 p.32-35

01 ③	02 ②	03 ④	04 ③	05 ④
06 ④	07 ⑤	08 ①	09 ④	10 ③
11 ③	12 ②	13 ②	14 ①	15 ②
16 ②	17 ③	18 ②	19 ③	20 ③

1 ③

해석
여 네 모자는 어디 갔니?
남 이 페이스 페인팅을 받느라고 벗었어.
여 좋은데. 무슨 그림이야?
남 내 페이스 페인팅 말이니? 이건 단풍나무 잎이야! 오늘은 캐나다 데이잖아.

해설
남자는 모자를 벗고 있고, 단풍잎 모양의 페이스페인팅을 하고 있다.

어휘
hat 모자 / take off 벗다 / face painting 페이스페인팅(특수한 물감을 이용해서 얼굴에 그림을 그리는 것) / maple 단풍나무 / leaf 잎

2 ②

해석
남 안녕, Wendy. 괌은 어땠어?
여 훌륭했어! 우린 정말 멋진 휴가를 보냈어.
남 거기 날씨는 어땠어?
여 완벽했지! 매일 맑고 파란 하늘이었어.
남 너무 덥지는 않았니?
여 아니. 그런데, 나는 더운 날씨를 좋아해.
남 다행이구나. 여기는 휴가 동안 내내 비가 내렸어.

해설
여자와 남자는 휴가 기간 동안의 날씨에 대해 이야기하고 있다.

어휘
Guam 괌 / holiday 휴가, 방학 / weather 날씨 / perfect 완벽한 / clear 맑은, 분명한 / anyway 어쨌든 / lucky 운이 좋은 / rain 비가 오다 / whole 전부의 / vacation 휴가, 방학

3 ④

해석

여 안녕하세요. 오늘과 내일의 날씨입니다. 오늘 아침에는 매우 흐리고 구름이 끼겠습니다. 오늘 오후에는 강한 눈이 예상됩니다. 눈은 내일 아침에 그칠 것입니다. 내일은 춥지만 화창하겠습니다.

해설

오늘 오후에는 강한 눈이 예상된다고 했다.

어휘

weather 날씨 / dark 어두운 / cloudy 구름이 낀, 흐린 / expect 예상하다

4 ③

해석

남 이 쿠키를 네가 직접 만들었니?
여 응. 오늘 아침에 구웠어.
남 내가 좀 먹어 봐도 될까?
여 그럼. 여기 너를 위한 것이 하나 있어.
남 와! 정말 맛있다.

해설

남자는 여자가 만든 쿠키를 칭찬하고 있다.

어휘

yourself 너 스스로, 너 자신 / bake ~을 굽다 / try 시도하다 / delicious 맛있는

5 ④

해석

여 모두들 안녕. 내 이름은 Anna Clark야. 나는 열네 살이고 중학생이야. 나는 우리 엄마, 아빠, 그리고 여동생과 리치몬드에 살아. 내가 가장 좋아하는 수업은 발레야. 나는 춤추는 것이 정말 좋아. 나는 무용가가 되고 싶어. 들어 주어서 고마워.

해설

여자가 다니는 학교에 대해서는 언급하지 않았다.

어휘

live in ~에 살다 / favorite 가장 좋아하는 / ballet 발레 / dancer 춤을 추는 사람

6 ④

해석

여 안녕, Felix. 어디 가니?
남 부산으로 가는 여섯 시 급행열차를 타려고.
여 그렇지만 지금이 여섯 시잖아.
남 앗, 안 돼! 놓쳤네. 다음 열차까지 30분을 기다려야겠다.

해설

남자는 여섯 시 기차를 놓쳐서 여섯 시 반 기차를 타게 될 것이다.

어휘

catch 따라잡다, (기차, 버스) 시간에 맞게 가다 / express train 급행열차 / miss 놓치다 / have to ~해야 하다 / wait 기다리다

7 ⑤

해석

남 시간이 있을 때 무엇을 하니?
여 나는 자연 속에서 오래 걷는 것을 좋아해.
남 특수한 신발과 모자를 착용하니?
여 응, 그리고 물과 간식도 배낭에 담아서 가져가.

해설

여자는 자연 속에서 걷는 것, 즉 하이킹하는 것이 취미이다.

어휘

free time 여가 / go on 계속해서 ~하다, 계속하다 / walk 산책, 걷기 / in nature 자연에서 / wear 착용하다, 입다 / special 특수한, 특별한 / boots 부츠 / backpack 배낭 / snack 간식

8 ①

해석

여 이게 너희 가족사진이니?
남 맞아. 그분들은 우리 엄마와 아빠야.
여 이 소녀는 누구니?
남 아 그 아이는 내 여동생이야. 그녀는 여기 나와 함께 있어. 우리는 부모님이 정말 그리워.
여 나도 이해해. 너는 여기에 언제 왔니?
남 2년 전에 여기로 공부하러 왔어. 부모님이 정말 보고 싶어.

해설

남자는 가족과 떨어져 공부하러 와 있어서 부모님을 몹시 보고 싶어 한다.

어휘

miss 그리워하다 / understand 이해하다

9 ④

해석

여 너 Susie에 대해서 들었니? Susie는 이번 주에 배구를 할 수 없대.
남 왜 못 하는데?
여 병원에 있어. 고열이 있대.
남 불쌍한 Susie. 우리가 가서 그녀를 만나 볼 수 있을까?
여 물론이지! 방과 후에 그녀에게 가 보자.

해설

두 사람은 입원한 친구에게 가 보기로 했다.

어휘

volleyball 배구 / be in the hospital 입원해 있다 / fever 열 / poor 불쌍한 / visit ~을 방문하다 / after school 방과 후에

10 ③

해석

여 이 동물은 키가 크고 강하다. 이것은 다리가 네 개이고, 꼬리가 있다. 이것은 아주 빨리 달릴 수 있다. 이것은 풀과 당근을 먹는 것을 좋아한다. 사람들은 경주할 때와 농장에서 이 동물을 탄다.

해설

키가 크고 빠르게 달리는 초식동물로 경주와 농장에서 쓰이는 동물은 말이다.

어휘

strong 강한 / tail 꼬리 / grass 풀, 잔디 / carrot 당근 / ride ~을 타다 / race 경주 / farm 농장

11 ③

해석

여 안녕하세요. 제가 머물만한 좋은 장소를 추천해 주시겠어요?
남 주변에 여행자 숙소가 많아요. 그냥 마음에 드는 걸로 고르시면 돼요.
여 그것들 중 아는 곳이 있나요?
남 죄송하지만, 없어요. "goodtraveller.com"이라는 사이트에 들어가 보세요. 정보가 많거든요.
여 고맙습니다. 찾아볼게요.

해설

남자는 웹사이트를 알려 주며 검색을 제안했다.

어휘

recommend 추천하다 / backpacker 배낭 여행자 / hostel 호스텔(값이 싼 숙소) / all around 도처에 / take one's pick 마음에 드는 것을 고르다 / plenty of 많은 / information 정보 / look up (정보를) 찾아 보다

12 ②

해석

남 나는 Jones 선생님이 제일 좋아. 그 분은 정말 재미있는 분이셔.
여 그 분이 네 생물 선생님이시지, 맞지? 나는 Bell 선생님이 좋아.
남 영어 선생님? 왜 그 선생님이 제일 좋은데?
여 그녀는 정말 친절해. 한 번도 우리에게 화를 낸 적이 없어.

해설

여자는 영어 선생님이 친절하고 한 번도 화를 낸 적이 없어서 좋다고 했다.

어휘

favorite 가장 좋아하는 / funny 재미있는 / biology 생물 / kind 친절한, 상냥한 / get angry at ~에게 화를 내다 / never 결코 ~하지 않다

13 ②

해석

남 좋은 아침입니다, Smith 부인. 오늘은 좀 어떠신가요?
여 통증이 꽤 심해요.
남 그렇군요. 의사 선생님께 말씀 드릴게요. 곧 와서 봐 주실 거예요.
여 알겠어요.
남 여기 약이 있어요. 아침 드시고 이 알약을 드세요.
여 알겠어요. 고마워요.

해설

여자의 몸 상태가 어떤지 묻고, 약을 주는 것으로 보아 남자는 간호사, 여자는 환자이다.

어휘

feel 느끼다 / pain 통증, 고통 / pretty 꽤, 제법 / strong 강한 / medicine 약 / take a pill 알약을 복용하다

14 ①

해석

여 실례합니다. 영화관이 어디에 있는지 아시나요?
남 영화관이요? Powell가에 있어요.
여 그게 어디죠?
남 곧장 가세요. 그곳이 Powell가예요. Powell가에서 왼쪽으로 도세요.
여 알겠어요.
남 소방서까지 쭉 가세요. 영화관은 바로 길 건너편에 있어요.
여 고맙습니다!

해설

직진 후 왼쪽으로 돌아서 소방서 건너편이 있는 것이 극장이다.

어휘

theater 극장 / straight 곧장, 똑바로 / ahead 앞으로, 앞에 / turn left 왼쪽으로 돌다 / until ~까지 / reach ~에 이르다 / fire station 소방서 / directly 바로 / across 가로질러, 맞은편에

15 ②

해석

남 할머니, 바빠 보이시네요.
여 그렇단다. 할아버지가 여섯 시에 손님을 데려오실 거야.
남 그래서 지금 저녁을 준비하시는 거예요?
여 그래. 청소기를 빨리 좀 돌려 주겠니?
남 물론이죠. 청소기는 어디에 있나요?

해설

손님 맞을 준비로 바쁜 할머니가 남자에게 청소기를 돌려 달라고 부탁했다.

어휘

bring 데리고 오다 / prepare 준비하다 / quickly 빨리 / vacuum cleaner 진공청소기

16 ②

해석

여 커피 더 마실 사람?
남 사실, 좀 늦었어. 가야겠다.
여 문까지 배웅해 줄게. 세상에! 눈을 좀 봐!
남 눈보라네!
여 내 생각에 너 오늘 여기에서 머무는 게 좋겠어. 손님용 침실이 있어.
남 네 말이 맞아. 운전을 하는 건 안전하지 않겠다. 고마워.

해설

눈보라가 쳐서 남자에게 자신의 집에 머무르라고 제안했다.

어휘

anybody 누군가 / actually 실은, 사실 / get late 늦어지다 / see A to the door A를 문까지 배웅하다 / blizzard 눈보라 / guest room 손님용 침실 / safe 안전한

17 ③

해석

① 남 Ray와 통화할 수 있을까요?
　여 잠시만요.
② 남 주문하시겠습니까?
　여 피시앤칩스 주세요.
③ 남 너희 아빠는 연세가 어떻게 되시니?
　여 좋아요. 고마워요.
④ 남 지금 몇 시예요?
　여 4시 정각이에요.
⑤ 남 도와드릴까요?
　여 네. 화장실이 어디에 있나요?

해설

아빠의 연세를 물었는데 좋다고 대답하는 것은 어색하다.

어휘

Just a moment. 잠시만 기다리세요. / take one's order ~의 주문을 받다 / bathroom 화장실

18 ②

해석

남 우리 직업은 사람들에게 중요한 것을 말해 주는 것이다. 우리는 신문과 잡지, 웹사이트, 블로그에 기사를 쓴다. 우리 중 많은 사람은 텔레비전에서 일을 하기도 한다.

해설

신문, 잡지, 웹사이트 및 블로그에 기사를 쓰고, 텔레비전에 나오기도 하는 직업은 기자이다.

어휘

job 직업, 일 / tell 알려 주다 / important 중요한 / report 기사 / newspaper 신문 / magazine 잡지 / work 일하다

19 ③

해석

여 너 책 읽는 것 좋아하니?
남 책? 물론!
여 나도. 어떤 종류의 책을 좋아해?
남 나는 추리 소설 읽는 것을 정말 좋아해.
여 정말? 나도 가장 좋아하는 이야기가 미스터리야.
남 나는 추리 소설을 많이 갖고 있어. 책을 나눠 보자.
여 좋은 생각이야.

해설

서로 좋아하는 책을 나눠 보자고 했으므로 좋은 생각이라고 답하는 것이 가장 적절하다.
① 아니, 그렇지 않아. ② 그것은 내 책이 아니야. ④ 그는 그것들을 좋아하지 않아. ⑤ 그녀는 자신의 책을 나눠 읽지 않아.

어휘

of course 물론 / kind of 종류의 / mystery story 추리 소설 / share 나누다

20 ③

해석

남 새 학교는 어떠니?
여 좋아요. 선생님은 친절하시고, 친구를 많이 사귀었어요.
남 잘했구나! 어떤 과목이 가장 좋니?
여 영어가 제일 좋아하는 과목이에요.

해설

좋아하는 과목을 물었으므로, 어떤 과목을 좋아하는지 대답하는 것이 자연스럽다.
① 다음 시간은 수학이에요. ② 친구가 중요해요. ④ 나는 새 학교가 정말 좋아요. ⑤ 수학 숙제를 해야 해요.

어휘

make friends 친구를 사귀다 / Good for you. 잘 했다. / subject 과목 / up 가까이에, ~을 향하여, 나타나서

Dictation

p.36~39

1 took it off / maple leaf
2 had a great holiday / Clear blue skies / It rained for the whole vacation
3 very dark and cloudy / cold but sunny
4 baked them / really delicious
5 a middle school student / love dancing
6 express train / wait 30 minutes
7 have free time / wear special boots
8 Who is this girl / When did you come here
9 hear about / in the hospital / Lets visit her
10 tall and strong / People ride this animal
11 a good place to stay / plenty of information
12 As for me / never gets angry at
13 pretty strong / Take these pills
14 where the movie theater is / Turn left / across the street
15 look busy / preparing dinner / vacuum for me
16 getting late / stay here / It's not safe to drive
17 Just a moment / Do you have the time
18 write reports / work on TV
19 read books / love to read mystery stories / share our books
20 made lots of friends

05회 영어듣기 모의고사 p.40~43

01 ①	02 ⑤	03 ⑤	04 ①	05 ④
06 ②	07 ②	08 ④	09 ⑤	10 ①
11 ①	12 ④	13 ⑤	14 ⑤	15 ⑤
16 ③	17 ②	18 ⑤	19 ④	20 ①

1 ①

해석

남 나는 큰 동물이다. 나는 강하고 힘이 세다. 나는 흰색이고 네 개의 다리를 가지고 있다. 나는 추운 날씨를 매우 좋아하며, 얼음과 눈 위에서 산다. 나는 물고기와 물개를 많이 먹는다.

해설

강하고 힘이 세며, 얼음 위에서 사는 큰 동물은 북극곰이다.

어휘

powerful 강한 / weather 날씨, 기후 / seal 물개

2 ⑤

해석

여 오늘의 날씨입니다. 오늘은 아침에 강한 비가 내리겠습니다. 하지만 비는 오후에는 그치겠습니다. 오늘 오후에는 맑은 하늘을 보겠지만, 매우 춥겠습니다. 몸을 따뜻하게 하세요!

해설

오후에는 비가 그쳐서 하늘이 맑다고 했다.

어휘

weather forecast 일기 예보 / heavily 심하게, 세게, 무겁게 / clear up 개다 / by ~까지는, 동안에 / stay warm 따뜻함을 유지하다

3 ⑤

해석

남 좋은 아침입니다, 부인.
여 안녕하세요. 네 살 된 조카딸을 위한 선물을 찾고 있어요.
남 "My Baby Rabbit"은 어떠세요? 올해의 가장 인기 있는 장난감이에요. 걷고 말할 수도 있죠.
여 오, 분홍색 인형이 정말 귀엽네요.

해설

장난감을 사고파는 장소는 장난감 가게이다.
① 교회 ② 농장 ③ 애완동물 가게 ④ 동물원 ⑤ 장난감 가게

어휘

look for ~을 찾다 / gift 선물 / niece 조카딸 / what about ~은 어때요? / popular 인기 있는 / toy 장난감 / walk 걷다 / talk 말하다 / cute 귀여운

4 ①

해석

남 두 장의 천과 가위, 실과 바늘을 준비하라. 두 장의 천에 사람 형체를 그려라. 사람 모양으로 잘라내라. 두 장을 실과 바늘로 꿰매고, 그 사이에 솜을 채워 넣어라. 눈, 코, 입을 그려라. 또 티셔츠와 바지를 그려라. 머리에 머리카락을 붙여라.

해설

사람 모양의 솜 인형을 만드는 과정이다.
① 인형 ② 연 ③ 옷 ④ 카드 ⑤ 마스크

어휘

a piece of ~ 한 장 / cloth 천, 옷감 / scissors 가위 / needle 바늘 / thread 실 / draw ~을 그리다 / cut out ~을 잘라내다 / shape 모양, 형태 / sew 바느질하다, 꿰매다 / cotton 솜, 면

5 ④

해석

남 모든 일이 다 괜찮으세요, James 씨?
여 사실은 제 딸이 걱정이에요. 모든 시간을 혼자서 컴퓨터를 하는 데 보내거든요.
남 딸과 이야기를 해 보는 게 어때요? 좀 더 밖에 나가라고 권해 보세요.
여 해 봤어요. 그렇지만 곧 기말고사예요. 딸을 방해하고 싶지 않아요.

해설

여자는 컴퓨터만 하는 딸을 걱정하고 있다.

어휘

all right 별일 없는, 괜찮은 / actually 사실, 실제로 / be worried about ~에 대해 걱정하다 / spend A on B A를 B에 쓰다 / alone 혼자 / why don't you ~? ~하는 게 어때? / encourage 격려하다, 권하다 / go out 외출하다 / try 노력하다, 애쓰다 / final exam 기말고사 / bother 방해하다, 괴롭히다

6 ②

해석

남 주문할 준비가 되셨나요?
여 네. 달걀 두 개하고 과일 샐러드 주세요.
남 달걀을 어떻게 해 드릴까요?
여 프라이로 해 주세요. 그리고 오렌지 주스도 주세요.
남 알겠습니다. 곧 가져다 드리겠습니다.

해설

1달러 50센트짜리 달걀 두 개, 4달러짜리 샐러드, 3달러짜리 오렌지 주스를 주문했으므로 총 10달러를 내야 한다.

어휘

be ready to ~할 준비가 되다 / order 주문하다 / Certainly. 그럼요. 알겠습니다. / Coming right up. 금방 가져올게요. / sausage 소시지 / bacon 베이컨 / slice 한 조각, 얇은 조각

7 ②

해석

여 서둘러! 벌써 여섯 시 반이야.
남 하지만 영화는 일곱 시 반에 시작하잖아.
여 아니야. 영화는 15분 후에 시작해.
남 정말? 몰랐어. 가자.

해설

지금은 6시 반이고, 15분 후에 영화가 시작한다고 했으므로 영화는 6시 45분에 시작할 것이다.

어휘

hurry up 서두르다 / already 벌써, 이미 / in ~후에

8 ④

해석

남 이 과일은 길다. 이것은 더운 기후에서 나무 위에 다발로 자란다. 이것은 처음에는 껍질이 초록색이고, 후에 노란색으로 변한다. 우리는 이것을 먹기 전에 껍질을 벗겨야 한다. 이것은 매우 달다.

해설

더운 기후에서 다발로 자라고, 처음에는 초록색이었다가 노랗게 익는 과일은 바나나이다.
① 딸기 ② 파인애플 ③ 수박 ④ 바나나 ⑤ 포도

어휘

shape 모양 / grow 자라다 / bunch 다발, 송이, 묶음 / climate 기후 / skin 껍질, 피부 / at first 처음에는 / later 후에, 나중에 / turn 변하다, 바뀌다 / peel 껍질을 벗기다

9 ⑤

해석

여 Martin, 무엇을 도와드릴까요?
남 팔이요. 정말 아파요.
여 언제 아프기 시작했나요?
남 일주일 전이요. 자전거를 타다 넘어졌어요.
여 지금 바로 엑스레이를 찍어 봅시다.
남 알겠어요.

해설

의사가 충분히 쉬라는 이야기를 한 적은 없다.
① 이름: Martin ② 문제: 팔의 통증 ③ 기간: 약 1주일 동안 ④ 원인: 자전거에서 떨어짐 ⑤ 의사의 권고: 충분한 휴식

어휘

hurt 아프다 / fall off ~에서 떨어지다 / X-ray 엑스레이 촬영을 하다 / pain 통증 / period 기간 / cause 원인 / recommendation 추천 / plenty of 많은 / rest 휴식

10 ①

해석

남 이번 주말에 계획이 있니?
여 토요일에는 가족의 결혼식에 갈 거야.
남 일요일은 어때?
여 별거 없어. 왜? 뭔가 하고 싶니?
남 응. 산악자전거 타러 가고 싶어.
여 좋아. 그러자.

해설

일요일에 둘은 산악자전거를 타러 가기로 했다.

어휘

wedding 결혼식 / nothing 아무것도 아니다 / special 특별한 / go mountain biking 산악자전거를 타러 가다

11 ①

해석

[휴대 전화가 울린다.]
여 여보세요?
남 안녕, Fiona. 나 James야. 너 야구장 근처에 살지, 그렇지 않니?
여 응, 그건 왜?
남 나 내일 그곳에 경기를 보러 가려고.
여 맞다. 큰 시합이 있더라.
남 맞아. 경기 후에 식사할 만한 좋은 곳이 있니?
여 응. 괜찮은 피자 가게가 12번 출입구 근처에 있어. 가게 이름은 마리오즈야.
남 정말 고마워.

해설

남자는 경기 후에 식사할 만한 곳을 물어보기 위해 경기장 근처에 사는 여자에게 전화를 했다.

어휘

near 근처에 / ballpark 야구장 / gate 출입구, 문 / be called ~로 불리다

12 ④

해석

남 이번 Harry 생일에 무슨 선물을 주지?
여 미술 연필 세트는 어때? 그는 그림 그리는 걸 정말 좋아하잖아.
남 그래. 하지만 이미 그에게는 연필이 많아.
여 운동화는 어때? 그는 하이킹을 가는 것도 좋아하잖아.
남 좋은 생각이야! 그걸로 하자.

해설

여자가 운동화를 제안했고, 남자가 동의했으므로 운동화를 줄 것이다.

어휘

artist's pencil 미술 연필 / draw 그림을 그리다 / a lot of 많은 / a pair of ~한 쌍, 한 켤레 / sneakers 운동화 / go hiking 하이킹을 가다

13 ⑤

해석

남 나 집에 왔어요. 애들은 어디에 있어요?
여 농구 연습하러 갔어요.
남 내가 데리고 올까요?

여 네. 그래 주세요. 제가 저녁을 만들게요. 당신이 돌아올 때는 준비가 될 거예요.
남 알겠어요. 좋네요.

해설

아이들을 데려오고 저녁에 관한 대화를 하는 것으로 보아 남편과 아내의 관계임을 알 수 있다.

어휘

basketball 농구 / practice 연습 / pick A up A를 (차로) 데리러 가다 / make dinner 저녁식사를 준비하다

14 ⑤

해석

남 잘했어, Tina!
여 감사해요, Brown 선생님. 정말 멋진 게임이었어요, 그렇죠?
남 너희가 자랑스럽구나. 잘했다!
여 코치님께서 저희에게 훌륭한 훈련과 조언을 해 주셨어요.
남 네가 그렇게 생각한다니 기쁘구나. 다음 주 연습 때 보자.

해설

팀의 선수들을 훈련시키고 조언을 해 주는 사람은 운동 코치이다.

어휘

be proud of ~을 자랑으로 여기다 / training 훈련 / advice 조언 / practice 연습

15 ⑤

해석

여 Max, 숙제 다 했니?
남 네, 엄마. 지금은 Emma랑 텔레비전을 보고 있어요.
여 그럼 나를 도와줄래?
남 뭔데요, 엄마? 제 방 청소는 이미 다 했어요.
여 재활용 쓰레기를 내다 놓아 줄 수 있니?
남 물론이죠. 걱정 마세요. 제가 처리할게요.

해설

남자는 엄마의 부탁으로 재활용 쓰레기를 내다 버릴 것이다.

어휘

take down 치우다 / recycling 재활용(품) / handle ~을 처리하다

16 ③

해석

남 엄마, 5달러만 주시면 안 될까요?
여 용돈은 어떻게 하고? 아빠가 일주일에 10달러씩 주시잖니.
남 맞아요. 하지만 그건 충분하지 않아요.
여 얼마나 필요하니?
남 일주일에 20달러요.
여 그건 너무 많아! 하지만 일주일에 5달러는 추가로 더 줄 수 있다.
남 고마워요, 엄마.

해설

남자는 원래 일주일에 10달러씩 받았는데, 엄마가 5달러씩 더 준다고 했다.

어휘

happen 발생하다, 일어나다 / pocket money 용돈 / a ~당 / enough 충분한 / extra 추가의, 여분의

17 ②

해석

① 여 네가 가장 좋아하는 과목이 뭐니?
남 미술이야. 나는 색칠하고 그림 그리는 걸 좋아해.
② 여 너는 얼마나 자주 달리기를 하니?
남 나는 보통 공원에서 달리기를 해.
③ 여 네가 제일 좋아하는 샌드위치를 만들었어.
남 너 정말 상냥하구나!
④ 여 네 가위를 빌려도 될까?
남 물론. 여기 있어.
⑤ 여 무엇을 드시겠습니까?
남 페퍼로니 피자랑 콜라 주세요.

해설

얼마나 자주 달리기를 하냐고 물었는데 공원에서 달리기를 한다는 대답은 적절하지 않다.

어휘

subject 과목 / how often 얼마나 자주 / sweet 상냥한, 다정한 / borrow 빌리다 / scissors 가위 / pepperoni 페퍼로니(소시지의 일종)

18 ⑤

해석

여 Grace는 아빠를 위해 넥타이를 사러 갔다. 그녀는 판매원에게 빨간색 넥타이를 달라고 했다. 그는 Grace에게 멋진 빨강 넥타이를 보여 주었다. Grace는 그것이 굉장히 마음에 들었다. 그렇지만 그것은 50달러였다. 그녀는 그것이 너무 비싸다고 생각했다. 이 상황에서, 그녀가 판매원에게 할 말은 무엇인가?
Grace 더 저렴한 것이 있나요?

해설

권해 준 넥타이가 너무 비싸다고 생각했으므로 더 저렴한 것이 있느냐고 묻는 것이 자연스럽다.
① 착용해 볼게요. ② 그것은 무슨 색인가요? ③ 빨간색도 주세요. ④ 빨간색은 얼마인가요?

어휘

go shopping 쇼핑하러 가다 / tie 넥타이 / ask ~을 요청하다, 묻다 / sales clerk 판매원 / expensive 값이 비싼 / situation 상황 / try on ~을 입어 보다, 착용해 보다 / cheap 값이 싼, 저렴한

19 ④

해석

남 우리 엄마, 아빠가 이번 여름에 나를 캠핑에 데려갈 거야.
여 멋지다. 나는 캠핑하는 걸 좋아해.
남 나도야. 너는 특별한 일 없니?

여 나는 마술 수업을 들을 거야. 카드 마술을 배울 거야.
남 와! 정말 멋지겠는데!
여 응, 정말 신 나.

해설
여자는 마술 수업을 앞두고 기대에 부풀어 있으므로 기대감을 나타내는 응답이 가장 적절하다.
① 천만에. ② 나도 가도 되니? ③ 보여 줘서 고마워. ⑤ 나는 카드 게임 하는 방법을 알아.

어휘
take 데리고 가다 / awesome 아주 좋은, 굉장한 / magic 마법의; 마법 / excited 신이 난

20 ①

해석
남 너 기분이 아주 좋아 보인다. 무슨 일이야?
여 이것 봐. 엄마가 책을 사 주셨어. 내가 제일 좋아하는 작가의 최신 작품이야.
남 아, 나도 이 작가 좋아해.
여 그래? 몰랐어.
남 응. 그녀는 내가 가장 좋아하는 작가 중 한 명이야.
여 원한다면, 이 책을 빌려 줄 수 있어.

해설
그 작가를 좋아한다고 했으므로 빌려주겠다는 응답이 가장 자연스럽다.
② 그녀는 너도 가장 좋아하는 작가니? ③ 나는 도서관에 갈 거야. ④ 그녀가 하나 사 줄 거야. ⑤ 너는 정말 착하구나.

어휘
look ~하게 보이다 / look at ~을 보다 / buy ~을 사다 / favorite 가장 좋아하는 / writer 작가 / novel 소설 / lend ~을 빌려 주다

Dictation p.44~47

1 strong and powerful / live on the ice
2 rain heavily this morning / have sunny skies this afternoon
3 looking for a gift / walk and talk
4 Draw a human body / put some cotton / Put some hair
5 I'm worried about / go out more
6 ready to order / How would you like / Coming right up
7 Hurry up / It starts in 15 minutes
8 a long shape / green skin at first / very sweet
9 It really hurts / fell off my bike
10 Do you have any plans / want to do something
11 Why do you ask / a good place to eat
12 loves drawing / likes going hiking
13 pick them up / when you come back
14 It was a great game / gave us great training
15 finish your homework / cleaned my room / handle it
16 your pocket money / not enough / Twenty a week
17 love painting and drawing / How sweet of you / What would you like
18 to buy a tie / liked it very much / too expensive
19 taking us camping / do anything special / That sounds great
20 bought me a book / one of my favorite writers

06회 영어듣기 모의고사 p.48~51

01 ③	02 ③	03 ④	04 ①	05 ⑤
06 ①	07 ③	08 ②	09 ⑤	10 ①
11 ③	12 ③	13 ③	14 ⑤	15 ②
16 ②	17 ⑤	18 ②	19 ②	20 ②

1 ③

해석
남 생신 축하 드려요, 엄마. 선물을 열어보세요!
여 오, Alex! 고맙구나! 좋은 향기가 나는데.
남 엄마의 손을 부드럽고 매끄럽게 해 줄 거예요.
여 마음에 들어. 아주 부드럽구나.

해설
좋은 향기가 나며, 손을 부드럽게 해 주는 것은 핸드크림이다.

어휘
open 열다, 뜯다 / present 선물 / smell ~한 냄새가 나다 / keep ~하게 유지하다 / soft 부드러운 / smooth 매끄러운, 부드러운 / creamy 부드러운, 크림 같은

2 ③

해석
남 죄송하지만, 그쪽이 제 자리에 앉으신 것 같아요. 제 표에 10B라고 쓰여 있거든요.
여 제 티켓을 확인해 볼게요. 제 것도 10B인데요.
남 네, 그렇지만 여기는 A칸이에요. 그쪽 표에는 C칸이라고 되어 있네요.

해설
자리를 잘못 찾은 승객과 원래 자리 주인 간의 대화이다.

어휘
think 생각하다 / seat 자리, 좌석 / say ~라고 되어[쓰여] 있다 / check 확인하다 / car (기차의) 차량

3 ④

해석

여 오늘 밤은 해가 언제 져?
남 오늘 밤? 신문에는 오늘 밤 일몰이 오후 7시 20분이라고 되어 있어.
여 그때까지 얼마나 기다려야 하니?
남 20분만 더 있으면 돼.

해설

일몰인 7시 20분까지 20분이 남았다고 했으므로 현재 시각은 7시이다.

어휘

sunset 일몰 / newspaper 신문 / how long 얼마나 오래 / have to ~해야 하다 / wait 기다리다 / until ~까지 / then 그때 / minute 분

4 ①

해석

① 책상 위에 사진이 있다.
② 침대 위에 쿠션이 있다.
③ 컵 안에 연필들이 있다.
④ 방안에 침대가 있다.
⑤ 깔개 위에 강아지가 있다.

해설

사진은 책상 위가 아니라 벽 위에 걸려 있다.

어휘

desk 책상 / cushion 쿠션, 방석 / bed 침대 / mat 깔개, 매트

5 ⑤

해석

남 안녕. 내 이름은 Michael이야. 내 생일은 5월 7일이야. 나는 열다섯 살이야. 나는 오하이오에서 태어났지만, 지금은 워싱턴에 살아. 내 취미는 기타 연주와 수영이야.

해설

남자는 가족에 대해서는 언급하지 않았다.

어휘

be born in ~에서 태어나다 / live in ~에 살다 / hobby 취미 / guitar 기타

6 ①

해석

여 너는 장차 무엇이 되고 싶니?
남 나는 요리를 정말 좋아해. 나는 요리사가 되고 싶어. 너는?
여 나는 무용가가 되고 싶었지만, 생각을 바꿨어. 지금은 의사가 되고 싶어.
남 너희 어머니께서 의사시지, 그렇지 않니?
여 응. 우리 엄마는 아픈 사람들을 도와줘.

해설

여자는 지금은 의사가 되고 싶어 한다.

어휘

in the future 미래에 / cook 요리하다 / chef 요리사 / dancer 무용가 / change one's mind ~의 마음을 바꾸다 / sick 아픈

7 ③

해석

여 학교 캠프에 무엇이 필요하지?
남 등산화와 모자가 필요해.
여 맞아. 배낭은 어때?
남 물론이지. 그리고 선크림을 잊지 마.
여 알겠어. 버스에서 먹을 간식을 좀 가져갈게.
남 나는 음료수를 가져갈게!

해설

등산화, 모자, 배낭, 선크림, 스낵, 음료수를 가져간다고 했으므로 가져가지 않을 물건은 지도이다.

어휘

hiking shoes 등산화 / backpack 배낭 / forget ~을 잊다 / sunscreen 선크림 / bring 가져오다, 가져가다 / snack 간식 / soft drink 음료수

8 ②

해석

여 우리는 이걸 타고 해외를 여행할 수 있다. 이것에는 바퀴와 날개가 달려 있다. 바퀴는 이륙과 착륙에 필요하다. 이것은 많은 사람들을 하늘 높이 실어 나를 수 있다. 이것을 타기 위해서 표가 필요하다. 표는 매우 비싸다.

해설

하늘길을 이용하여 사람들을 실어 나르는 것은 비행기이다.

어휘

travel 여행하다 / overseas 해외로 / wheel 바퀴 / wing 날개 / necessary 필요한 / takeoff 이륙, 출발 / landing 착륙 / carry 운반하다, 옮기다 / ride 타다 / cost (값, 비용이) 들다 / a lot of 많은

9 ⑤

해석

남 나는 반 친구들에게 가장 좋아하는 과일이 무엇인지 물었다. 세 명만이 사과를 가장 좋아한다. 여섯 명은 체리를 가장 좋아하고, 같은 수의 반 친구들이 포도를 가장 좋아한다. 일곱 명의 친구들이 바나나를 좋아한다. 모든 것 중에서 가장 인기 있는 과일은 수박이다. 열세 명의 반 친구들이 수박을 가장 좋아한다.

해설

수박을 가장 좋아한다고 대답한 사람은 열세 명이다.

어휘

ask ~을 묻다 / classmate 반 친구, 급우 / favorite 가장 좋아하는 / cherry 체리 / the same number 같은 수 / grape 포도 / popular 인기 있는 / watermelon 수박

10 ①

해석

여 안녕하세요. Ella Jones입니다. 오늘의 날씨입니다. 오늘 아침에는 강한 비가 예상되지만, 정오에는 갤 것입니다. 오후에는 맑은 하늘을 볼 수 있습니다. 하지만 오늘 아침에 우산 챙기는 것을 잊지 마세요! 늦은 밤 또 비가 내리겠습니다. 감사합니다.

해설

오늘 오후에는 맑은 하늘을 볼 수 있다고 했다.

어휘

weather 날씨 / heavy 심한, 강한 / expect 예상하다, 기대하다 / clear (구름 등이) 걷히다; 맑은 / noon 정오, 한낮 / forget ~을 잊다 / take an umbrella 우산을 가져가다 / late at night 밤늦게

11 ③

해석

남 어제 나는 스낵바에 들러서 치즈 샌드위치를 샀다. 나는 배가 고팠다. 나는 너무 서둘러서 샌드위치를 떨어뜨렸다. 샌드위치가 더럽게 되어 더는 먹을 수 없었다.

해설

배가 고파서 샌드위치를 먹으려고 하는 순간 샌드위치를 떨어뜨렸으므로 속상했을 것이다.

어휘

stop at ~에 서다 / snack bar 스낵바(샌드위치 같은 간단한 음식을 파는 식당) / be in such a hurry 서두르다 / drop ~을 떨어뜨리다 / dirty 더러운 / any more 더는, 이제는

12 ③

해석

여 너 안 좋아 보여.
남 응. 기분이 안 좋아
여 그래? 무슨 일이 있었어?
남 Jason과 크게 다퉜어.
여 하지만 너희는 절친한 친구잖아. 그에게 먼저 말을 걸어 보는 게 어때?

해설

남자는 절친한 친구인 Jason과 크게 다투어서 기분이 좋지 않다.

어휘

look ~처럼 보이다, ~인 것 같다 / terrible 끔찍한; 기분[몸]이 안 좋은 / happen 발생하다, 일어나다 / have a fight 싸우다 / guys 사람들 / talk to ~에게 말하다

13 ③

해석

여 역사 시험 점수 받았니?
남 응. 하지만, 내 생각에 점수를 확인해 봐야 할 것 같아.
여 무슨 문제 있어?
남 글쎄, 내가 79점 밖에 받지 못했어. 그것보다 잘 봤을 게 분명해.
여 선생님께 이야기해 보는 게 어때?
남 응. 지금 가서 뵈어야겠어. 고마워.

해설

남자는 역사 점수가 자기가 생각한 것보다 낮게 나와서 선생님을 만나 보기로 했다.

어휘

history 역사 / result 결과 / check 확인하다 / something 무언가 / wrong 잘못된, 틀린 / only 겨우, 단지 / sure 확실한

14 ⑤

해석

여 도와드릴까요?
남 사과 두 개를 사고 싶어요.
여 알겠습니다. 더 필요한 거 있으세요?
남 네, 바나나도 두 개 주세요.
여 여기 있습니다. 그게 다인가요?
남 네, 감사합니다.

해설

2달러짜리 사과 두 개, 1달러짜리 바나나 두 개를 샀으므로 남자는 6달러를 지불해야 한다.

어휘

need 필요하다 / anything else 그 밖에 또 다른 / all 전체의

15 ②

해석

[휴대 전화가 울린다.]
여 안녕, Brett. 너 Jack한테 문자 받았어?
남 무슨 문자?
여 생일 파티 초대 문자.
남 아, 그거. 받았어.
여 잘됐다. 그 파티가 언제라고 했지? 문자를 지운 것 같아.
남 잠시만. 여기 있다. 이번 금요일 오후 6시에 Pizza House에서 있어.
여 고마워. 너 올 거니?
남 당연하지!

해설

여자는 남자에게 파티가 언제인지 확인하고 있다.

어휘

text 문자 메시지 / invitation 초대 / message 메시지 / erase 삭제하다, 지우다

16 ②

해석

남 두 팀이 있고, 한 팀에는 각각 여섯 명의 선수가 있다. 그들은 코트에서 경기를 한다. 두 팀 사이에는 높은 네트가 있다. 선수들은 공을 손으로 친다. 그들은 공을 그물 위로 쳐서 넘기기 위해 매우 높이 뛴다. 그들은 상대편 팀 진영 바닥에 공이 떨어지게 만들면 점수를 얻는다.

해설

손을 이용해서 네트 너머로 공을 쳐 넘기는 경기는 배구이다.
① 골프 ② 배구 ③ 축구 ④ 농구 ⑤ 테니스

어휘

player 선수 / each 각각의 / court (운동 경기를 하는) 코트 / net 그물 / between ~사이에 / hit 치다 / jump 뛰다 / win a point 점수를 얻다 / land on ~에 내려앉다 / side 측면, 옆

17 ⑤

해석

남 안녕, Donna. 무엇을 읽고 있니?
여 「DIY World」라는 책이야.
남 무엇에 관한 건데?
여 물건을 만들고 고치는 방법에 관한 거야.
남 그래? 뭔가 만들려고?
여 응. 내 방에 달 커튼을 만들려고.

해설

여자는 방에 달 커튼을 직접 만들어 보려고 한다.

어휘

called ~라고 불리는 / DIY (do-it-yourself) 가정용품을 직접 제작하거나 수리하는 것 / fix 고치다, 수리하다 / curtain 커튼

18 ②

해석

① 남 피자 좀 먹을래?
여 당연하지! 나 피자 정말 좋아해!
② 남 지금 무엇을 하고 있니?
여 나는 아주 좋아.
③ 남 너 머리 잘랐니?
여 응. 괜찮아 보이니?
④ 남 너희 부모님은 무엇을 하시니?
여 서점을 운영하셔.
⑤ 남 영화관이 어디에 있나요?
여 8층에 있어요.

해설

지금 무엇을 하고 있냐는 질문에 아주 좋다고 답하는 것은 어색하다.

어휘

have one's hair cut 커트를 하다, 머리카락을 자르다 / own 운영하다, 소유하다 / bookstore 서점 / movie theater 영화 극장 / eighth 여덟 번째의; 여덟 번째의 것

19 ②

해석

남 네 여름 방학은 어땠니?
여 좋았지. 엄마, 아빠께서 우리를 하와이에 데려가셨어!
남 좋았겠다! 얼마나 오래 있었는데?
여 일주일 동안.

해설

얼마 동안 머물렀는지 물었으므로 일주일 동안 머물렀다는 응답이 가장 자연스럽다.
① 기차로. ③ 맞아. ④ 정말 훌륭하구나! ⑤ 세 시간 걸려.

어휘

vacation 방학, 휴가 / take 데려가다 / lucky 운이 좋은 / how long 얼마나 오래 / stay 머무르다

20 ②

해석

남 주문하시겠습니까?
여 라떼 한 잔과 아이스 아메리카노 한 잔 주세요.
남 시럽을 넣어 드릴까요?
여 아뇨, 괜찮아요.
남 알겠습니다. 여기서 드실 건가요, 아니면 가져가실 건가요?
여 가지고 갈 거예요.

해설

포장해 갈 것인지 여기에서 먹을 것인지 물었으므로 둘 중 하나를 선택해서 답해야 한다.
① 괜찮아요. ③ 천만에요. ④ 저는 커피를 많이 좋아해요. ⑤ 너무 차가워서요.

어휘

order 주문 / latte 라떼(우유에 에스프레소를 부은 커피) / americano 아메리카노(물에 에스프레소를 부은 커피) / syrup 시럽 / For here or to go? 여기서 드실 건가요, 아니면 가져가실 건가요? / Don't mention it. 천만에요.

Dictation

p.52~55

1 Open your present / soft and smooth
2 Let me check my ticket
3 sunset tonight / How long do we have to wait
4 a cushion on the bed / a dog on the mat
5 was born in / playing the guitar
6 in the future / changed my mind / helps sick people
7 What do we need / don't forget
8 travel overseas / carries many people high in the sky
9 Only three classmates / the same number of classmates / The most popular fruit
10 Heavy rain / sunny skies in the afternoon / it will rain again
11 stopped at / in such a hurry
12 I feel terrible / had a big fight
13 Is there something wrong / better than that / go and see her
14 anything else / Will that be all
15 An invitation message / When is the party / Will you be there

16 two teams / six players / hit the ball / over the net
17 What are you reading / make something
18 Would you like / have your hair cut / own a bookstore
19 How long did you stay
20 take your order / For here or to go

07회 영어듣기 모의고사 p.56~59

01 ⑤	02 ④	03 ⑤	04 ④	05 ③
06 ③	07 ④	08 ②	09 ①	10 ①
11 ②	12 ⑤	13 ②	14 ④	15 ①
16 ①	17 ①	18 ④	19 ②	20 ①

1 ⑤

해석
여 너의 선생님이 지금 여기 계시니?
남 응. 그렇지만 선생님께서는 이야기하시느라 바빠.
여 지금 통화 중인 분이시니?
남 아니. 선생님은 오른쪽 끝에 있어. 선생님의 얼굴을 볼 수 있어.

해설
선생님은 오른쪽 끝에서 앞을 바라보며, 옆 사람과 대화하는 사람이다.

어휘
be busy -ing ~하느라 바쁘다 / talk to ~와 이야기하다 / on the phone 통화 중인

2 ④

해석
여 너 방학 때 뉴질랜드에 갈 거니?
남 응, 우리 조부모님이 거기에 사셔.
여 부럽다. 무엇을 할 거야?
남 조부모님이 아름다운 해변 바로 옆에 사시거든. 매일 수영할 수 있어.
여 넌 정말 운이 좋구나.
남 그래. 정말 기대돼!

해설
남자는 조부모님이 있는 뉴질랜드로 휴가를 떠날 계획이며, 정말 기대가 된다는 마지막 말에서 남자의 설레는 심정을 알 수 있다.

어휘
New Zealand 뉴질랜드 / holiday 방학, 휴가 / grandparents 조부모님 / envy ~을 부러워하다 / right near 바로 가까이 / beach 해변

3 ⑤

해석
남 실례합니다. 저는 신발 가게를 찾고 있어요.
여 킹즈거리까지 쭉 걸어가세요.
남 알겠습니다.
여 그러고 나서 킹즈거리에서 오른쪽으로 돌아서 계속 걸어가세요. 당신의 오른 편에 있을 거예요. 극장 다음에요.
남 도와주셔서 감사합니다!

해설
킹즈거리에서 오른쪽으로 돈 후 극장 다음 건물이 신발 가게이다.

어휘
look for ~을 찾다 / shoe shop 신발 가게 / straight 똑바로, 곧장 / ahead 앞으로, 미리 / turn right 오른쪽으로 돌다 / keep -ing ~을 계속하다 / next to ~ 옆에 / theater 극장

4 ④

해석
여 내일의 날씨입니다. 서울은 맑고 화창하겠으며, 전국 대부분 지역도 마찬가지이겠습니다. 하지만 부산은 바람이 많이 불겠고, 제주도에는 강한 비가 내리겠습니다. 날씨를 마칩니다. 감사합니다.

해설
제주도에는 내일 강한 비가 온다고 했다.

어휘
forecast 예보 / fine 갠, 맑은; 좋은 / most 대부분(의) / other 다른 / part 지역, 지방 / windy 바람이 부는 / heavy 심한 / weather report 일기 예보

5 ③

해석
여 도와드릴까요?
남 네, 양말을 좀 사려고 해요.
여 그렇군요. 여기에 있습니다.
남 이 회색 양말이 좋네요. 얼마인가요?
여 한 켤레에 5달러입니다.
남 두 켤레 주세요.

해설
한 켤레에 5달러인 양말을 두 켤레 샀으므로 10달러를 내야 한다.

어휘
buy ~을 사다 / socks 양말 / grey 회색의 / pair 한 쌍

6 ③

해석
여 오늘 오후의 우리 약속이 기대돼.
남 나도야. 몇 시에 데리러 갈까?
여 영화가 여섯 시에 시작해. 우리는 거기에 가려면 약 40분이 필요해.
남 알았어. 5시 10분에 봐.

해설

마지막에 남자가 5시 10분에 보자고 했다.

어휘

look forward to+명사(구) ~을 기대하다 / pick A up A를 데리러 가다, 태우러 가다 / get 도착하다

7 ④

해석

남 부인, 뒤에 승객들이 기다리고 있어요.
여 죄송해요.
남 제가 여행 가방 올리는 걸 도와드릴게요.
여 감사합니다. 제가 들어 올리기에는 너무 무거웠어요.
남 별말씀을요. 이제 자리에 앉아서 안전벨트를 매 주세요.
여 알겠어요.

해설

머리 위 선반에 짐을 넣고, 의자에 앉아서 안전벨트를 매야 하는 곳은 비행기 안이다.

어휘

passenger 승객 / behind ~의 뒤에 / suitcase 가방, 짐 가방 / heavy 무거운 / lift 들어 올리다 / take one's seat 자리에 앉다 / fasten one's seat belt 안전벨트를 매다

8 ②

해석

[전화벨이 울린다.]
남 Mario 카페입니다. 무엇을 도와드릴까요?
여 안녕하세요. 오늘 아침에 그 카페에서 식사를 했는데요. 거기에 가방을 두고 온 것 같아요.
남 가방이 어떻게 생겼죠?
여 밝은 분홍색이고, 길고 가는 끈이 달려 있어요.
남 네. 여기에 있어요. 언제든 와서 가져가세요.
여 감사합니다. 바로 갈게요.

해설

여자는 가방을 잃어버려서 가방을 찾기 위해 카페에 전화를 걸었다.

어휘

leave ~을 두고 오다 / look like ~처럼 생기다 / bright 선명한, 밝은 / thin 가는, 얇은 / strap 끈, 줄 / pick up ~을 가져오다[가져가다] / right away 즉시, 바로

9 ①

해석

남 당신은 연필로 쓰거나 그린 것에 이것을 사용할 수 있다. 실수를 하면 당신은 이것을 사용할 수 있다. 실수한 부분에 이것을 대고 문지르기만 하면 그것이 없어질 것이다.

해설

연필을 사용하다 실수를 했을 때 문질러 지우는 것은 지우개이다.

어휘

use 사용하다 / draw 그리다 / make a mistake 실수를 하다 / rub 문지르다 / disappear 사라지다

10 ①

해석

① 남 누가 마지막에 이 컴퓨터를 사용했지?
여 응, 나도 그것을 사용할 거야.
② 남 내 그림이 어떠니?
여 와! 너 정말 소질이 있구나.
③ 남 너는 어떤 과목을 가장 좋아하니?
여 나는 과학이 정말 좋아.
④ 남 너는 무엇이 되고 싶니?
여 나는 화가가 되고 싶어.
⑤ 남 너 금요일에 뭐 했니?
여 텔레비전으로 야구 경기를 봤어.

해설

마지막에 누가 컴퓨터를 사용했냐고 물었는데, 나도 그것을 사용하겠다고 응답하는 것은 어색하다.

어휘

use ~을 사용하다 / last 마지막에, 최근에 / painting 그림 / talented 재능이 있는, 타고난 / subject 과목 / painter 화가

11 ②

해석

여 실례합니다. 누군가 내 가방을 훔쳐갔어요.
남 어디서, 언제 일어났죠, 부인?
여 기차에서요. 겨우 한 시간 전이었어요.
남 알겠습니다. 정확히 무슨 일이 있었나요?
여 저는 잠깐 잠이 들었어요. 깨어 보니 가방이 없어졌어요.
남 알겠습니다. 이 서식을 작성해 주세요. 가방을 찾으면 전화 드릴게요.

해설

여자가 가방을 잃어버려서 경찰에게 신고하고 있다.

어휘

steal 훔치다 / happen 일어나다, 발생하다 / exactly 정확하게 / fall asleep 잠들다 / for a while 잠시, 잠깐 / wake up 일어나다, 깨다 / be gone 없어지다 / fill out ~을 채우다 / form 형식, 서식, 양식

12 ⑤

해석

여 너는 커서 무엇이 되고 싶니?
남 나는 영화배우가 되고 싶어.
여 정말 멋지겠다.
남 그렇게 생각해? 고마워. 너는?
여 나는 우리 아빠처럼 엔지니어가 되고 싶어.

해설

자라서 무엇이 되고 싶은지 서로 이야기하고 있다.

어휘
grow up 성장하다, 다 자라다 / movie star 영화배우 / think 생각하다 / how about ~은 어때? / engineer 엔지니어, 기관사 / like ~처럼

13 ②

해석
여 수요일 밤의 병원이었다. 하늘은 맑고 공기는 따뜻했다. 방 안에는 여섯 명의 환자들이 있었다. 한 명은 가족과 수다를 떨었다. 또 다른 한 명은 텔레비전을 보았다. 나머지 환자들은 침대에서 조용히 잠들어 있었다.

해설
장소는 병원이지만, 환자가 가족과 수다를 떨거나, 텔레비전을 보고, 조용히 침대에서 자고 있는 것으로 보아 평화로운 분위기임을 알 수 있다.

어휘
Wednesday 수요일 / patient 환자 / chat with ~와 수다를 떨다 / quietly 조용히

14 ④

해석
여 안녕, Joe. 주말은 어땠니?
남 좋았어. 영화 보러 갔었어.
여 아, 영화는 어땠어?
남 나쁘지 않았어. 너는?
여 나는 바지를 사러 쇼핑몰에 갔었어. 스키 바지가 한 벌 필요해서.
남 아, 맞다. 너 스키 좋아하지.

해설
여자는 주말에 스키 바지를 사러 쇼핑몰에 갔다고 했다.

어휘
see a movie 영화를 보다 / a pair of ~ 한 쌍, 켤레, 벌 / ski 스키를 타다

15 ①

해석
여 너 축구 좋아하니?
남 그럭저럭. 하지만 전에는 싫어했었어.
여 그러면 왜 팀에 들어간 거니?
남 내 친구들이 모두 축구팀에 있어서. 그리고 친구들이 내가 팀에 들어오기를 원했어.
여 아, 그렇구나.

해설
남자는 친구들이 모두 축구팀에 있고 친구들이 자신이 팀에 가입하기를 원해서 축구팀에 들어갔다.

어휘
soccer 축구 / used to+동사원형 ~하곤 했다 / hate 싫어하다 / join 가입하다

16 ①

해석
남 나 운동을 시작하려고 생각 중이야. 달리기와 수영 중 어떤 것이 더 좋다고 생각하니?
여 내 생각에는 수영이 좋을 것 같아.
남 왜 그렇게 생각해?
여 요즘은 밖에 있기에는 너무 더워.
남 맞아. 같이 수영하러 갈래?
여 좋아!

해설
운동을 시작하려고 달리기와 수영 중 어떤 것을 할까 의논을 하고 있다.

어휘
think of ~을 생각하다 / exercise 운동 / better 더 나은 / nowadays 요즘 / outside 밖에, 밖으로 / why don't we ~? ~하는 게 어때?

17 ①

해석
남 엄마, 제가 같이 쇼핑을 하러 가도 되나요?
여 안 돼. 네 방을 청소하라고 했잖니.
남 돌아와서 할게요. 약속해요! 안 될까요?
여 알았다. 꼭 우리가 돌아오자마자 해야 한다.
남 고마워요, 엄마.

해설
남자는 먼저 엄마와 쇼핑을 하고 와서 청소를 할 것이다.

어휘
clean up 청소하다 / bedroom 침실 / get back 돌아오다 / promise 약속하다 / make sure 반드시 ~하도록 하다 / as soon as ~하자마자

18 ④

해석
남 네가 이 빵을 구웠니?
여 응. 너 빵 좋아하니?
남 응. 나 빵 먹는 거 진짜 좋아해. 특히 갓 구운 빵. 냄새가 정말 좋다.
여 좀 먹어 볼래?

해설
여자가 빵을 구웠고, 남자가 빵 먹는 것을 좋아한다고 했으므로 좀 먹어 보겠냐고 권하는 것이 가장 자연스럽다.
① 두 개 줘. ② 미안하지만 너는 그럴 수 없어. ③ 나에게 요리법을 알려 줘. ⑤ 나는 그것에 대해 몰라.

어휘
bake 굽다 / fresh 갓 만든, 신선한 / smell ~한 냄새가 나다 / loaf 덩어리 / recipe 요리법 / would like+명사 ~을 원하다

19 ②

해석
여 뭐 새로운 소식 있니?

남 내가 「맘마미아」 뮤지컬 오디션을 봤다고 한 거 기억해? 내가 배역을 따냈어!
여 축하해! 부럽다.
남 음, 다음 주에 「캣츠」라는 뮤지컬의 오디션이 있어. 지원해 보지 그래?
여 해 볼게. 정보 고마워.

해설

오디션에 대한 정보를 주며 지원해 보라고 권유했으므로 지원 의지와 고마움을 표현한 응답이 가장 적절하다.

① 나도야. 나는 보통 질투심을 느끼지 않아. ③ 학교 무도회에 파트너를 데려와. ④ 그들은 이걸 어떻게 사용하는지 알고 있어. ⑤ 귀찮게 해서 미안해.

어휘

remember ~을 기억하다 / audition for ~의 오디션을 보다 / get the part 역할을 맡다 / congratulation 축하 / jealous 부러운, 질투하는 / audition 오디션 / why don't you ~? ~하지 그래? / try for ~을 차지하려고 하다 / same with ~와 같은 / take A for B A를 B에 데려가다 / trouble ~을 괴롭히다

20 ①

해석

여 이번 주가 아빠 생신이야.
남 아빠께 무슨 선물을 해 드리지?
여 아빠는 아무것도 필요 없다고 하셨어.
남 하지만 무언가를 해야 하잖아.
여 그럼 생일 케이크를 만들어 드리자.
남 아빠가 좋아하실까?
여 당연하지.

해설

아빠가 생일 선물로 케이크를 받는 것을 좋아하실 것 같은지 물었으므로 당연하다고 자신의 의견을 표현하는 것이 가장 적절한 응답이다.

② 이걸로 할게. ③ 고맙지만, 사양할게. ④ 정말 안됐다. ⑤ 천만에.

어휘

shall ~할까? (1, 2인칭의 의문문에서 제안을 나타내는 조동사) / need 필요하다 / anything 아무것도, 어떤 것도 / should ~해야 하다 / something 그 무엇, 어떤 것

Dictation

p.60~63

1 talking to someone / see her face
2 Are you going to / I envy you / so lucky
3 Walk straight ahead / It will be on your right
4 will be fine and sunny / very windy / heavy rain
5 buy some socks / five dollars a pair
6 looking forward to / pick you up / ten past five
7 there are passengers / too heavy for me to lift
8 left my bag / pick it up
9 write or draw in pencil / rub the mistake with this
10 How do you like / What do you want to be
11 Somebody stole my bag / an hour ago / fell asleep / fill out this form
12 want to be a movie star / want to be an engineer
13 in the hospital / was warm / chatted with / slept quietly
14 see a movie / buy some pants / like skiing
15 used to hate it / wanted me to join
16 Which do you think is better / too hot to be outside
17 clean up your bedroom / as soon as we get back
18 Do you like bread / smells so good
19 got the part / Why don't you try
20 get him for a present / do something / Do you think

08회 영어듣기 모의고사

p.64~67

01 ③	02 ②	03 ④	04 ⑤	05 ②
06 ④	07 ④	08 ②	09 ③	10 ⑤
11 ③	12 ③	13 ⑤	14 ④	15 ③
16 ①	17 ⑤	18 ①	19 ⑤	20 ①

1 ③

해석

① 남 그녀는 문가에서 기다리고 있다.
② 남 그녀는 사람들 속에서 서 있다.
③ 남 그녀는 우산을 들고 있다.
④ 남 그녀는 친구와 걷고 있다.
⑤ 남 그녀는 운동장에서 달리고 있다.

해설

빗속에서 여자가 우산을 들고 서 있다.

어휘

wait 기다리다 / by ~ 옆에 / stand 서 있다, 서다 / crowd 사람들, 군중 / hold 쥐다, 잡다 / umbrella 우산 / walk with ~와 걷다 / run 달리다 / playground 운동장

2 ②

해석

여 서울의 일기 예보입니다. 오늘 아침에 눈이 많이 올 것이므로, 길 조심하시기 바랍니다. 눈은 늦은 밤까지 계속해서 내리겠지만, 내일은 맑고 화창하겠습니다.

해설

오늘 서울에는 아침부터 눈이 많이 와 늦은 밤까지 내린다고 했다.

어휘
weather forecast 일기 예보 / a lot of 많은 / be careful 조심하다 / on the road 길에서 / keep 계속 ~하다 / fall 내리다, 떨어지다 / fine 맑은, 갠; 좋은 / sunny 화창한

3 ④

해석
여 도와드릴까요?
남 네. 어떤 단추를 눌러야 하는지 모르겠어요. 하루짜리 버스 승차권을 사려고 해요.
여 잠시만요. 여기에 있네요. 좋아요. 이제 이곳에 2달러를 넣고, 여기에 50센트를 넣으세요.
남 알겠어요. 여기에 2달러, 그리고 이곳에 50센트요. 다 됐네요.
여 저기 버스 승차권이 나오네요.

해설
남자는 총2달러 50센트를 냈다.

어휘
button 단추, 버튼 / press ~을 누르다 / all-day 온종일 하는 / pass 탑승권, 통행증, 출입증 / put 넣다, 밀어 넣다

4 ⑤

해석
여 자, 고개를 오른쪽으로 돌리시면, 차이나타운이 보이실 겁니다.
남 저건 아주 유명하잖아요. 우리가 잠깐 멈춰서 둘러봐도 되나요?
여 그럼요. 일정표에도 있어요.
남 아, 그렇군요. 고궁 관광이 첫 번째군요.
여 맞아요. 그러고 나서 식물원, 그 다음이 차이나타운이에요.

해설
관광 일정에 대해 안내하는 여자는 관광안내원이다.

어휘
now 자, 이제 / look to ~쪽을 보다, ~에 주의하다 / famous 유명한 / look around 둘러보다 / schedule 일정 / palace 궁전, 왕실 / botanical garden 식물원

5 ②

해석
여 우리 비행기가 몇 시지?
남 탑승 시각은 오전 9시야.
여 지금이 몇 신데?
남 8시 15분이야.
여 8시 15분? 우리는 45분이나 기다려야 하네.

해설
비행기 탑승 시각은 오전 9시이지만 현재 시각은 8시 15분이라고 했다.

어휘
flight 항공편, 비행 / boarding 탑승 / quarter 15분 / past 지나서 / wait 기다리다

6 ④

해석
여 곧 수영 대회야, 그렇지 않니?
남 달력에 나와 있어. 보이니? 대회는 7월의 세 번째 금요일이야.
여 맞아. 이 날이구나, 세 번째 금요일.

해설
7월의 세 번째 금요일은 7월 20일이다.

어휘
contest 대회, 시합 / soon 곧, 머지않아 / calendar 달력 / third 세 번째의 / July 7월

7 ④

해석
남 안녕하세요.
여 안녕하세요.
남 가방을 들어 드릴까요?
여 아뇨, 괜찮아요. 대신에 절 위해 버튼을 눌러 주시겠어요?
남 물론이지요. 몇 층으로 가시나요?
여 6층이요.

해설
6층 버튼을 눌러 달라고 했으므로 엘리베이터 안임을 알 수 있다.

어휘
press ~을 누르다 / button 버튼, 단추 / floor 층

8 ②

해석
여 넌 운동을 하니?
남 응. 스케이트 타는 걸 정말 좋아해.
여 그래? 얼마나 자주 타러 가는데?
남 일주일에 두세 번 가.
여 정말 멋지다.

해설
남자는 일주일에 두세 번 스케이트를 타러 간다고 했다.

어휘
love 아주 좋아하다, 사랑하다 / ice skate 아이스 스케이트를 타다 / how often 얼마나 자주 / pretty 꽤 / cool 멋진

9 ③

해석
여 너희 가족이 이사를 간다고 들었어.
남 응. 우리는 사우스비치로 이사할 거야.
여 와! 너 좋겠다! 정말 부러워.
남 그렇지도. 하지만 거기에는 내 친구가 없어.
여 응, 하지만, 친구는 곧 만들 수 있어. 게다가 매일 수영을 할 수 있잖아.

해설

여자는 해변으로 이사 가는 친구를 부러워하고 있다.

어휘

hear ~을 듣다 / move 이사하다 / move to ~로 이사하다 / envy ~을 부러워하다 / make friends 친구를 사귀다 / in addition 게다가

10 ⑤

해석

① 남 네가 마신 것은 내가 낼게.
여 정말 고마워.
② 남 너는 여자형제가 몇 명 있니?
여 나는 여자형제가 없어.
③ 남 여권 좀 보여 주시겠어요?
여 네. 여기 있어요.
④ 남 네가 가장 좋아하는 여배우가 누구니?
여 Emma Watson이야. 그녀는 「해리포터」에 나왔어.
⑤ 남 여보세요. Anna와 통화하고 싶은데요.
여 그건 내년에 시작해요.

해설

Anna와 통화하고 싶다는 남자의 말에 그건 내년에 시작한다는 대답은 어색하다.

어휘

pay for ~에 대해 지불하다, 돈을 내다 / drink 음료 / passport 여권 / favorite 가장 좋아하는 / actress 여배우 / would like to+동사원형 ~하고 싶다 / speak to ~와[에게] 말하다

11 ③

해석

[전화벨이 울린다.]
남 안녕, Kate.
여 안녕, Jim. 너 벌써 파티에 갔니?
남 응, 너는 언제 여기에 올 거야?
여 그래서 내가 전화를 한 거야. 늦게까지 일을 해야 해서 오늘 파티에 못 갈 것 같아. Amy한테 미안하다고 좀 말해 줘.
남 그녀는 지금은 여기 없지만, 내가 그녀에게 전해 줄게.

해설

여자는 야근 때문에 파티에 참석할 수 없다는 말을 Amy에게 전해 달라고 남자에게 부탁하고 있다.

어휘

already 벌써, 이미 / work late 늦게까지 일하다 / make it (모임에) 참석하다 / at the moment 지금 당장은

12 ③

해석

여 다 왔네요.
남 정말 긴 운전이었어요.
여 정말 그랬어요.
남 텐트를 칠 좋은 자리를 찾아 봐요. 여기는 어떨까요?
여 흠. 제 생각에는 대로에 너무 가까운 것 같아요.
남 알겠어요. 저기에 있는 큰 나무 근처에 설치합시다.
여 좋은 생각이에요.

해설

남자와 여자는 텐트를 설치할 자리를 찾았으므로 텐트를 설치할 것이다.

어휘

drive 자동차 운전(주행) / sure 확실히 / spot 장소 / close 가까운 / main road 대로, 주 도로 / put 놓다, 두다 / over there 저쪽에

13 ⑤

해석

여 좋아요, 여러분. 숙제로, 여러분 모두 자신에 대한 짧은 이야기를 써 오면 좋겠어요. 우리에게 가족, 태어난 곳, 그리고 사는 곳에 대해 이야기해 보세요. 그런데 친구들에 관한 내용은 넣지 마세요. 그건 다음 주 주제가 될 거예요.

해설

자신의 가족과 태어난 곳, 사는 곳에 대해서 쓰라고 했다.

어휘

homework 숙제 / be born 태어나다 / include ~을 포함하다 / topic 주제

14 ④

해석

남 그 소식 들었어?
여 수학여행에 대한 거? 응, 오늘 아침에 학교 웹사이트에서 읽었어.
남 올해의 수학여행이 취소되었다니 너무 슬퍼.
여 너무 슬퍼하지 마. 내년에는 뉴질랜드로 간대.

해설

취소된 올해의 수학여행과 내년에 갈 수학여행에 대해 이야기하고 있다.

어휘

hear 듣다 / news 소식 / school trip 수학여행 / cancel 취소하다

15 ③

해석

남 Jasmine? 안녕! 나 기억해?
여 Eric! 당연하지. 우리 같은 수업을 들었잖아.
남 맞아. 그리고 너는 우등생이었지. 요즘 무얼 하니?
여 나는 의사야. 너는?
남 나는 중학교에서 수학을 가르쳐.
여 네 어머니처럼 선생님이 됐구나. 잘됐다.

해설

둘은 학교에서 같은 수업을 들었다고 했으므로 동창생이다.

어휘

remember ~을 기억하다 / class 수업 / these days 요즘 / teach ~을 가르치다 / math 수학 / just like 꼭 ~처럼

16 ①

해석

남 모두들 환영합니다. 저는 이 수업의 선생님인 Dan Black입니다. 우리는 매주 월요일과 수요일에 오후 1시부터 3시까지 두 시간 동안 만날 거예요. 월요일에 우리는 이 교실에 있지만, 수요일에는 회의실에서 수업이 있어요. 이번 학기에 여러분은 두 번의 시험을 볼 거예요.

해설

수업 내용에 관해서는 언급하지 않았다.

어휘

welcome 환영하다 / course 수업, 강의 / every 매 ~마다 / Wednesday 수요일 / class 수업 / meeting room 회의실 / semester 학기 / take a test 시험을 보다

17 ⑤

해석

남 제가 여기에서 몇 주 전에 이 휴대 전화를 샀는데요. 사진을 찍을 수가 없어요.

여 작동하지 않나요?

남 아니, 그런 것이 아니에요. 사진이 깨끗하게 찍히지 않아요.

여 제가 봐도 될까요? 오, 렌즈가 부서졌네요. 새 휴대 전화를 가져다 드릴게요.

해설

남자는 휴대 전화로 사진이 깨끗하게 찍히지 않는다고 했다.

어휘

take a picture 사진을 찍다 / work 작동하다 / clear 또렷한, 알아보기 쉬운, 깨끗한 / may ~해도 되다 / lens 렌즈 / broken 부서진, 고장 난 / get 가져다주다, 구해주다

18 ①

해석

여 먼저, 큰 냄비에 물을 채우세요. 소금 한 큰 술을 넣으세요. 물이 끓을 때까지 열을 가하세요. 스파게티를 물에 넣으세요. 약 8분 후면 익을 것입니다. 물을 모두 쏟아내세요. 그릇에 스파게티를 담으세요. 스파게티에 소스를 섞으세요. 위에 치즈를 올리세요.

해설

스파게티를 만드는 방법에 관해 설명하고 있다.

어휘

first 먼저, 우선 / fill 채우다 / pot 냄비 / add 더하다, 넣다 / a tablespoon of 한 테이블스푼[큰 술]의 / salt 소금 / heat 달구다, 데우다 / until ~때까지 / boil 끓다 / put 넣다, 놓다 / spaghetti 스파게티 / be done 다 끝나다 / pour out 쏟아 내다[버리다] / bowl 그릇 / mix A into B B에 A를 섞다 / on top 위에, 꼭대기에

19 ⑤

해석

여 이 사진에 나 어때?

남 근사해 보인다. 너랑 같이 있는 사람은 누구니?

여 우리 삼촌 Max야.

남 그는 무엇을 하니?

여 그는 컴퓨터 프로그래머야.

해설

사진 속에 있는 사람의 직업을 물었으므로 하는 일에 대해 답하는 것이 가장 적절하다.

① 그는 뉴욕에 살아. ② 그는 영화를 보고 있어. ③ 그는 정말 잘 생겼어. ④ 그는 우리 오빠의 절친한 친구야.

어휘

gorgeous 아주 멋진 / uncle 삼촌 / live in ~에 살다 / good-looking 잘생긴 / programmer 〈컴퓨터〉 프로그래머

20 ①

해석

남 도와드릴까요?

여 배낭을 잃어버렸어요.

남 언제, 어디에서 잃어버렸는지 아시나요?

여 어제 런던에서 출발한 열차였어요.

남 네. 배낭은 어떻게 생겼나요?

여 갈색에 분홍 줄무늬가 있어요.

해설

가방이 어떻게 생겼느냐고 물었으므로 가방의 생김새를 설명하는 것이 가장 적절하다.

② 나는 배낭을 갖고 싶어요. ③ 다른 걸로 할게요. ④ 나는 어머니를 닮았어요. ⑤ 그건 잘못된 크기예요.

어휘

lose 잃어버리다 / backpack 배낭 / look like ~처럼 생겼다, ~을 닮다

Dictation

p.68~71

1 waiting by the door / holding an umbrella / on the playground
2 a lot of snow / keep falling until late tonight
3 which button to press / Two dollars here and fifty cents here
4 look to your right / on the schedule
5 our flight / a quarter past eight
6 is soon / the third Friday
7 press the button / Sixth floor
8 Do you play any sports / two or three times a week
9 are going to move / envy you / swim every day
10 Let me pay / Can I see your passport
11 at the party / I have to work late / at the moment
12 a long drive / How about right here / Let's put it
13 write a short story about yourself / where you live

14 hear the news / was canceled

15 in the same class / teach math

16 your teacher for this course / in this room / take two tests

17 I can't take pictures / the lens is broken

18 Heat the water / it will be done / on top

19 look gorgeous / What does he do

20 lost my backpack / look like

09회 영어듣기 모의고사 p.72~75

01 ③	02 ④	03 ③	04 ④	05 ③
06 ②	07 ③	08 ⑤	09 ③	10 ①
11 ②	12 ③	13 ④	14 ④	15 ④
16 ⑤	17 ④	18 ③	19 ⑤	20 ③

1 ③

해석

남 이것은 아주 유용하지만 위험할 수도 있다. 이것을 안전하게 사용하려면 경험이 필요하다. 이것을 타고 많은 곳에 갈 수 있다. 이것을 타고 너무 빨리 가지 마라. 사고가 날 수도 있다!

해설

배우고 경험해야 하며, 이것을 타고 많은 곳에 갈 수 있다고 했으므로 적절한 것은 자동차이다.

어휘

useful 유용한, 쓸모 있는 / dangerous 위험한 / experience 경험 / safely 안전하게 / fast 빠르게 / crash 충돌하다, 사고가 나다

2 ④

해석

여 밴쿠버 날씨를 알려드립니다. 오늘 밤에 바람이 세게 불겠습니다. 내일 아침에는 구름이 많이 끼겠습니다. 오후에는 비가 내리기 시작해서 밤늦게까지 내리겠습니다. 우산 챙기는 걸 잊지 마세요!

해설

내일 아침에 구름이 많이 낀다고 했다.

어휘

weather forecast 일기 예보 / windy 바람이 부는 / cloudy 구름이 많은 / later in the afternoon 오후 늦게 / continue ~을 계속하다 / late at night 밤늦게 / remember ~을 기억하다 / bring ~을 가져오다, 가져가다

3 ③

해석

여 야구 경기가 언제 시작하지?

남 아홉 시 반에.

여 정말? 지금이 몇 신데?

남 지금은 여덟 시 반이야.

여 우리 너무 일찍 왔다. 아직 한 시간이나 남았어.

남 하지만 좋은 자리를 얻었잖아.

해설

지금은 여덟 시 반이지만, 야구 경기는 아홉 시 반에 시작한다고 했다.

어휘

baseball game 야구 경기 / half 반, 30분 / past 지나서 / get 도착하다 / too 너무 / early 일찍; 이른 / still 여전히, 아직도 / seat 자리, 좌석

4 ④

해석

남 너는 커서 무엇이 되고 싶니?

여 나는 어머니처럼 되고 싶어.

남 어머니가 무엇을 하시는데?

여 어머니께서는 관현악단에서 바이올린을 연주하셔. 너는?

남 나는 배우가 되고 싶어. 하지만 우리 부모님은 내가 변호사가 되기를 바라시지.

해설

남자는 배우가 되고 싶다고 말했고, 남자가 변호사가 되기를 바라는 것은 남자의 부모님이다.

어휘

grow up 자라다, 성장하다 / like ~처럼 / violin 바이올린 / orchestra 오케스트라, 관현악단 / actor 배우 / lawyer 변호사

5 ③

해석

여 아빠, 드릴 말씀이 있어요.

남 무엇이니? 말해 보렴.

여 제가 올해의 과학상을 받았어요.

남 세상에! 네가 정말 자랑스럽구나.

해설

남자는 여자에게 자랑스럽다고 칭찬을 했다.

어휘

win a prize 상을 타다 / be proud of ~을 자랑으로 여기다

6 ②

해석

남 주말 계획이 있니?

여 특별한 건 없어. 보고서를 하나 써야 해.

남 안됐다. 나는 암벽 등반을 갈 거야.

여 와! 부럽다.

해설
남자는 암벽 등반을 하러 갈 것이라고 했다.

어휘
plan 계획 / weekend 주말 / nothing 아무것도 / special 특별한 / report 보고서, 숙제 / go rock-climbing 암벽 등반을 하러 가다 / envy ~을 부러워하다

7 ③

해석
여 모두들 안녕! 내 이름은 김유나이고 열네 살이야. 나는 부산에 살고, 중학교 1학년이야. 내가 가장 좋아하는 취미는 수영이야. 나는 세상에서 제일가는 수영 선수가 되고 싶어!

해설
가족에 관해서는 이야기하지 않았다.

어휘
first year 1학년 / favorite 가장 좋아하는 / hobby 취미 / in the world 이 세상에서

8 ⑤

해석
[전화벨이 울린다.]
여 빅토리아주립도서관입니다.
남 안녕하세요. 제가 3주 전에 그 도서관에서 책을 빌렸는데요.
여 문제가 있나요?
남 실은 문제가 있어요. 그 책을 잃어버렸어요. 어떻게 해야 할까요?
여 책값만 지불하시면 되세요.
남 알겠어요. 내일 도서관에 가서 책값을 낼게요. 정말 감사합니다.

해설
책을 분실해서 처리 방법을 알기 위해 전화했다.

어휘
state 주 / library 도서관 / borrow 빌리다 / lose ~을 잃어버리다 / pay for ~에 대해 값을 치르다

9 ③

해석
남 안녕하세요, 부인.
여 안녕하세요, Joe. 레몬은 얼마죠?
남 1달러에 세 개입니다.
여 1달러에 세 개요? 여섯 개 주세요.
남 레몬 여섯 개요. 여기 있습니다.

해설
레몬은 세 개에 1달러이고, 여자는 여섯 개를 샀으므로 총 2달러를 내야 한다.

어휘
how much (값이) 얼마 / lemon 레몬

10 ①

해석
여 안녕, Chris. 스노보드 여행은 어땠어?
남 최악이었어! 나는 너무 아파서 침대에 누워 있어야 했어.
여 그래서 네가 안 좋아 보이는구나.
남 맞아. 지금 병원에 가려고 해.

해설
남자는 스노보드 여행을 갔다가 몸이 아파서 누워 있기만 했다고 말했다.

어휘
terrible 끔찍한 / stay in bed (일어나지 않고) 침대에 누워 있다 / see a doctor 병원에 가다

11 ②

해석
남 안녕, Jane. 너 테니스 칠 줄 아니?
여 응. 왜?
남 나랑 테니스 칠 사람을 찾고 있거든.
여 그러고 싶지만, 난 지금 테니스 라켓을 가지고 있지 않아. 그리고 나는 배드민턴이 치고 싶어. 어떻게 생각해?
남 알겠어. 네가 원한다면, 배드민턴을 치자.
여 그럼 점심 후에 보자.

해설
여자가 배드민턴이 치고 싶다고 했고, 남자가 동의했으므로 두 사람이 하게 될 운동은 배드민턴이다.

어휘
look for ~을 찾다 / play (경기를) 하다 / racket 라켓, 채 / badminton 배드민턴

12 ③

해석
여 오늘 무슨 문제 있니?
남 피곤해. 힘이 하나도 없어.
여 아침은 먹었어?
남 아니. 학교에 늦어서 아침을 걸렀어.
여 아침은 매일 먹어야 해.
남 좋은 조언이야.

해설
여자는 남자에게 아침 식사를 거르지 말라고 충고하고 있다.

어휘
matter 문제 / tired 피곤한 / skip 거르다, 빼먹다 / be late for ~에 늦다 / advice 조언, 충고

13 ④

해석
남 피자 좀 먹어. 우리 아버지께서 만드신 거야.
여 정말? 맛있어 보인다. 음, 정말 맛있어! 뭐가 들어갔니?

남 토마토, 바질, 치즈. 한 조각 더 먹어.
여 아냐, 고마워. 나는 괜찮아.
남 더 먹어! 배고프지 않니?
여 사실, 나 다이어트 중이야. 체중을 줄여야 하거든.

해설

여자는 다이어트 중이어서 더 먹지 않겠다고 말했다.

어휘

delicious 맛있는 / basil 바질(허브의 일종) / another 또 다른, 또 하나의 / slice 조각 / go on 자자[어서] (무엇을 하라고 권하는 말) / hungry 배고픈 / actually 사실은, 실은 / be on a diet 다이어트 중이다 / lose weight 살을 빼다, 살이 빠지다

14 ④

해석

여 오늘이 며칠이지?
남 11월 1일이야.
여 11월 1일? 정확히 2주 뒤면 Alex의 생일이네.
남 오늘부터 2주?
여 응. 그는 열여섯 살이 돼.
남 Alex가 파티를 열었으면 좋겠다.

해설

오늘이 11월 1일이고, 정확히 2주 뒤가 생일이라고 했으므로 11월 15일이 Alex의 생일이다.

어휘

date 날짜 / November 11월 / turn (~한 상태로) 되다 / hope 바라다 / have a party 파티를 열다

15 ④

해석

남 실례합니다. 여기에서 공항까지 어떻게 가야 하나요?
여 기차를 타셔도 되는데요, 고속버스가 더 빨라요.
남 아. 어디에서 고속버스를 탈 수 있을까요?
여 중앙 버스 터미널에서요. 사실은 제가 버스 터미널에 가는 중이에요. 원하시면 제가 안내해 드릴게요.
남 정말 감사합니다.
여 천만에요. 절 따라오세요.

해설

남자가 중앙 버스 터미널에 가야 하는데, 길을 안내해 주던 여자가 같은 곳에 간다며 안내해 주겠다고 했다.
① 공항 ② 병원 ③ 기차역 ④ 버스 터미널 ⑤ 지하철역

어휘

get to ~에 도착하다 / take 타다, 잡다 / express bus 고속버스 / catch 타다, 잡다 / terminal 터미널, 종점 / on the way 가는[오는] 중인 / show 안내하다, 인도하다 / follow 따라가다[오다]

16 ⑤

해석

① 남 그녀는 무엇을 하는 것을 좋아하니?
여 그녀는 요리하는 것을 좋아해.
② 남 너는 얼마나 자주 스키를 타러 가니?
여 일 년에 두 번 정도 가.
③ 남 걱정이 있어 보여. 무슨 일이야?
여 내일 시험이 있어.
④ 남 수학 시험 어땠어?
여 쉬웠어. 수학은 내가 제일 좋아하는 과목이야.
⑤ 남 너는 보통 몇 시간을 자니?
여 두 시간은 너무 길어.

해설

보통 잠을 얼마나 자느냐고 물었는데 두 시간은 너무 길다는 대답은 어색하다.

어휘

cook 요리하다 / how often 얼마나 자주 / go skiing 스키 타러 가다 / about 약 / twice 두 번 / worried 걱정스러운 / subject 과목 / usually 대개, 일반적으로

17 ④

해석

남 주문하시겠습니까?
여 네. 참치 샌드위치 주세요.
남 샌드위치에 감자튀김을 곁들이시겠습니까?
여 네, 그렇게 해 주세요. 아, 그리고 물 한 병과 블루베리 머핀도 주세요.
남 그게 다인가요?
여 네, 고마워요.

해설

여자는 참치 샌드위치, 감자튀김, 물 한 병, 블루베리 머핀을 주문했다.
① 샌드위치 ② 감자튀김 ③ 물 ④ 과일 샐러드 ⑤ 머핀

어휘

take one's order ~의 주문을 받다 / tuna 참치 / French fries 감자튀김 / a bottle of ~한 병 / blueberry 블루베리 / muffin 머핀

18 ③

해석

여 Felix! 너 정말 행복해 보여. 무슨 일이야?
남 너 못 믿을 거야. 정말 믿을 수 없어!
여 뭔데? 말해 봐!
남 엄마, 아빠가 날 디즈니랜드에 데려간대!
여 잘됐다.

해설

남자는 부모님이 디즈니랜드에 데려간다고 해서 기뻐하고 있으므로 이에 대해 잘 됐다고 응답하는 것이 가장 적절하다.
① 괜찮을 거야. ② 걱정 마. ④ 내 탓하지 마. ⑤ 그들은 너를 믿어.

어휘

go on (일이) 일어나다, 벌어지다 / believe 믿다 / take A to B A를 B로 데려가다 / blame ~을 비난하다

19 ⑤

해석

여 도와드릴까요?
남 네. 여행 책은 어디에 있나요?
여 여행 책이요? 그건 2층에 있어요.
남 고맙습니다. 그럼 요리책 구역은 어디죠?
여 아동 도서 옆에 있어요.

해설

요리책 구역이 어디 인지 물었으므로 요리책이 있는 장소를 알려 주는 것이 가장 적절한 응답이다.
① 네. 그것들을 살 거예요. ② 제가 당신을 위해 요리해 줄게요. ③ 그에게 이걸 줍시다. ④ 알려 주셔서 고맙습니다.

어휘

find 찾다 / travel 여행 / floor 층 / cookbook 요리책 / section 구역 / next to ~ 옆에 / let ~에게 …하게 하다

20 ③

해석

남 무슨 일이니?
여 오늘 수영 대회에서 4등으로 들어왔어요.
남 힘 내! 아빠는 네가 다음번에는 더 잘할 수 있다는 것을 안단다.
여 고마워요, 아빠.

해설

아빠가 기운 내라고 격려해 주었으므로 고맙다는 응답이 가장 적절하다.
① 기운 내세요. ② 잘했어요. ④ 져서 유감이에요. ⑤ 더 열심히 노력하는 게 좋겠어요.

어휘

fourth 네 번째로 / race 경주, 시합 / Cheer up. 기운 내. / had better ~하는 게 낫겠다 / try 노력하다, 시도하다 / hard 열심히

Dictation

p.76~79

1 can be dangerous / go many places
2 very windy tonight / start to rain / bring your umbrella
3 Half past nine / still have one hour
4 when you grow up / What does your mother do / want me to be a lawyer
5 something to tell you / I'm so proud of you
6 write a report / I envy you
7 live in / My favorite hobby is swimming
8 borrowed a book / What should I do / pay for it
9 How much / Can I have six
10 had to stay in bed / see a doctor
11 I'm looking for someone / What do you think / after lunch
12 I don't have any energy / should eat breakfast
13 it's so delicious / I'm on a diet
14 in exactly two weeks / He'll be 16
15 the express bus is faster / on the way / Follow me
16 What does she like to do / What's wrong
17 Can I take your order / a bottle of water
18 What's going on / What is it
19 Where can I find / where is the cookbook section
20 What's the matter / Cheer up

10회 영어듣기 모의고사

p.80~83

01 ④	02 ②	03 ②	04 ⑤	05 ③
06 ④	07 ③	08 ③	09 ②	10 ⑤
11 ④	12 ①	13 ③	14 ⑤	15 ①
16 ②	17 ②	18 ⑤	19 ②	20 ⑤

1 ④

해석

여 Ben, 이걸 봐! 내 생일 선물로 이걸 받았어!
남 멋진데. 이제 우리 같이 타고 학교에 갈 수 있겠다.
여 맞아. 안전모도 함께 받았어.
남 지금 타러 가자!

해설

여자가 선물 받은 것을 타고 학교에 갈 수 있다고 했으므로 탈 수 있는 것은 자전거이다.

어휘

cool 멋진, 시원한 / ride 타다 / safety helmet 안전모, 헬멧 / go for a ride ~을 타러 가다

2 ②

해석

여 나는 수영을 좋아해, 그래서 나는 토요일과 일요일에는 항상 아침 일찍 수영을 해. 너는?
남 나는 책 읽는 것을 좋아해, 그래서 나는 보통 일요일에는 아침 일찍 일어나서 정오까지 책을 읽어.

해설

남자는 일요일에는 정오까지 책을 읽는다고 했다.

어휘

usually 대개, 보통 / get up 일어나다 / until ~할 때까지 / noon 정오, 한낮

3 ②

해석

남 새로 나온 공포 영화 봤어?
여 저거? 아니. 정말 무서워 보인다.
남 토요일에 그 영화 보러 가자.
여 미안하지만, 안 되겠어. 시험공부를 해야 해.

해설

여자는 영화를 보러 가자는 남자의 말에 시험공부를 해야 한다며 거절하고 있다.

어휘

horror movie 공포 영화 / scary 무서운

4 ⑤

해석

남 이 근처에 안경을 파는 곳이 있나요?
여 네. 여기에서 멀지 않아요. 직진하셔서 두 번째 모퉁이에서 오른쪽으로 꺾으세요.
남 죄송해요. 직진한 다음에 뭐라고 하셨죠?
여 두 번째 모퉁이에서 오른쪽으로 꺾으세요. 가게가 왼쪽에 있을 거예요.
남 그렇군요! 고맙습니다.

해설

직진해서 두 번째 모퉁이에서 오른쪽으로 꺾은 후, 왼쪽에 있는 건물이 안경점이다.

어휘

eye-glass store 안경점 / far 먼 / go straight 곧장 가다 / turn right 오른쪽으로 돌다 / on one's left ~의 왼쪽에

5 ③

해석

남 안녕하세요. 도와드릴까요?
여 네. 저는 핸드크림을 찾고 있어요.
남 알겠어요. 이게 아주 좋아요.
여 아, 향이 좋네요. 얼마인가요?
남 7달러예요.
여 좋아요, 이걸로 두 개 주세요. 여기 20달러예요.
남 감사합니다. 여기 거스름돈입니다.

해설

7달러짜리 핸드크림 두 개를 샀으므로 14달러이고, 20달러를 냈으므로 거스름돈은 6달러이다.

어휘

look for 찾다 / smell ~한 냄새가 나다 / take 사다, 선택하다 / change 거스름돈

6 ④

해석

여 좋은 오후입니다. 제 이름은 Yumico Sato예요. 저는 열네 살이에요. 저는 하나중학교 2학년이에요. 저는 우리 가족과 함께 살아요. 우리 가족은 부모님, 쌍둥이 여동생, 저 이렇게 네 명이에요. 저는 책 읽기와 테니스 치는 것을 정말 좋아해요. 들어주셔서 감사합니다.

해설

사는 곳에 대해서는 언급하지 않았다.

어휘

live with ~와 함께 살다 / twin 쌍둥이의; 쌍둥이(쌍둥이 중 하나)

7 ③

해석

남 안녕, Kate. 오랜만이야.
여 응, 만나서 반가워, Peter! 요즘 무얼 하고 지내니?
남 나는 경찰관이야. 너는?
여 너도 알다시피, 나는 미술을 전공했잖아. 지금은 현대미술관에서 일해. 아름다운 그림을 관리하는 것이 정말 좋아.

해설

여자는 미술을 전공했고, 지금은 미술관에서 일한다고 했으므로 직업은 큐레이터이다.

어휘

Long time no see. 오랜만이다. / these days 요즘에는 / police officer 경찰관 / as you know 알다시피 / major in ~을 전공하다 / modern 근대의, 현대의 / art museum 미술관 / take care of ~을 돌보다, 처리하다 / painting 그림

8 ③

해석

여 Tom, 나 좀 도와줄래?
남 그럼요. 먼저 텔레비전을 끌게요.
여 고마워. 설거지를 좀 해 줄래? 나는 빨래를 하느라 바빠서.
남 알겠어요.

해설

여자는 빨래를 해야 해서 남자에게 설거지를 해 달라고 부탁했다.

어휘

give A a hand A를 도와주다[거들어주다] / turn off ~을 끄다 / wash the dishes 설거지하다 / be busy -ing ~하느라 바쁘다 / do the laundry 빨래하다 / No problem. 문제없어. 괜찮아.

9 ②

해석

여 학생 여러분, 주목하세요. 독감의 계절이 오고 있습니다. 모든 학생과 선생님은 다음 주에 독감 주사를 맞을 것입니다. 그리고 가장 중요한 원칙을 기억하세요. 비누와 물로 자주 손을 씻으세요. 기침이나 재채기가 날 때에는 입을 가리는 것을 잊지 마세요. 함께 독감과 싸워 봅시다!

해설

독감 계절이 다가옴에 따라 독감 예방법을 안내하고 있다.

어휘
Attention. 알립니다. 주목하세요. / flu 독감 / season 계절, 철 / shot 주사 / important 중요한 / rule 원칙, 규칙 / soap 비누 / forget ~을 잊다 / cover 가리다, 덮다 / cough 기침하다 / sneeze 재채기하다

10 ⑤

해석
남 나는 날개와 깃털이 있다. 나는 친근하고 재미있기 때문에 좋은 애완동물이다. 나는 따뜻하고 화창한 날씨를 좋아한다. 내가 가장 좋아하는 음식은 씨앗과 크래커이다. 내가 가장 좋아하는 취미는 말하기이다!

해설
날개와 깃털이 있는 새로 따뜻한 기후와 말하는 것을 좋아하는 동물은 앵무새이다.

어휘
wing 날개 / feather 깃털 / pet 애완동물 / friendly 친근한, 친절한 / amusing 재미있는, 즐거운 / warm 따뜻한 / sunny 화창한, 햇빛 밝은 / seed 씨, 씨앗 / cracker 크래커

11 ④

해석
남 우리 길을 잃은 것 같아, Amy.
여 응. 우린 계속 같은 길을 가고 있는 것 같아.
남 나는 이 공원을 벌써 두 번이나 봤어.
여 영화에 늦겠어. 누군가에게 극장으로 가는 길을 물어보는 게 낫겠어.
남 알았어. 내가 할게.
여 봐! 저기 경찰관이 있어. 서두르자!

해설
남자가 길을 물어보겠다고 했고, 여자가 경찰관이 있다고 서두르라고 말했으므로 남자는 경찰관에게 길을 물어볼 것이다.

어휘
be lost 길을 잃다 / seem ~인 것 같다 / keep 계속 ~하다 / already 이미, 벌써 / be late for ~에 늦다 / had better ~하는 것이 낫다 / ask ~을 묻다 / theater 극장 / police officer 경찰 / hurry up 서두르다

12 ①

해석
① 남 오늘이 무슨 요일이지?
여 1월 10일이야.
② 남 넌 어디에서 왔니?
여 나는 케냐에서 왔어.
③ 남 너 뭐 하고 있니?
여 기말고사 공부를 하고 있어.
④ 남 안녕하세요. Kevin과 통화할 수 있을까요?
여 전화거신 분은 누구시죠?
⑤ 남 네가 가장 좋아하는 과목이 뭐니?
여 과학이야.

해설
무슨 요일이냐고 물었으므로 1월 10일이라고 대답하는 것은 어색하다.

어휘
final 기말고사 / speak to ~와 이야기를 하다 / subject 과목 / science 과학

13 ③

해석
여 안녕하세요. 스프링힐의 날씨입니다. 오늘 아침에는 아직 약한 비가 내리는데요. 하지만 정오쯤에 비가 그치겠습니다. 남은 하루 동안에는 날씨가 맑고 화창하겠습니다. 하지만, 내일은 다시 비가 오겠습니다.

해설
오늘 아침에는 비가 오지만 정오쯤 비가 그치고 그 이후에는 화창하다고 했다.

어휘
weather 날씨 / light 약한, 가벼운 / clear (비, 안개가) 걷히다 / around ~쯤 / noon 정오, 한낮 / rest 나머지 / fine 맑은, 화창한

14 ⑤

해석
남 엄마, 숙제를 방금 끝냈어요. 컴퓨터를 해도 되나요?
여 지금은 안 돼.
남 왜요?
여 네 형이 컴퓨터로 숙제를 하고 있어.
남 알겠어요. 그럼 형이 끝날 때까지 밖에서 놀게요.

해설
남자의 형이 컴퓨터로 숙제를 하고 있어서 남자는 컴퓨터를 사용할 수 없다.

어휘
just 막, 방금 / finish 끝내다 / play on ~을 이용하다 / do one's homework 숙제를 하다 / play outside 밖에서 놀다

15 ①

해석
여 영화가 정말 감동적이었어. 너는 어땠어?
남 잘 모르겠어. 나는 슬픈 영화는 안 좋아해.
여 정말? 나는 울음을 멈출 수가 없었어.
남 나는 잠이 들었어. 눈을 뜨고 있을 수가 없었어.

해설
남자는 슬픈 영화를 좋아하지 않고, 영화를 보는 동안 잠이 들었으므로 지루했음을 알 수 있다.

어휘
touching 감동적인 / sure 확실한 / stop ~을 멈추다 / cry 울다 / fall asleep 잠들다 / open one's eyes 눈을 뜨다

16 ②

해석
남 Amanda, 무엇을 하고 있니?
여 Tina의 생일 파티에 가려고 준비하고 있어.

남 몇 시까지 가야 하는데?
여 열두 시. 여기에서 11시 정각에 떠나야 해.
남 음, 10분 남았는데.
여 괜찮아. 준비가 거의 다 됐거든.

해설
여자는 11시 정각에 집에서 떠나야 하고, 11시까지 10분이 남았으므로 현재 시각은 10시 50분이다.

어휘
get ready for ~에 대해 준비하다 / should ~해야 하다 / leave 떠나다, 출발하다 / to go 남아 있는 / nearly 거의 / ready 준비가 된

17 ②

해석
여 중앙 도서관에 가는 가장 좋은 방법이 무엇인가요?
남 가장 좋은 방법은 지하철을 타는 것이죠.
여 걸어가는 건 어때요?
남 걸어가기에는 조금 멀어요.
여 그러면 당신의 충고를 받아들여야겠네요. 고마워요.

해설
여자는 지하철을 타고 가라는 남자의 제안을 받아들이기로 했다.

어휘
subway 지하철 / a little 약간 / too 너무 / far 거리가 먼 / advice 충고, 조언

18 ⑤

해석
남 애완견에게 무슨 문제가 있나요?
여 잘 모르겠는데, 다리를 약간 절어요.
남 엑스레이를 찍어 볼게요.
여 그렇게 해 주세요. 아파 보여요. 제발 도와주세요.
남 걱정하지 마세요. 아픈 애완동물을 돌보는 것이 제 일이랍니다.

해설
여자는 아픈 강아지의 주인이고, 남자는 아픈 애완동물을 돌보는 것이 직업인 수의사이다.

어휘
happen 일어나다, 발생하다 / sure 확실한 / limp 발을 절다 / slightly 살짝, 약간 / take an X-ray 엑스레이 촬영을 하다 / in pain 아픈 / take care of ~을 돌보다 / sick 아픈 / pet 애완동물

19 ②

해석
여 이 스마트폰 케이스는 얼마인가요?
남 검은색이요? 28달러입니다.
여 와! 너무 비싸네요.
남 이것들은 좀 더 싸요.
여 아, 좋아요. 저 초록색이 마음에 들어요. 얼마죠?
남 9달러 90센트예요.
여 그걸로 할게요.

해설
물건이 마음에 들고 가격이 적절하다면 그걸 사겠다고 하는 것이 자연스럽다.
① 나는 그것을 읽었어요. ③ 그건 너무 작아요. ④ 나는 그것을 좋아하지 않아요. ⑤ 나는 시간이 충분하지 않아요.

어휘
case 케이스, 통, 주머니 / expensive 비싼 / cheap 싼 / take ~을 선택하다, 사다 / enough 충분한

20 ⑤

해석
남 무슨 일이야?
여 내 강아지를 찾을 수가 없어!
남 무슨 종인데?
여 하얀 작은 몰티즈야.
남 강아지 찾는 걸 내가 도와줄게. 걱정 마.
여 고마워. 넌 정말 친절하구나.

해설
강아지를 잃어버린 여자에게 걱정 말라며 강아지를 찾는 것을 도와주겠다고 했으므로 고맙다는 응답이 가장 적절하다.
① 그것은 너를 위한 거야. ② 나는 그렇게 생각하지 않아. ③ 천만에. ④ 유감이야. 정말 안됐다.

어휘
problem 문제 / find ~을 찾다 / kind 종류 / little 작은, 어린 / worry 걱정하다

Dictation

p.84~87

1 ride to school / Let's go for a ride
2 like swimming / read a book until noon
3 looks really scary / have to study
4 It's not far / Turn right at the second corner
5 I'm looking for / it smells good / I'll take two
6 in my second year / four people in my family / playing tennis
7 good to see you / majored in
8 give me a hand / wash the dishes
9 Attention, students / Wash your hands / Let's fight the flu
10 have wings and feathers / like warm or sunny weather
11 I think we are lost / be late for the movie / Let's hurry up
12 Where are you from / Could I speak to
13 still have some light rain / For the rest of the day
14 Can I play on the computer / play outside
15 don't like sad movies / fell asleep
16 I'm getting ready for / should leave / I'm nearly ready

17 by subway / too far to walk

18 he's limping slightly / take care of sick pets

19 That's too expensive / How much is it

20 What's the problem / I'll help you find her

11회 영어듣기 모의고사 p.88~91

01 ②	02 ④	03 ①	04 ③	05 ⑤
06 ③	07 ①	08 ①	09 ⑤	10 ④
11 ④	12 ⑤	13 ③	14 ②	15 ③
16 ①	17 ⑤	18 ⑤	19 ⑤	20 ④

1 ②

해석

남 우리는 이것을 머리를 말릴 때 사용한다. 이것은 버튼이 달린 손잡이가 있다. 우리는 이 버튼을 사용해서 이것을 끄고 켠다. 우리는 이것을 사용할 때 이것이 매우 뜨거울 수 있으므로 조심해야 한다.

해설

머리를 말릴 때 사용하고, 뜨거울 수 있어서 조심해야 하는 것은 헤어드라이어이다.

어휘

dry ~을 말리다 / handle 손잡이 / button 단추, 버튼 / turn on ~을 켜다 / turn off ~을 끄다 / careful 조심성 있는, 주의 깊은

2 ④

해석

남 너 그 소식 들었어?
여 무슨 소식?
남 Bob 삼촌의 결혼 말이야.
여 정말? 삼촌이 결혼해? 누구랑?
남 학교에서 만난 사람이래.
여 너는 그녀를 만나 봤어?
남 아니, 오늘 삼촌이 그녀와 함께 우리 가족을 만나러 올 거야.

해설

두 사람은 삼촌의 결혼에 대해 이야기를 나누고 있다.

어휘

hear ~을 듣다 / news 소식 / wedding 결혼, 결혼식 / get married 결혼하다

3 ①

해석

여 오늘과 내일의 날씨를 알려드리겠습니다. 오늘밤은 따뜻하겠습니다. 하지만, 동쪽에서 폭풍이 오고 있습니다. 그러므로 내일 아침에는 거센 비가 내리며 번개가 치겠습니다. 비는 오후에 갤 예정이고 맑게 갠 하늘을 볼 수 있게 될 것입니다. 감사합니다. 그리고 좋은 저녁 되시기 바랍니다.

해설

내일 아침에는 거센 비가 내리고 번개가 친다고 했다.

어휘

storm 폭풍(우) / east 동쪽 / heavy 맹렬한, 강한 / finally 마침내, 결국 / clear 맑은

4 ③

해석

남 너 주말이 기대되니?
여 네, 아빠. 우리 무엇을 할 건가요?
남 클리어호수에 있는 오두막에 갈 거란다.
여 신 난다! 제 친구 Beth를 초대해도 될까요? Beth는 제일 친한 친구예요.
남 그럼, 그렇게 해도 된다.

해설

친구를 초대해도 되느냐는 여자의 말에 그렇게 해도 된다고 답하는 것은 허락의 의미이다.

어휘

be excited about ~에 대해 신이 나다 / cabin 오두막 / lake 호수 / invite ~을 초대하다 / may ~해도 좋다, 되다

5 ⑤

해석

남 아빠가 나에게 아침 식사로 토스트와 달걀을 요리해 주셨다. 나는 학교에서 점심으로 밥과 채소를 먹었다. 방과 후에 나는 집에 돌아왔다. 어머니께서 저녁으로 스파게티를 만들어 주셨다. 나는 오늘 디저트로 바나나 두 개도 먹었다.

해설

만두를 먹었다는 언급은 없다.

어휘

toast 토스트 / rice 밥, 쌀 / vegetable 채소 / after school 방과 후에 / come back 돌아오다 / spaghetti 스파게티 / dessert 후식

6 ③

해석

여 너 토요일에 학교 축제에 갈 거니?
남 물론이지! 축제가 언제 시작하지?
여 아침 10시에 시작해.
남 우리 집에서 만나서 같이 갈래?
여 그래. 아홉 시가 어때?

남 조금 이른 것 같아. 9시 40분에 보자. 축제 시작 20분 전, 알겠지?

해설

두 사람은 축제 시작 20분 전인 9시 40분에 만나기로 했다.

어휘

fair 축제 / start 시작하다 / go together 함께 가다 / how about ~? ~은 어때? / a bit 조금 / early 이른 / before ~ 전에

7 ①

해석

남 엄마, 배가 고파요.
여 조금만 기다리렴. 저녁이 거의 되었단다.
남 아빠는 언제 오세요?
여 10분 후에 집에 도착하신다고 전화 왔었단다.
남 잘 됐네요. 도와 드릴까요?
여 괜찮다. 카레 밥을 만들었단다. 저녁 먹기 전에 가서 손을 씻고 오렴.
남 알겠어요, 엄마.

해설

여자는 남자에게 저녁을 먹기 전에 손을 씻고 오라고 했다.

어휘

a little 약간 / almost 거의 / ready 준비가 된 / call 전화를 걸다 / curry 카레 / rice 밥, 쌀 / wash one's hands 손을 씻다

8 ①

해석

여 네 영어 성적이 정말 나아지고 있구나.
남 그렇게 생각하세요? 요새는 더 자주 공부해요.
여 네가 자랑스럽구나. 넌 정말 착한 아이야.
남 엄마가 기뻐하시니 정말 좋아요, 엄마.

해설

여자는 아들의 성적이 올라 기뻐하고 있다.
① 기쁜 ② 지루한 ③ 화가 난 ④ 재미있는 ⑤ 무서운

어휘

improve 개선하다, 나아지다 / often 자주 / be proud of ~을 자랑으로 여기다 / such 매우, 대단히 / pleased 기쁜

9 ⑤

해석

여 어디 가니?
남 도서관에 가는 중이야.
여 그 책들 무거워 보인다. 도와줄까?
남 괜찮아. 그런데 역사 보고서는 제출했니?
여 아니, 아직. 너는?
남 나도. 나를 위해 역사 보고서를 좀 제출해 줄래?
여 물론이지. 내가 네 것과 내 것을 같이 제출할게.

해설

여자는 남자를 위해서 역사 보고서를 제출해 줄 것이다.

어휘

look ~해 보이다 / need ~을 필요로 하다 / hand in ~을 제출하다 / would you mind+-ing ~? 해 줄래요? / Not at all. 전혀 아니다. / hand in ~을 제출하다

10 ④

해석

[휴대 전화가 울린다.]
여 여보세요.
남 안녕, Jessica. 우리 약속이 이번 금요일 6시 정각, 맞지?
여 맞아.
남 미안하지만 그때까지 가지 못할 것 같아서.
여 그럼, 몇 시면 될 것 같니?
남 7시 반까지는 그곳에 갈 수 있을 것 같아. 대신 저녁은 내가 살게.
여 알겠어. 그때 봐.

해설

남자는 약속 시간을 변경하기 위해서 전화를 했다.

어휘

appointment 약속 / make it 시간에 맞게 가다, 성공하다, 해내다 / treat ~을 대접하다 / instead 대신에

11 ④

해석

남 콜라 큰 컵 두 잔과 패밀리 사이즈 팝콘 하나 주세요.
여 음료는 10달러이고, 팝콘은 9달러입니다.
남 와! 콜라 큰 컵 하나에 5달러인가요?
여 중간 사이즈 콜라는 3달러 50센트예요.
남 그럼 대신에 중간 사이즈 콜라로 두 개 할게요.
여 콜라가 7달러, 팝콘이 9달러입니다.
남 여기 있어요.

해설

남자는 콜라 두 잔(7달러)과 팝콘(9달러) 하나를 샀으므로 총 16달러를 내야 한다.

어휘

Coke 콜라 / family-sized 패밀리 사이즈의, 대형의 / popcorn 팝콘 / medium 중간 크기의 / instead 대신에

12 ⑤

해석

여 여기 있었구나. 종일 너한테 전화했었어.
남 미안, 무슨 일이야?
여 할머니께서 교통사고를 당하셨어.
남 말도 안 돼! 할머니께서는 어디에 계셔? 괜찮으셔?
여 병원에 계셔. 하지만 괜찮으셔. 우리가 할머니를 모시러 가야 해.

해설

여자는 할머니께서 교통사고를 당하셔서 남자에게 전화를 했었다.

어휘
try to+동사원형 ~하려고 노력하다 / call 통화하다, 전화하다 / all day 온종일 / car accident 교통사고 / hospital 병원 / pick A up A를 태우러 가다, 데리러 가다

13 ③

해석

남 Gold Hill에 오신 것을 환영합니다. 여기 무료 지도예요.

여 고맙습니다. 저에게 숙소를 추천해 주시겠어요?

남 Golden Saloon이 배낭 여행객에게 인기가 좋아요.

여 거기에 가는 가장 좋은 방법이 무엇이죠?

남 관광 셔틀버스예요. 매 시간 여기에서 출발해요.

해설

여행 온 관광객에게 지도를 제공하고, 숙소와 교통 정보를 제공하는 사람은 안내소 직원이다.

어휘

free 공짜의 / map 지도 / recommend 추천하다 / hostel 호스텔(값이 싼 숙박 시설) / be popular with ~에게 인기가 있다 / backpacker 배낭 여행자 / tourist 관광객 / shuttle bus 셔틀버스 / leave 출발하다, 떠나다 / every ~마다

14 ②

해석

여 아빠, 저녁 준비하는 거 도와 드릴까요?

남 괜찮다. 혼자 할 수 있단다.

여 저에게 여유 시간이 좀 있어요. 아빠를 위해 해 드릴 것이 있나요?

남 나를 위해 세차를 해 주겠니?

여 물론이죠. 바로 할게요.

해설

남자가 여자에게 세차를 해 달라고 부탁했다.

어휘

prepare for ~을 준비하다 / by oneself 혼자서, 스스로 / free 한가한, 자유로운 / wash one's car 세차하다 / right away 곧바로, 즉시

15 ③

해석

[휴대 전화가 울린다.]

여 여보세요?

남 안녕, Rachel. 너 어디니?

여 집이야. 파티에 가려고 옷을 입고 있어.

남 수업이 방금 끝났어. 데리러 갈까?

여 아니야, 그럴 필요 없어. 엄마가 지하철역에서 내려 주실 거야. 거기서 보자.

남 알았어. 거기에서 보자.

해설

여자의 엄마가 여자를 지하철역에 내려 줄 것이고, 남자와 여자는 지하철역에서 보기로 했다.

어휘

get dressed 옷을 입다 / pick up ~을 (차로) 태우다 / don't have to ~할 필요 없다 / drop off ~을 (도중에 차에서) 내려 주다 / station 역

16 ①

해석

여 수업에 필요한 책을 모두 샀니?

남 응, 영어 문법책만 빼고.

여 왜?

남 모두 다 팔렸더라.

여 다음 주에 필요하지 않아?

남 아니. 다음 달까지는 정말 필요한 건 아니야. 그리고 책이 들어오면 전화해 줄 거야.

해설

책이 품절되어서 구매할 수 없었다.

어휘

course 수업 / except for ~를 제외하고 / grammar 문법 / copy (책) 한 권 / sold out 다 팔린, 품절된

17 ⑤

해석

여 안녕, Finn. 휴가는 어땠어?

남 별로 한 게 없어. 넌? 너 몸이 아주 좋아 보인다.

여 고마워. 나는 체육관에 많이 갔었어.

남 잘했구나. 역기를 드는 운동을 했니?

여 응. 나는 수영 수업도 들었어.

해설

여자는 휴가 동안 체육관에 다니고, 수영을 했다고 했다.

어휘

holiday 방학, 휴가 / fit 건강한, 탄탄한 / gym 체육관 / lift ~을 들어 올리다 / weight 역기, 웨이트

18 ⑤

해석

① 남 누가 John의 가장 친한 친구니?
여 나는 Danny라고 생각해.

② 남 너 설거지했니?
여 응, 몇 분 전에.

③ 남 엄마, 바쁘세요?
여 별로. 도움이 필요하니?

④ 남 여름휴가에 어디에 갔었어?
여 우리는 파리에 갔었어.

⑤ 남 금요일에 댄스파티에 갈래?
여 나는 춤추는 것을 가장 좋아해.

해설

댄스파티에 가겠느냐고 물었는데, 춤추는 것을 가장 좋아한다는 대답은 어색하다.

어휘
wash the dishes 설거지를 하다 / a few 약간의 / need ~이 필요하다 / Paris 파리 / would like to+동사원형 ~하고 싶다

19 ⑤

해석
여 너 왜 그렇게 슬퍼 보이니?
남 방금 시험 결과를 받았거든. D를 받았어.
여 너 영어 시험은 쉬웠다고 했잖아.
남 그랬지. 영어에서는 A를 받았어. D는 수학 점수야.
여 걱정 마. 다음번에는 더 잘할 거야.

해설
시험을 망쳐 속상해하고 있으므로 걱정하지 말라고 위로해 주는 것이 가장 적절하다.
① 너는 정말 친절하구나. ② 잘 됐다. ③ 나는 시험공부를 해야 해. ④ 잘 했어! 나는 네가 해 낼 줄 알았어.

어휘
look ~해 보이다 / sad 슬픈 / result 결과 / easy 쉬운 / worry 걱정하다

20 ④

해석
[휴대 전화가 울린다.]
여 안녕, James. 너 오늘 오니?
남 물론. 지금 출발해.
여 열차가 언제 도착해?
남 네 시에. 너희 집에 여섯 시쯤에 도착할 거야.
여 나는 그때 아직 근무 중일 거야.
남 아. 그럼 열쇠를 어떻게 받지?
여 우편함에 넣어 둘게.

해설
남자가 열쇠를 어떻게 받느냐고 물었으므로 우편함에 넣어 두겠다는 응답이 가장 적절하다.
① 내가 열쇠를 줄게. ② 나는 종일 집에 있을 거야. ③ 나는 네 시에 너를 만날 거야. ⑤ 나는 너를 다음 주말에 만날 거야.

어휘
leave 떠나다, 출발하다 / arrive 도착하다 / around ~쯤 / at work 근무 중인 / key 열쇠 / all day 온종일 / put ~을 놓다, 두다 / mailbox 우편함

Dictation

p.92~95

1 dry our hair / be very hot
2 Did you hear the news / He's getting married / come to see our family
3 warm tonight / heavy rain and lightning
4 Are you excited about / Can I invite
5 rice and vegetables / for dessert
6 What time does it start / That's a bit early
7 Dinner is almost ready / Go and wash your hands
8 really improving / I'm so happy
9 Do you need help / I'll hand in yours
10 Our appointment / what time can you make it
11 ten dollars for the drinks / two medium Cokes instead
12 tried to call you / She's at the hospital
13 a free map / The tourist shuttle bus
14 do you need some help / wash my car
15 Where are you / drop me off at the subway station
16 except for / I don't really need it
17 You look really fit / took a swimming class
18 wash the dishes / Do you need some help / Would you like to go
19 look so sad / English test was easy / for math
20 What time does your train arrive / get the key

12회 영어듣기 모의고사

p.96~99

01 ④	02 ①	03 ①	04 ②	05 ⑤
06 ③	07 ①	08 ③	09 ③	10 ②
11 ④	12 ④	13 ②	14 ⑤	15 ⑤
16 ①	17 ④	18 ②	19 ②	20 ③

1 ④

해석
남 나는 커다란 동물이다. 네 개의 강한 다리를 가지고 있고, 등에 혹이 있다. 나는 사막에 산다. 나는 종종 사막에서 사람이나 물건을 나르는 데 이용된다. 나는 무엇일까?

해설
등에 혹이 있고, 사막에 살면서 사람이나 물건을 나르는 데 이용되는 동물은 낙타이다.

어휘
strong 강한, 튼튼한 / hump 혹, 언덕 / back 등, 뒤 / desert 사막 / use ~을 사용하다 / carry ~을 나르다

2 ①

해석
여 안녕하세요. Tiny Town의 날씨입니다. 오늘 밤에는 기온이 따뜻하겠습니다. 하지만 바람이 아주 강하게 불겠습니다. 내일 아침에는 구름이

끼겠지만, 오후에는 맑고 따뜻하겠습니다. 고맙습니다.

해설
오늘 밤에는 바람이 강하게 불 것이라고 했다.

어휘
weather 날씨 / temperature 기온, 온도 / windy 바람이 부는 / cloudy 구름이 낀

3 ①

해석
남 봐요, 엄마. 아이들이 축구를 하고 있어요. 저 아이들은 우리 학교에 다녀요.
여 그러니? 저 아이들은 우리 동네에 사는 것 같구나.
남 저 아이들과 친구가 되고 싶어요. 저 아이들과 함께 축구를 해도 돼요?
여 물론이지. 왜 안 되겠니?

해설
아이들과 축구를 해도 되느냐는 물음에 물론 된다고 답하는 것은 허락의 의미이다.

어휘
soccer 축구 / probably 아마 / be friends with ~와 친구가 되다

4 ②

해석
남 안녕, 내 이름은 Jason Goss야. 나는 독일에서 태어났어. 우리 아빠는 군인이야. 우리 엄마는 선생님이야. 나는 11살이야. 내가 어른이 되면 나도 군대에 가고 싶어. 나는 꼭 아빠처럼 될 거야.

해설
남자가 태어난 곳에 대한 언급은 있지만 사는 곳에 대한 언급은 없다.

어휘
be born 태어나다 / Germany 독일 / army 군대 / grow up 자라다, 성장하다 / join the army 입대하다 / just like 꼭 ~처럼

5 ⑤

해석
남 오늘 밤 우리 집에서 텔레비전 볼래?
여 좋아. 무엇을 상영하는데?
남 월드컵 첫 경기야. 8시 30분에 시작해.
여 그러면, 내가 집에서 7시 30분에 출발할게. 경기 시작 20분 전에 도착할거야. 알겠지?

해설
두 사람이 보려고 하는 월드컵 첫 경기는 8시 30분에 시작할 것이다.

어휘
tonight 오늘 밤 / be on 상영하다 / match 경기 / start 시작하다; 시작 / leave 떠나다, 출발하다

6 ③

해석
남 너 주말에 계획 있니?
여 나는 아빠랑 같이 자전거를 타러 갈 거야.
남 나도 정말 타고 싶다. 같이 가도 될까?
여 아빠께 물어볼게. 분명 된다고 하실 거야.

해설
여자는 아빠와 자전거를 타러 갈 것이다.

어휘
plan 계획 / ride a bike 자전거를 타다 / would love to+동사원형 매우 ~하고 싶다 / ask ~에게[~을] 물어보다

7 ①

해석
남 나는 유명한 헤어 디자이너가 되고 싶어. 너는?
여 나는 과학 선생님이 될 거야. 생물이 내가 제일 좋아하는 과목이야.
남 과학자가 되는 건 어때?
여 그것도 가능하지. 그렇지만 나는 학생을 가르치고 싶어.

해설
여자는 과학자보다는 학생을 가르치는 과학 선생님이 되고 싶다고 했다.

어휘
famous 유명한 / hair stylist 헤어 디자이너 / science 과학 / biology 생물, 생물학 / subject 과목 / scientist 과학자 / possible 가능한 / teach ~을 가르치다

8 ③

해석
남 실례합니다. Tiffany Wilson 아닌가요?
여 네. 제가 당신을 아나요?
남 나야. 링컨 초등학교의 Justin Tyson.
여 아, Justin. 정말 반갑다! 널 만나서 기뻐.
남 나도.

해설
여자는 초등학교 친구를 만나서 반가워하고 있음을 알 수 있다.

어휘
elementary school 초등학교 / What a nice surprise! 어머나! 뜻밖에 기쁜 소식이구나!

9 ③

해석
여 오늘 날씨가 좋다.
남 강가에 점심 먹으러 소풍 가는 게 어때?
여 좋은 생각이야. 강아지들도 데리고 갈까?
남 그래. 강아지를 산책시킬 수도 있겠다. 강아지들 장난감을 가져갈게.
여 공원에서 강아지들이랑 노는 건 재미있어.

해설

두 사람은 강아지를 데리고 소풍을 가기로 했다.

어휘

bring ~을 데리고 가다 / walk the dog 개를 산책시키다 / toy 장난감 / play with ~와 같이 놀다

10 ②

해석

남 이번 해는 아주 추울 거야.
여 알아. 모든 노숙자들에 대해 안타까움을 느껴.
남 우리가 도울 수 있어. 봉사 활동을 할 수 있을 거야.
여 좋은 생각인데. 시내에 자원 봉사 단체가 몇 개 있어.
남 인터넷으로 찾아보자.

해설

두 사람은 노숙자를 위한 봉사 활동에 대해 이야기하고 있다.

어휘

feel sorry for ~을 가엾게 여기다, 안타깝다 / homeless 노숙자(의) / volunteer 자원봉사를 하다 / search for ~을 찾다 / on the Internet 인터넷으로

11 ④

해석

남 너 스트레스를 받는 것 같아. 무슨 일이 있니?
여 차가 너무 막혔어. 여기 오는 데 한 시간이 걸렸어.
남 너 버스나 택시를 탔니?
여 둘 다 아니야. 차를 운전해서 왔어. 그게 빠를 거라고 생각했거든.
남 자전거를 타는 게 최고야. 나는 자전거를 타고 다녀. 너도 그렇게 해 봐.

해설

남자는 여자에게 자전거를 타 보라고 제안하고 있다.

어휘

stressed 스트레스를 받는 / traffic 교통 (상황) / terrible 끔찍한, 엄청난 / take ~의 시간이 걸리다 / neither 어느 쪽도 아니다 / drive 운전하다 / quick 빠른 / ride a bike 자전거를 타다

12 ④

해석

남 전화 안 해서 미안해.
여 왜 전화를 안 한 거야? 온종일 기다렸어.
남 전화하려고 했지만 학교에서 전화기를 찾을 수가 없었어.
여 집에 전화기를 놓고 왔다는 말이야?
남 응. 지금 막 집에 왔어. 정말 미안해.

해설

남자는 집에 전화기를 놓고 와서 여자에게 전화할 수 없었다.

어휘

call ~에게 전화하다 / wait 기다리다 / all day 온종일 / try 노력하다, 시도하다 / mean 의미하다 / leave ~을 남겨 두다

13 ②

해석

남 제안서를 읽어 보셨나요, Carson 씨?
여 네. 좋아 보이네요. 이 제안서에 대해 발표해 보겠어요?
남 그럴게요. 기회를 주셔서 고맙습니다.
여 고마워할 필요 없어요. 당신의 아이디어이니까요.
남 최선을 다할게요.
여 당신은 잘 할 거예요. 당신은 훌륭한 직원이니까요.

해설

제안서를 검토한 여자는 직장 상사, 제안서를 작성한 남자는 부하 직원임을 알 수 있다.

어휘

proposal 제안(서) / make a presentation 발표하다 / opportunity 기회 / Don't mention it. 별 말씀을요. 천만에요. / do one's best 최선을 다하다 / worker 직원, 근로자, 일하는 사람

14 ⑤

해석

여 실례합니다. 박물관이 어디에 있는지 아시나요?
남 박물관이요? 앞으로 쭉 가세요.
여 박물관이 스프링거리에 있나요?
남 네. 스프링거리에서 오른쪽으로 도세요. 박물관은 오른쪽에 있을 거예요.
여 네, 고맙습니다.
남 찾기 쉬울 거예요. 휴대 전화 가게 옆에 있어요.
여 감사합니다!

해설

스프링거리에서 오른쪽으로 돈 후, 휴대 전화 가게 옆에 있는 것이 박물관이다.

어휘

museum 박물관 / straight 곧장 / ahead 앞에, 앞으로 / turn right 오른쪽으로 돌다 / miss 놓치다 / next to ~ 옆에 / cell phone 휴대 전화

15 ⑤

해석

여 Sam, 무슨 일이니?
남 제 축구 유니폼이 더러운데 내일 입어야 해요.
여 그럼 빨아서 말리렴.
남 그러고 싶지만, 내일 시험이 있어요. 저를 위해서 세탁을 해 주실래요?
여 물론이지. 가서 공부해.
남 정말 고마워요, 엄마.

해설

남자는 여자에게 축구 유니폼을 빨아 달라고 부탁했다.

어휘

uniform 유니폼 / dirty 더러운 / need ~을 필요로 하다 / dry ~을 말리다

16 ①

해석

여 디저트 만드는 걸 도와줄까?
남 아니, 괜찮아. 그런데 나 슈퍼마켓에 가야 해.
여 왜? 뭐가 필요한데?
남 요리법에 썰어 놓은 사과 두 컵이라고 나와 있어.
여 우리에게 배가 있어. 대신 그걸 쓰면 어때?
남 그건 생각하지 못했어. 고마워.

해설

여자는 남자에게 사과 대신 배를 쓰라고 제안했다.

어휘

dessert 디저트 / recipe 요리법 / slice 얇은 조각 / pear 배 / instead 대신에 / think of ~을 생각하다

17 ④

해석

① 남 네가 가장 좋아하는 카페가 어디니?
여 나는 Café Jazz를 가장 좋아해.
② 남 당신은 은행에서 일하시나요?
여 아뇨, 그렇지만 저희 언니가 은행에서 일해요.
③ 남 이 근처에 버스 정류장이 있나요?
여 네. 모퉁이에 있어요.
④ 남 당신은 병원에 가 봐야 하나요?
여 네. 당신은 지금 진료를 받으실 수 있어요.
⑤ 남 우체국이 언제 문을 여나요?
여 제 생각에는 오전 10시에 여는 것 같아요.

해설

병원에 가야 하느냐고 물었는데, 상대방이 진료를 받을 수 있다는 대답은 어색하다.

어휘

bus stop 버스 정류장 / see a doctor 진료를 받다 / post office 우체국

18 ②

해석

남 다 왔습니다. 여기가 첼시거리예요.
여 고마워요. 여기에 세워 주세요.
남 알겠습니다. 요금은 5달러 60센트입니다.
여 여기 6달러예요. 잔돈은 가지세요.
남 잠시만요! 아직 문을 열지 마세요! 오토바이가 오고 있어요.

해설

여자가 목적지에 도착하여 요금을 지불하고 내리는 것으로 보아 여자는 손님, 남자는 택시 기사임을 알 수 있다.

어휘

Here we are. 도착했다. 다 왔다. / let A out A를 나가게 하다 / keep 가지다, 보유하다 / change 잔돈 / yet 아직 / motorbike 오토바이

19 ②

해석

남 너 「오페라의 유령」 봤니?
여 아니, 하지만 항상 보고 싶었어.
남 나에게 오늘 밤 「오페라의 유령」 공연 티켓이 두 장 있어. 같이 가자!
여 어떻게 내가 거절을 하겠니?

해설

여자가 보고 싶어 하는 오페라 공연을 보러 가자고 했으므로 승낙을 의미하는 "어떻게 내가 거절을 하겠니?"라는 응답이 가장 자연스럽다.
① 사실, 아니야. ③ 언제 갔었어? ④ 아마 둘이면 충분할 거야. ⑤ 5월 마지막 주야.

어휘

opera 오페라 / free 무료의, 자유로운 / actually 사실 / refuse 거절하다 / enough 충분한 / last 마지막의

20 ③

해석

남 너 주말에 무엇을 했니?
여 아빠가 호수 낚시에 우리를 데려가셨어.
남 물고기를 잡았니?
여 응, 하지만 풀어 줬어.

해설

물고기를 잡았느냐고 물었으므로 잡았지만 풀어 줬다는 말이 가장 적절한 응답이다.
① 아니, 그들은 수영할 줄 몰라. ② 여기에서 너무 멀어. ④ 그곳에 다시는 가지 않을 거야. ⑤ 생선은 건강에 좋아.

어휘

take ~을 데려가다 / fishing 낚시 / lake 호수 / catch fish 낚시하다 / far 먼 / let A go A를 풀어 주다, 보내 주다

Dictation

p.100~103

1 humps on my back / carrying people and things
2 very windy / sunny and warm
3 They go to my school / be friends with them / Why not
4 was born in / join the army
5 What's on / leave my house at 7:30
6 Do you have any plans / Can I come
7 want to be a science teacher / want to teach students
8 Do I know you / What a nice surprise
9 How about a picnic lunch / play with the dogs
10 all the homeless people / search for them
11 You look stressed / drove my car / You should try it
12 couldn't find my phone / I just got home
13 make a presentation / do my best

14 where the museum is / on your right
15 wash and dry it / Go and study
16 making dessert / What do you need / use them instead
17 work at the bank / at the corner / What time
18 Here we are / Keep the change
19 wanted to see it / Come with me
20 on the weekend / catch any fish

13회 영어듣기 모의고사 p.104~107

01 ③	02 ④	03 ⑤	04 ①	05 ④
06 ④	07 ①	08 ③	09 ②	10 ②
11 ②	12 ②	13 ⑤	14 ⑤	15 ①
16 ③	17 ③	18 ③	19 ③	20 ⑤

1 ③

해석

여 이것은 정확한 온도를 보여 준다. 이것은 유리로 만들어져 있고, 이 유리 안에는 액체가 들어 있다. 이 액체는 붉은 색이다. 더우면 이 액체가 올라가고, 추우면 이 액체가 내려간다.

해설

온도를 알려 주고, 유리관 안에 붉은 수은이 들어 있어 기온에 따라 올라갔다 내려갔다 하는 것은 온도계이다.

어휘

show 보여 주다 / exact 정확한 / temperature 기온, 온도 / be made of ~로 만들어지다 / glass 유리 / liquid 액체 / move up 위로 올라가다 / move down 아래로 내려가다

2 ④

해석

여 Jake, 전등을 밤새 켜 두었구나.
남 제가요? 죄송해요.
여 환경을 보호하고 싶다고 하지 않았니?
남 노력하고 있어요, 엄마.
여 어떻게?
남 엄마도 알다시피, 학교에 자전거를 타고 가요. 그리고 모든 것을 재활용하려고 노력 중이고요.

해설

환경을 보호하기 위한 노력에 관해 이야기하고 있다.

어휘

leave ~인 채로 두다 / light 불, 전등 / all night 밤새도록 / go green 환경을 보호하다, 친환경적이 되다 / ride ~을 타다 / recycle ~을 재활용하다

3 ⑤

해석

남 오늘의 날씨의 Tom Bennett입니다. 밤새 비가 조금 내렸지만 오늘 아침에는 맑고 화창합니다. 따뜻한 날씨는 오후까지 이어지겠습니다. 폭풍이 서쪽에서 발달하고 있어 오후 6시 이후에는 번개가 치고, 강한 바람이 불며 거센 비가 내리겠습니다.

해설

오후 여섯 시 이후에는 폭풍이 몰아친다고 말했다.

어휘

overnight 밤사이에 / continue 계속하다 / storm 폭풍 / develop 발달하다, 개발하다 / lightning 번개

4 ①

해석

남 Maria, 너 그 소식을 들었니?
여 무슨 소식이요, 선생님?
남 네가 국제 단편 수필 대회에서 상을 받았단다.
여 맙소사! 사실일 리가 없어요! 믿을 수가 없어요!
남 축하한다! 선생님은 정말 기쁘구나.

해설

여자가 국제 단편 수필 대회에서 상을 받아서 남자가 축하해 주고 있다.

어휘

hear ~을 듣다 / get a prize 상을 받다 / national 국제의, 국제적인 / true 사실의, 진실의 / believe ~을 믿다 / congratulation 축하, 경축

5 ④

해석

여 안녕, 얘들아. 내 이름은 Erin Richie야. 나는 열세 살이야. 나는 Texas에서 태어났어. 우리 부모님은 두 분 모두 정유 회사의 엔지니어셔. 나는 언니가 두 명 있지만, 남자 형제는 없어. 나는 말을 타는 것과 호수에서 수영하는 것을 좋아해.

해설

여자의 장래 희망에 대한 언급은 없다.

어휘

be born 태어나다 / both of ~ 둘 다 / engineer 엔지니어 / oil company 정유 회사 / ride ~을 타다 / lake 호수

6 ④

해석

남 지금이 몇 시지?
여 오후 3시야. 왜?
남 야구 경기가 5시에 시작하잖아.

여 맞다. 몇 시까지 도착해야 해?
남 4시 반까지 그곳에 도착해야 해. 그러니까 4시에 출발하는 게 어때?
여 알았어. 거기까지 삼십 분 걸려. 늦지 않을 거야.

해설

야구 경기가 5시에 시작하기 때문에 4시 반까지 도착해야 한다고 했다.

어휘

baseball 야구 / start 시작하다 / have to ~해야 하다 / leave 떠나다, 출발하다 / take+시간 ~이 걸리다

7 ①

해석

[전화벨이 울린다.]
남 여보세요?
여 안녕, 나 Katie야. 너 오늘 농구 할래?
남 아니, 오늘은 말고. 농구하고 싶지 않아.
여 그럼, 외식할래? 내가 저녁 사 줄게.
남 좋아! 그럼 디저트는 내가 살게.

해설

두 사람은 나가서 저녁을 먹기로 했다.

어휘

basketball 농구 / feel like -ing ~하고 싶다 / eat out 외식하다 / dessert 후식 / on (음식의 값이) ~의 부담으로, 에게 달려 있는

8 ③

해석

남 네 프랑스 어 시험이 오늘이구나. 기분이 어떠니?
여 식은 죽 먹기일 것 같아요, 아빠.
남 정말? 왜 그렇게 생각하니?
여 연습 시험에서 백 점 맞았거든요. 그리고 공부를 열심히 했거든요.
남 음, 널 위해 행운을 빌어 주마!

해설

여자는 오늘 시험을 앞두고 있지만 준비를 잘 해서 자신 있어 하고 있다.

어휘

French 프랑스 어(의) / a piece of cake 식은 죽 먹기 / practice 연습 / keep one's fingers crossed 행운[좋은 결과]을 빌다

9 ②

해석

[전화벨이 울린다.]
남 여보세요. Cullen 씨와 통화할 수 있을까요?
여 전데요. 누구시죠?
남 ABC 전화의 Jason입니다.
여 네, 제 전화에 문제가 있나요?
남 아니요, 부인. 저는 부인에게 저희의 새로운 전화기를 소개해 드리고 싶어요. 좋은 것이 아주 많거든요. 그리고 …….
여 죄송하지만, 전화기를 바꾼 지 얼마 안 됐어요.

해설

남자는 새로 나온 전화기를 소개하기 위해 전화를 했다.

어휘

would like to+동사원형 ~하고 싶다 / introduce 소개하다 / a lot of 많은

10 ②

해석

여 이번 주말에 퍼레이드 보러 갈 거니?
남 응. 너는?
여 못 가. 드럼 연습을 해야 해. 우리 밴드가 대회에 참가하거든.
남 아. 안됐다. 퍼레이드는 멋질 거야.
여 그래. 사진 많이 찍어서 나중에 보여 줘.
남 물론. 그렇게 해 줄게.

해설

여자는 자신이 속한 밴드가 대회에 참가해서 드럼 연습을 할 것이다.

어휘

parade 퍼레이드, 행진 / practice 연습하다 / play the drums 드럼을 연주하다 / participate in ~에 참가하다 / hear ~을 듣다 / fantastic 환상적인, 훌륭한, 멋진 / take photos 사진을 찍다 / later 후에, 나중에

11 ②

해석

남 프랭클린 스프링즈푸드코트에 오신 것을 환영합니다.
여 안녕하세요. 어린이 세트 메뉴가 있나요?
남 네. 어린이 세트 메뉴는 5달러입니다.
여 아, 그렇군요. 어린이 세트 메뉴 세 개하고, 토마토 샐러드 하나 주세요.
남 알겠습니다. 어린이 세트 메뉴는 15달러이고 샐러드는 10달러입니다.
여 그럼, 총 25달러이군요. 맞죠?
남 네, 부인.

해설

여자는 5달러짜리 어린이 세트 메뉴 세 개와 10달러짜리 샐러드 하나를 주문했으므로 25달러를 내야 한다.

어휘

set meal 세트 메뉴 / meal 식사 / salad 샐러드 / total 총액; 전부의

12 ②

해석

남 네가 꿈꾸는 집은 뭐니?
여 나는 바다 옆의 예쁜 정원이 있는 집을 꿈꿔.
남 고풍적인 집과 현대적인 집 중 어떤 스타일?
여 상관없어. 나는 그냥 바다 옆에 살고 싶을 뿐이야.
남 내가 꿈꾸는 집은 비밀의 방과 비밀 통로가 있는 커다란 성이야!

해설

여자는 바다 옆에 사는 것이 가장 원하는 것이라고 했다.

어휘

dream of ~을 꿈꾸다 / garden 정원 / old-fashioned 옛날의, 고풍스

러운 / modern 현대적인 / care 걱정하다, 관심을 가지다 / castle 성 / chamber 방 / passage 통로, 길

13 ⑤

해석

여 이제, 첫 번째 줄을 읽어 보실래요?
남 네. "A-G-S-L-P".
여 좋아요. 이제 왼쪽 눈을 손으로 가리고 다음 줄의 글자를 읽어 보세요.
남 "R-V-U-T"…어, 그것이 X인가요? 다음 줄은 못 읽겠어요.
여 알겠어요. 안경을 확인해 드릴게요.

해설

여자는 시력을 측정해 주는 안경사이고, 남자는 안경을 위해 시력을 측정하고 있는 손님임을 알 수 있다.

어휘

line 줄 / cover 가리다, 덮다 / row 줄 / letter 글자

14 ⑤

해석

여 아침 준비 다 됐다.
남 고마워요, 엄마. 오늘 오후에 바쁘세요?
여 아니, 별로. 장을 보기만 하면 된단다.
남 그럼, 방과 후에 축구 연습에 태워다 주실 수 있어요?
여 그래. 학교 정문에서 기다리렴. 그리고 축구화 꼭 챙겨라.

해설

남자는 여자에게 축구 연습에 태워다 달라고 부탁했다.

어휘

ready 준비된 / go grocery shopping 장을 보러 가다 / give a ride 태워 주다 / practice 연습 / after school 방과 후에 / gate (정)문 / forget ~을 잊다 / soccer shoes 축구화

15 ①

해석

남 안녕, Anna. 파티에서 널 못 봤는데.
여 알아. 갈 수 없었어.
남 네가 아프다고 들었어. 그런데 괜찮아 보이네.
여 난 아프지 않았어. Joe's Diner에서 새로 아르바이트를 시작했어.
남 토요일에? 어땠어?

해설

여자는 토요일에 새로 아르바이트를 시작해서 파티에 가지 못했다.

어휘

hear ~을 듣다 / sick 아픈 / part-time job 아르바이트, 시간제 근무 / diner 식당

16 ③

해석

여 나 내일 새 청바지를 사러 쇼핑몰에 갈 거야.
남 내가 같이 가도 될까? 티셔츠를 하나 사고 싶은데.
여 그럼. 내가 가는 길에 너를 태워 줄게.
남 그럴 필요 없어. 지하철이 빨라. 쇼핑몰에서 보자.
여 네가 원한다면. 내일 보자.

해설

남자는 지하철을 타고 가겠다며 여자에게 쇼핑몰에서 만나자고 했다.

어휘

go shopping 쇼핑하러 가다 / jeans 청바지 / come with ~와 함께 가다 / pick A up A를 태우러 가다 / on the way 가는 중에 / don't have to ~할 필요 없다

17 ③

해석

남 어디 가니, 얘야?
여 식료품점에요. 오늘 저녁에 교회 행사를 위해 쿠키를 구울 거예요.
남 아, 내일 쿠키를 팔 거니?
여 네, 그 돈으로 가난한 아이들을 도와 줄 거예요.
남 너는 참 착하구나!

해설

여자는 오늘 저녁에 교회 행사를 위해 쿠키를 구울 것이다.

어휘

sweetheart 아가, 얘(애정을 담아 부르는 호칭) / grocery 식료품

18 ③

해석

① 남 몇 시인가요?
여 5시 5분 전이에요.
② 남 왜 이렇게 늦었어?
여 오늘 아침에 아팠거든.
③ 남 너는 어떤 음식을 좋아하니?
여 그건 닭고기 맛이 났어.
④ 남 거기 날씨는 어때?
여 오늘은 더워.
⑤ 남 사진 속에 이 사람은 누구지?
여 나야! 아주 어렸을 때야.

해설

어떤 음식을 좋아하느냐는 물음에 닭고기 맛이 났다는 응답은 적절하지 않다.

어휘

Do you have the time? 몇 시인가요? / late 늦은 / sick 아픈 / taste like ~같은 맛이 나다

19 ③

해석

여 안녕하세요. 저는 Carol Brown이에요. 3시에 예약을 했어요.
남 네, Brown 씨. 자리에 앉으시겠어요? 의사 선생님께서 곧 오실 거예요.
여 저, 화장실이 어디에 있나요?
남 복도 끝에 있어요.

해설

화장실이 어디 있는지 물었으므로 화장실의 위치를 알려 주는 것이 가장 적절한 응답이다.
① 안됐네요. ② 일상적인 검사예요. ④ 그때는 그를 몰랐어요. ⑤ 우리 치과 의사는 아주 좋아요.

어휘

have an appointment 약속하다, 약속이 있다 / take a seat 자리에 앉다 / dentist 치과 의사 / actually 사실은, 실은 / bathroom 화장실 / routine checkup 일상적인 검사 / down the hall 복도 끝에

20 ⑤

해석

남 파티 준비 다 됐어요, 엄마.
여 정장이 멋지구나. 그런데 넥타이가 양복이랑 어울리지 않는 것 같구나.
남 정말이요?
여 내가 하나 골라줄게. 내 생각에 이 보라색이 너의 양복과 어울릴 것 같구나.
남 알겠어요. 자, 어때요?
여 훌륭해! 거울을 좀 보렴.
남 훨씬 좋아 보이네요. 고마워요.

해설

여자가 남자의 양복에 어울리는 넥타이를 골라 주었으므로 남자는 고맙다고 응답하는 것이 가장 적절하다.
① 네. 양복을 입어야 해요. ② 그럴 수 없어요. 이것이 제일 좋은 거예요. ③ 그녀가 정말 잘했어요. ④ 저도 동의해요. 그것은 중요하지 않아요.

어휘

suit 정장, 양복 / tie 넥타이 / match ~와 어울리다 / let ~에게 …하게 시키다 / pick ~을 고르다 / violet 보라색(의) / go well with ~와 잘 어울리다 / mirror 거울 / wear 입다 / agree 동의하다

Dictation p.108~111

1 made of glass / when it is hot
2 the lights on all night / go green / recycle everything
3 fine and sunny / lightning, strong winds
4 hear the news / happy for you
5 Both of my parents / ride my horse
6 What time is it now / have to be there / to get there
7 play basketball today / buy you dinner
8 a piece of cake / keep my fingers crossed
9 Who is calling / introduce you / changed my phone
10 have to practice playing the drums / Take a lot of photos
11 The kids' meal is five dollars / the total is twenty-five dollars
12 What's your dream house / near the sea
13 the first line / the next row of letters / check your glasses
14 Are you busy / give me a ride
15 I couldn't go / started my new part-time job
16 Can I come with you / The subway is faster
17 bake some cookies / help poor children with that money
18 Do you have the time / sick this morning / It's hot today
19 have an appointment / won't be long
20 your tie matches it / goes well with it / Look in the mirror

14회 영어듣기 모의고사 p.112~115

01 ④	02 ③	03 ①	04 ①	05 ④
06 ③	07 ③	08 ③	09 ④	10 ④
11 ①	12 ②	13 ④	14 ①	15 ②
16 ①	17 ⑤	18 ②	19 ①	20 ②

1 ④

해석

남 나는 동물의 한 종류이다. 나는 매우 길고 날씬하다. 나는 팔, 다리가 없다. 나는 부드러운 피부를 가지고 있다. 나는 독을 가지고 있어서 매우 위험하다.

해설

길고, 가늘며, 팔다리가 없는 동물로 독을 가지고 있는 것은 뱀이다.

어휘

kind of 종류의, 일종의 / thin 날씬한, 얇은 / smooth 부드러운 / skin 피부 / poison 독 / dangerous 위험한

2 ③

해석

여 보세요, 아빠를 위한 거예요.
남 와! 정말 마음에 드는구나. 네가 직접 만들었니?
여 네, 엄마가 뜨개질하는 법을 가르쳐 주셨어요.
남 부드럽고 길구나. 이번 겨울에는 이것이 내 목을 정말 따뜻하게 해 주겠구나.

해설

부드럽고 길며, 겨울에 목을 따뜻하게 해 주는 것은 목도리이다.

어휘

knit 짜다, 뜨다 / neck 목

3 ①

해석

남 오늘 밤에 뭘 할 거야?
여 별거 없어. 집에 있을 거야.
남 나 록 콘서트 표가 두 장 있어. 나랑 갈래?
여 미안. 몸이 별로 좋지 않아. 다음에 갈게.

해설

남자가 록 콘서트에 함께 가자고 했지만 여자는 몸이 좋지 않다고 거절하고 있다.

어휘

special 특별한 / take a rain check 다음번을 기약하다

4 ①

해석

여 왜 울고 있니, Danny?
남 Michael이 때렸어요!
여 왜 네 형이 너를 때렸니? 네가 형을 화나게 했겠지, 그렇지 않니?
남 아니에요! 나는 아무것도 하지 않았어요. 엄마는 항상 형의 편이에요. 제 말은 안 들어 주시고요.

해설

남자는 형이 때렸다고 했는데, 엄마가 형의 편을 들어서 화가 났을 것이다.

어휘

cry 울다 / hit 때리다, 치다 / make ~을 …하게 만들다 / angry 화가 난 / be one's side ~의 편이다, 편을 들다

5 ④

해석

여 일어나, Josh. 알람이 여섯 시부터 울리기 시작했어.
남 이런! 여섯 시 반이야? 비행기 시간에 늦겠는데.
여 비행기가 몇 시인데?
남 아홉 시. 공항에 8시까지 가야 해.
여 택시를 타. 30분밖에 안 걸려. 늦지 않을 거야.

해설

공항에 8시까지 도착해야 하지만 비행기 시간은 9시이다.

어휘

alarm 알람 (시계) / ring 울리다 / flight 비행, 여행 / take a taxi 택시를 타다

6 ③

해석

여 안녕하세요. 제 이름은 Kelly Swan이에요. 저는 독일에서 태어나고 자랐어요. 저는 여자 형제는 없지만, 남동생이 있어요. 그는 그린우드초등학교에 다녀요. 우리 부모님께서는 예일대학에서 역사를 가르치세요.

해설

남동생의 이름은 언급되지 않았다.

어휘

be born 태어나다 / grow up 자라다 / grade 학년, 성적 / elementary school 초등학교 / teach ~을 가르치다

7 ③

해석

여 내가 가장 좋아하는 일은 춤추는 거야. 너는?
남 나는 음악 듣는 것을 좋아해. 그래서 한 달에 한 번씩 새로운 노래를 다운 받아.
여 와! 너는 분명 새로운 노래와 가수에 대해서 알겠구나. 제일 좋아하는 가수가 누구니?
여 Taylor Swift야. 나는 그녀가 정말 좋아.

해설

남자는 음악 듣는 것을 가장 좋아한다고 했다.

어휘

favorite 가장 좋아하는 / download (데이터, 파일 등을) 다운로드하다

8 ③

해석

안녕하세요, 오늘의 일기 예보입니다. 어젯밤에 많은 눈이 내렸습니다. 지금은 눈이 약해졌지만, 정오쯤까지는 계속해서 내릴 것입니다. 나머지 하루 동안은 흐리고 아주 춥겠습니다.

해설

오후에는 눈이 그치겠지만, 흐릴 것이라고 했다.

어휘

weather forecast 일기 예보 / fall 떨어지다 / keep -ing 계속해서 ~하다 / fall 떨어지다 / noon 정오, 한낮 / rest 나머지

9 ④

해석

여 오늘 나 좀 도와줄 수 있니?
남 그럼. 무슨 도움이 필요한데?
여 나 이사를 가. 내일 내 짐을 옮기려고 남자 인부 두 명과 트럭을 고용했어.
남 그럼, 오늘은 뭘 해야 하니?
여 내 차로 가능한 많이 옮겨 두고 싶어. 그럼 내일 더 편할 거야.

해설

여자는 내일 좀 더 편하기 위해 오늘 차로 짐을 옮길 것이다.

어휘
give A a hand A를 도와주다, 거들어주다 / move 이사하다 / hire 고용하다 / stuff 물건 / happen 발생하다, 일어나다

10 ④

해석

여 새 아이스 스케이트는 어때? 캐나다에서 주문했지, 그렇지 않니?
남 아니, 결국 그걸 주문하지 않았어.
여 왜? 너 아이스하키 그만 둔 거야?
남 아니, 내 친구가 캐나다에 있는 가족들을 보러 가거든. 그가 나한테 스케이트를 사다 주겠다고 했어.

해설

남자는 캐나다에 갈 친구가 스케이트를 사다 준다고 해서 주문을 하지 않았다.

어휘
ice skate 아이스 스케이트(신발); 아이스 스케이트를 타다 / order 주문하다 / after all 결국에는 / quit 그만 두다 / ice hockey 아이스하키 / offer 제안하다, 권하다

11 ①

해석

남 실례합니다. 중앙 역이 이 방향인가요?
여 맞아요. 하지만 걸어가기에는 너무 멀어요.
남 그렇군요. 이 근처에 버스 정류장이 있나요?
여 아뇨. 택시를 타는 것이 나아요. 빠르고 저렴해요.
남 고맙습니다. 당신의 조언을 따를게요.

해설

여자는 남자에게 빠르고 저렴한 택시를 타라고 제안했다.

어휘
central station 중앙 역 / far 거리가 먼 / walk 걷다 / bus stop 버스 정류장 / had better ~하는 것이 낫다 / take a taxi 택시를 타다 / quick 빠른 / cheap 값이 싼 / take one's advice ~의 충고를 받아들이다

12 ②

해석

남 계좌를 하나 만들고 싶어요.
여 알겠습니다. 어떤 계좌요?
남 보통 예금 계좌와 당좌 예금 계좌요.
여 알겠습니다. 신용 카드가 필요하신가요?
남 아니요, 이미 신용 카드는 두 개나 있어요. 어쨌든, 고마워요.
여 알겠습니다, 이 서류들을 작성해 주세요.

해설

은행 계좌를 개설하려는 손님과 그 일을 처리해 주는 은행 직원 간의 대화이다.

어휘
open an account 계좌를 개설하다 / ordinary 보통의, 평범한 / savings account 저축 예금 계좌 / checking account 당좌 예금 계좌 (직불카드에 연결되어 있는 계좌) / credit card 신용카드 / already 이미, 벌써 / anyway 어쨌든 / fill out 채우다 / form 서류, 양식

13 ④

해석

여 실례합니다. 이 근처에 구두 수선집이 있나요?
남 그럼요. 메인거리에 좋은 곳이 하나 있어요.
여 메인거리요?
남 네. 바로 앞에 있어요.
여 알겠어요. 메인거리에서 왼쪽으로 가야 하나요, 오른쪽으로 가야 하나요?
남 왼쪽으로 가세요. 구두 수선집은 식당 바로 다음 집이에요.
여 고맙습니다.

해설

메인거리에서 왼쪽으로 돈 후 식당 옆에 있는 건물이 구두 수선집이다.

어휘
repair 수선, 수리 / straight 곧은, 일직선의; 똑바로 / ahead 앞에 / turn left 왼쪽으로 돌다 / next door 이웃집

14 ①

해석

① 남 그는 어떠니?
여 그는 우리 삼촌이야.
② 남 나가서 놀아도 돼요?
여 안 돼. 먼저 방을 정리해.
③ 남 Mike의 생일이 언제지?
여 다음 주 화요일이야.
④ 남 메시지를 전해 드릴까요?
여 네, 그에게 Jane Koo가 전화했었다고 전해 주세요.
⑤ 남 새로 온 선생님은 어때?
여 그녀는 매우 관대하고 친절해.

해설

생김새나 성격을 묻는 질문에 우리 삼촌이라고 답하는 것은 자연스럽지 않다.

어휘
like ~와 같은, 처럼 / go out 외출하다, 밖으로 나가다 / tidy 정리하다 / take a message 메시지를 받아 적다 / generous 관대한

15 ②

해석

남 엄마가 오늘은 방과 후에 널 데리러 갈 수 없대. 학교에 자전거를 타고 가는 게 좋겠다.
여 하지만 아빠, 비가 올 거예요. 학교까지 태워 주시면 안 돼요? 학교 끝나고는 버스 타고 올게요.

해설

여자는 아빠에게 학교까지 차로 태워 달라고 부탁하고 있다.

어휘
pick A up A를 데리러 가다 / after school 방과 후에 / had better

~하는 것이 좋겠다 / ride ~을 타다 / bike 자전거 / drive 태워다 주다 / take 타다

16 ①

해석

남 저녁에 무엇을 먹을까?
여 난 태국 음식을 좋아해. 어떻게 생각해?
남 태국 음식? 너무 맵지 않아?
여 아니, 하지만 너는 안 좋아하는구나, 그렇지?
남 나는 중국 음식이 좋아. 중국 음식을 먹는 게 어때?
여 내가 시내에 있는 고급 중식당을 알아. 내 차로 가자.

해설

두 사람은 저녁에 먹을 음식에 대해 이야기하고 있다.

어휘

Thai 태국의 / hot 매운, 더운 / Chinese 중국의 / fancy 고급의, 일류의, 멋진 / downtown 시내에

17 ⑤

해석

남 너 Oliver의 파티에 초대받았니?
여 응, 하지만 나는 못 가. 대신에 콘서트에 갈 거야.
남 오, 정말? Oliver가 그것을 아니?
여 아니. 그에게 말하기가 어려워.
남 말해야 해. 안 그러면 그가 실망할 거야.
여 네 말이 맞아. 그렇게 할게.

해설

남자는 친구의 파티에 못 가게 된 여자에게 친구에게 파티에 못 간다고 말하라고 제안하고 있다.

어휘

invite 초대하다 / instead 대신에 / be afraid to ~하기 두렵다, 어렵다 / disappointed 실망한

18 ②

해석

남 안녕하세요, Mary. 몸이 좋지 않으시다고요?
여 네. 몸 전체가 아파요. 열이 나요.
남 좀 볼게요. 맞아요, 체온이 높네요.
여 콧물도 나요.
남 약을 좀 드릴게요. 아주 심한 감기네요.

해설

남자는 몸이 아픈 여자를 진료하고 약을 처방했으므로 의사이다.

어휘

feel well 건강 상태가[기분이] 좋다 / whole 전체의 / hurt 아프다 / fever 열 / temperature 체온, 온도 / runny nose 콧물 / medicine 약 / cold 감기

19 ①

해석

여 네 부모님께 감사 카드를 보내고 싶어.
남 부모님의 집 주소를 알려 줄게. 펜 있니?
여 아니, 잠깐 네 것을 빌려도 될까?
남 물론이지, 여기 있어.

해설

여자가 남자의 펜을 잠깐 빌릴 수 있느냐고 물었으므로 승낙이나 거절을 하는 것이 가장 적절한 대답이다.
② 정말 고마워. ③ 네 말이 분명 맞을 거야. ④ 주소가 틀렸어. ⑤ 그 번호가 맞아.

어휘

send ~을 보내다 / thank-you card 감사 카드 / address 주소 / borrow 빌리다 / for a second 잠깐 동안 / wrong 틀린, 잘못된

20 ②

해석

여 이 사진 누가 찍었니? 정말 아름답다!
남 고마워! 내가 찍었어. 이건 우리 가족이 그리스에서 휴가를 보냈을 때의 사진이야.
여 와! 너희 누나가 누구야?
남 가운데 있는 사람이 누나야.

해설

사진 속에서 누가 누나인지 물었으므로 누나가 누구인지 알려 주는 응답이 가장 자연스럽다.
① 네가 그렇게 생각한다니 기뻐. ③ 우리 아버지께서 그곳에서 태어나셨어. ④ 바다가 아주 맑고 파랗구나. ⑤ 나는 해변을 따라 걷는 것을 정말 좋아해.

어휘

take a photo 사진을 찍다 / holiday 휴가, 방학 / Greece 그리스 / clear 맑은 / walk along ~을 따라 걷다

Dictation

p.116~119

1 long and thin / have poison
2 make it yourself / soft and long
3 Nothing special / don't feel good
4 Why are you crying / on his side
5 late for my flight / just 30 minutes
6 born and grew up / teach history
7 once a month / I love her
8 weather forecast / keep falling
9 help with / what's happening
10 after all / get them for me
11 too far to walk / quick and cheap
12 open an account / need a credit card

13 straight ahead / right next door
14 Tidy your room first / May I take a message
15 pick you up / take a bus
16 What do you think / How about that
17 go to a concert instead / He will be disappointed
18 not feeling well / have a runny nose
19 give you their address
20 I took it / your sister

15회 영어듣기 모의고사 p.120~123
01 ③ 02 ② 03 ⑤ 04 ① 05 ④
06 ② 07 ④ 08 ② 09 ③ 10 ①
11 ② 12 ① 13 ④ 14 ① 15 ②
16 ④ 17 ① 18 ② 19 ⑤ 20 ①

1 ③

해석

여 오늘과 내일의 일기 예보를 말씀 드리겠습니다. 지금 도시에는 바람이 세게 불고 있으니, 외출하실 때 주의하시기 바랍니다. 오후에는 세찬 비가 오겠습니다. 하지만 비는 밤에 그칠 것으로 예상됩니다. 내일 아침에는 매우 맑은 하늘을 보실 수 있습니다. 그리고 내일은 온종일 따뜻하겠습니다.

해설

오늘 오후에는 세찬 비가 내린다고 했다.

어휘

weather forecast 일기 예보 / windy 바람이 부는 / careful 조심성 있는, 주의 깊은 / heavily 몹시, 세게 / warm 따뜻한 / all day 온종일

2 ②

해석

남 나는 큰 새이다. 나는 아주 잘 날 수 있다. 나는 매우 큰 눈과 큰 머리를 갖고 있다. 나는 주로 밤에 작은 동물을 사냥하고 낮 동안에는 주로 잠을 잔다. 나는 누구인가?

해설

큰 머리에 큰 눈을 가지고, 밤에 사냥을 하며 낮에 주로 자는 새는 부엉이이다.

어휘

fly 날다 / hunt 사냥하다

3 ⑤

해석

여 오늘 아침에 왜 늦었니, Jack?
남 오늘 아침에 병원에 가야 했어요. 죄송해요, Jones 선생님.
여 의사에게 받은 진단서를 가지고 있니?
남 네, 선생님. 여기에 있어요.
여 알았다. 교실에 돌아가 있어라.

해설

남자는 병원에 가느라 학교에 지각을 해서 선생님과 대화를 나누고 있다.

어휘

be late 늦다, 지각하다 / see a doctor 병원에 가다 / note 진단서; 쪽지 / go back to ~로 돌아가다

4 ①

해석

남 두 장의 튼튼한 천을 준비하세요. 천은 네모여야 하고 같은 크기여야 해요. 두 장의 천을 함께 꿰매세요. 윗면은 열려 있어야 하는 것을 기억하세요. 자, 천의 안과 밖을 뒤집으세요. 손잡이를 만들어 붙이세요.

해설

손잡이가 있는 천으로 된 가방을 만드는 과정이다.
① 가방 ② 바지 ③ 인형 ④ 양말 ⑤ 가면

어휘

prepare ~을 준비하다 / a piece of ~ 한 장 / cloth 천 / square 정사각형 / sew 꿰매다 / remember 기억하다 / keep ~을 …하게 유지하다 / turn inside out 뒤집다 / handle 손잡이

5 ④

해석

여 나는 집 근처의 숲으로 놀러 갔다. 갑자기 어떤 소리를 들었다. 나는 가만히 서 있었다. 우리 오빠였다! 오빠는 나를 보지 못했다. 그는 나무 안에 무언가를 숨겼다. 그게 뭘까? 나는 알아내고 싶었다.

해설

여자는 오빠가 나무에 무언가를 숨기는 것을 목격해서 그게 무엇인지 궁금해하고 있다.

어휘

woods 숲, 수풀 / suddenly 갑자기 / hear 듣다 / noise 소리, 소음 / still 가만히 있는 / hide ~을 숨기다, 숨다(hide-hid-hidden) / find out 알아내다

6 ②

해석

여 주문할 준비가 되셨습니까?
남 네, 야채수프 하나와 햄치즈샌드위치 주세요.
여 알겠습니다. 샐러드는요?
남 됐어요. 저기, 잠깐만요. 야채수프는 취소해 주세요.
여 그럼 샌드위치만 드려요?

남 아뇨, 옥수수수프도 같이 주세요.

해설
햄치즈샌드위치 5달러이고 옥수수수프가 4달러이므로 9달러를 지불해야 한다.

어휘
order 주문하다 / vegetable 야채 / cancel 취소하다 / corn 옥수수 / as well 또한, 역시

7 ④

해석
여 벌써 11시 10분이야. 우리, 경기에 늦지 않았어?
남 아니, 괜찮아. 아직 20분 남았어.
여 그럼, 경기 시작 전에 화장실 갔다 올 수 있겠다.
남 물론, 어서 다녀와.

해설
지금은 11시 10분이고 경기는 20분 후인 11시 30분에 시작한다.

어휘
be late for ~에 늦다 / still 여전히, 아직도 / bathroom 화장실, 욕실 / Go ahead. 어서 해. 먼저 해.

8 ②

해석
남 이 채소는 길고 얇으며 딱딱하다. 이것은 오렌지색이다. 이것은 땅 밑에서 자란다. 우리는 이것을 조리하지 않고 먹는다. 하지만 우리는 또한 이것을 다른 채소와 볶아 먹기도 한다. 그리고 우리는 카레를 만들 때 이것을 사용한다.

해설
길고, 얇으며 딱딱한 오렌지색 채소는 당근이다.
① 옥수수 ② 당근 ③ 감자 ④ 호박 ⑤ 오렌지

어휘
orange-colored 오렌지색의 / grow 자라다 / ground 땅 / without ~없이 / however 하지만 / fry 볶다 / curry 카레

9 ③

해석
여 어린이 과학 전시관 소풍이 언제지?
남 5월 8일이야.
여 거기에 어떻게 가?
남 스쿨버스를 타고 갈 거야.
여 점심을 주니?
남 아니. 각자 자신의 것을 가져가야 해.

해설
시간에 대해서는 언급하지 않았다.

어휘
museum 박물관 / May 5월 / bring 가져오다, 가져가다 / own 자신의 / transportation 교통수단

10 ①

해석
여 이번 토요일에 쇼핑몰에 간다고 들었어.
남 응, 머리를 자를 거야. 미용실이 쇼핑몰에 있잖아.
여 같이 가도 될까?
남 너도 머리 자르게?
여 아니, 살 게 있어.
남 나도 신발을 사야 해. 같이 가자.

해설
두 사람은 쇼핑을 하러 갈 것이다. 머리는 남자만 자르는 것이므로 답이 될 수 없다.

어휘
hear ~을 듣다 / get one's hair cut 머리를 자르다 / need ~을 필요로 하다

11 ②

해석
[휴대 전화가 울린다.]
남 여보세요.
여 Mark? 나 Mandy야.
남 어, Mandy. 너 늦니?
여 그런 게 아니야. 다섯 시에 널 만나지 못할 것 같아.
남 왜?
여 우리 부모님이 아직 집에 안 오셨는데, 여동생이 나랑 있거든.
남 그럼 저녁 식사 후에 볼래?
여 아니, 미안해. 오늘은 안 될 것 같아.

해설
여자는 어린 동생을 돌봐야 해서 약속을 취소하려고 전화를 했다.

어휘
run late 늦다 / yet 아직 / leave ~을 남겨 두다 / instead 대신에 / make it (모임에) 가다, 해내다, (시간에 맞춰) 도착하다

12 ①

해석
남 아빠 생일에 무엇을 해 드리지?
여 따뜻한 목도리 어때?
남 내 생각에 목도리는 충분히 있으신 것 같아.
여 자전거 타는 걸 좋아하시잖아. 안전모를 사 드리는 건 어때?
남 좋은 생각이야! 분명히 좋아하실 거야.

해설
아버지가 자전거 타는 것을 좋아하셔서 안전모를 사 드리기로 했다.

어휘
scarf 목도리 / enough 충분한 / why don't we ~? ~하는 게 어때? / safety helmet 안전모 / surely 확실히

13 ④

해석

① 여 나 추워. 너는 안 춥니?
　남 추워. 내가 난방기를 켤게.
② 여 어떻게 감기를 예방할 수 있을까?
　남 손을 자주 닦아야 해.
③ 여 너는 스케이트보드를 얼마나 자주 타니?
　남 나는 거의 매일 스케이트보드를 타.
④ 여 너는 아빠를 닮았니 아니면 엄마를 닮았니?
　남 나는 두 분을 똑같이 사랑해.
⑤ 여 너 피곤해 보여. 누워서 좀 쉬지 그래?
　남 고마워. 그럴게.

해설

엄마와 아빠 중 누구를 닮았는지 묻는 질문에 두 분을 똑같이 사랑한다는 대답은 어색하다.

어휘

turn on 켜다 / heater 난방기, 히터 / avoid 피하다 / cold 감기 / wash one's hands 손을 씻다 / almost 거의 / look like ~처럼 생기다, 닮다 / both 둘 다 / lie down 눕다 / rest 쉬다

14 ①

해석

남 부인, 운전 면허증 좀 보여 주세요.
여 무슨 문제가 있나요, 경찰관님?
남 좀 전에 빨간 불인데 지나치셨어요.
여 아, 정말이요? 몰랐어요.
남 딱지를 끊어야 하니, 운전 면허증을 보여 주세요.
여 죄송해요. 여기 있어요.

해설

신호를 위반한 운전자와 딱지를 끊는 경찰의 대화이다.

어휘

driver's license 운전 면허증 / seem ~인 것 같다 / pass 지나가다 / crosswalk 횡단보도 / give a ticket 딱지를 끊다

15 ②

해석

여 Chris, 지금 바쁘니?
남 제가 제일 좋아하는 만화책을 읽고 있어요.
여 또? 같은 만화책 그만 읽고, 엄마 좀 도와줄래?
남 알겠어요. 뭔데요?
여 저녁을 만들고 있는데, 식용유가 떨어졌구나.
남 제가 가게에 가서 사 올게요.
여 아버지가 곧 오실 거야. 그러니 서둘러 줄래?

해설

남자는 식용유를 사러 가게에 갈 것이다.

어휘

favorite 가장 좋아하는 / cartoon 만화 / run out of ~이 떨어지다 / cooking oil 식용유 / hurry up 서두르다

16 ④

해석

남 엄마, Stokes 부인이 자신이 없는 동안 집을 봐 달라고 부탁했어요.
여 정말? 그것이 너의 새 아르바이트가 되겠구나, 맞지?
남 맞아요.
여 그래, 얼마를 주기로 했니?
남 일주일에 25달러요.
여 얼마나 오래 비울 건데?
남 4주요.

해설

Stokes 씨는 4주 동안 집을 비울 예정이고 주당 25달러를 지불하겠다고 했으므로 100달러를 지불할 것이다.

어휘

ask 부탁하다 / take care of ~을 돌보다 / be gone 가버리다, 떠나다 / part-time job 아르바이트, 시간제 일자리 / pay ~을 지불하다 / be away 부재중이다, 집을 떠나다

17 ①

해석

여 와! 이 드레스가 정말 아름답네요.
남 고마워요! 그 드레스가 잘 어울려요.
여 많은 모델이 당신의 옷을 입는 것을 좋아해요. 다음 패션쇼는 언제죠?
남 다음 달이요. 지금 준비하고 있어요.
여 이것들이 당신의 옷인가요? 정말 우아하네요.

해설

남자는 드레스를 만들고 패션쇼에서 자신의 작품을 선보이는 디자이너이다.

어휘

look good on ~에게 잘 어울리다 / wear ~을 입다 / clothes 옷, 의류 / prepare for ~을 준비하다 / elegant 우아한

18 ②

해석

여 Toby와 Alison이 등산을 했다. Alison은 너무 피곤했다. 그녀는 쉬기를 원했다. 그래서 그들은 산꼭대기에서 잠시 동안 쉬었다. 해가 지기 시작했다. Toby는 어두워지는 것이 걱정이 되었다. 이 상황에서 Toby가 Alison에게 할 말은 무엇일까?
Toby 내려가자. 서둘러!

해설

어두워지는 것을 걱정하고 있으므로 서둘러 내려가자는 말이 가장 적절하다.
① 정말 아름다운 저녁놀이구나! ③ 좀 쉬는 게 어때? ④ 엄마가 너를 걱정해. ⑤ 다시 오고 싶니?

어휘

climb 오르다 / tired 피곤한 / take a rest 휴식을 취하다 / for a while 잠시 동안 / set (해, 달이) 지다 / be worried about ~에 대해 걱정하다 / get dark 어두워지다

19 ⑤

해석

남 책 어때요, 엄마?
여 해변에서 읽기에는 안성맞춤이구나. 수영은 어땠니?
남 좋았어요! 물이 아름다웠어요!
여 수영 후에는 선크림을 다시 발라야 해.
남 그럴게요, 엄마. 선크림 좀 건네주시겠어요?
여 여기 있어. 내가 선크림 바르는 거 도와줄게.

해설

남자가 선크림을 달라고 했으므로 선크림을 주며 바르는 것을 도와주겠다고 응답하는 것이 가장 자연스럽다.
① 알았어. 나는 바닐라 콘으로 먹을게. ② 모래가 매우 부드럽고, 깨끗하구나. ③ 아니야, 파도는 위험해. ④ 그것은 상어에 관한 무서운 책이야.

어휘

perfect 아주 좋은, 완벽한 / put on ~을 바르다 / sunscreen 선크림 / pass 건네주다 / vanilla 바닐라 / wave 파도 / dangerous 위험한 / scary 무서운 / shark 상어

20 ①

해석

남 네 방학 계획은 뭐니?
여 나는 사촌들과 함께 지낼 거야.
남 와! 그들이 어디에 사는데?
여 그들은 해변 근처에 있는 프레이저섬에 살아.
남 거기 얼마나 오래 있을 거야?
여 2주 동안.

해설

얼마나 오래 있을 거냐고 물었으므로 기간을 대답하는 것이 자연스럽다.
② 너도 갈 수 있어. ③ 그것은 나의 계획이 아니야. ④ 프레이저섬은 아름다워. ⑤ 정말 긴 방학이었어.

어휘

holiday 방학, 휴가 / stay 머무르다 / cousin 사촌, 친척 / near 근처에 / how long 얼마나 오래 / vacation 방학, 휴가

Dictation

p.124~127

1 very windy / stop at night / warm all day
2 a bird / hunt small animals at night
3 see a doctor / go back to your class
4 strong cloth / the top open
5 heard a noise / wanted to find out
6 Are you ready to order / Cancel the vegetable soup / as well
7 still have 20 minutes / go ahead
8 long, thin, and hard / when we make curry
9 When is the picnic / take the school bus / bring our own
10 get my hair cut / something to buy
11 Are you running late / after dinner instead
12 What should we get / riding his bike
13 turn the heater on / How often / lie down and rest
14 show me / a red light / Here you are
15 are you busy / making dinner
16 take care of her place / twenty-five dollars a week
17 looks good on you / preparing for it
18 climbed a mountain / The sun began to set
19 reading at the beach / after swimming
20 for the holidays / Where do they live / near the beach

16회 영어듣기 모의고사

p.128~131

01 ①	02 ③	03 ⑤	04 ③	05 ①
06 ④	07 ④	08 ①	09 ⑤	10 ②
11 ②	12 ①	13 ⑤	14 ⑤	15 ④
16 ②	17 ③	18 ④	19 ⑤	20 ②

1 ①

해석

남 네 안경 멋지다.
여 정말? 엄마가 골라 주셨어. 사실, 나는 다른 것을 사고 싶었어.
남 그래서 네 기분이 언짢아 보이는 거니?
여 아니. 방금 머리를 짧게 잘랐는데, 마음에 들지 않아!

해설

여자는 안경을 썼고, 짧은 머리이다.

어휘

glasses 안경 / choose 고르다, 선택하다(choose-chose-chosen) / different 다른 / pair 한 쌍, 켤레(두 부분이 함께 하나를 이루는 물건) / unhappy 불행한 / just 방금 / have one's hair cut short 머리를 짧게 자르다

2 ③

해석

여 엄마가 언제 집에 오시지?
남 삼십 분 후에 오실 거야.
여 지금이 몇 시니?
남 다섯 시 15분 전이야.

해설
현재 시각은 4시 45분이고, 엄마는 30분 후에 온다고 했으므로 5시 15분에 올 것이다.

어휘
be home 집에 있다 / in ~후에 / half an hour 30분 / quarter 15분, 4분의 1

3 ⑤

해석
① 남 남자 아이가 모래를 갖고 놀고 있다.
② 남 남자 아이가 개와 함께 걷고 있다.
③ 남 그네 옆에 나무가 있다.
④ 남 여자 아이가 미끄럼틀을 타고 있다.
⑤ 남 남자 아이가 그네를 타고 있다.

해설
① 모래를 갖고 노는 사람은 없다. ② 강아지는 나무 옆에서 자고 있다. ③ 나무는 미끄럼틀 옆에 있다. ④ 미끄럼틀을 타고 있는 사람은 없다.

어휘
sand 모래 / swing 그네 / slide down 미끄러져 내려가다 / slide 미끄럼틀 / ride ~을 타다

4 ③

해석
여 너 슬퍼 보여. 무슨 일 있니?
남 슬프지 않아.
여 그렇지만 네 눈이 빨갛고 눈물이 고여 있는데.
남 오늘 학교에서 정말 힘들었거든. 오늘 시험을 다섯 개나 봤어.
여 너 정말 피곤하겠다! 걱정 마! 거의 끝났잖아!
남 가능한 한 빨리 집에 가고 싶어.

해설
남자는 학교에서 시험을 다섯 개나 보고 피곤해하고 있다.

어휘
wrong 잘못된 / watery 물기가 많은 / tired 피곤한 / be over 끝나다 / nearly 거의 / as soon as possible 가능한 한 빨리

5 ①

해석
여 너는 무엇이 되고 싶니?
남 나는 유명한 배우가 되고 싶어.
여 정말? 나는 유명해지고 싶지 않아.
남 왜?
여 나는 그냥 평범한 삶을 살고 싶어. 내 꿈은 많은 사람이 먹을 신선한 먹거리를 기르는 거야.

해설
여자의 꿈은 사람들을 위해 신선한 먹거리를 기르는 것이라고 했다.

어휘
famous 유명한 / actor 배우 / normal 평범한, 보통의 / grow 기르다 / fresh 신선한

6 ④

해석
여 리틀턴의 날씨를 알려 드립니다. 지금은 비가 오고 있습니다. 장화를 신고, 우산을 꼭 챙기도록 하십시오. 비는 오후쯤 그치겠으나 바람이 많이 불겠습니다. 조심하세요!

해설
오후에는 비가 그치고 바람이 많이 분다고 했다.

어휘
weather forecast 일기 예보 / wear 신다, 착용하다, 입다 / rain boots 장화 / forget 잊어버리다

7 ④

해석
여 소풍에 무엇을 가져가야 하지?
남 내가 달걀 샌드위치랑 감자 칩을 가져갈게. 네가 돗자리랑 냅킨을 가져올래?
여 알았어. 그밖에 무엇이 필요하지?
남 물은?
여 가져가지 않아도 돼. 공원에 식수대가 있어.
남 아. 잘됐다.
여 내가 음료수를 좀 가져갈게.

해설
공원에 식수대가 있어서 물은 가져갈 필요가 없다고 했다.

어휘
bring 가져가다 / mat 돗자리 / napkin 냅킨 / what else 그 밖의 다른 것 / water fountain 식수대 / beverage 음료수

8 ①

해석
남 이것은 과일이다. 동그란 모양이다. 이것은 너무 크지도, 너무 작지도 않다. 이것은 대개 당신의 주먹 만하다. 이것은 달다. 우리는 보통 이것의 껍질은 먹지 않는다. 하지만, 만약 충분히 깨끗하게 씻는다면, 껍질도 먹을 수 있다.

해설
동그랗고, 주먹 만하며, 깨끗이 씻는다면 껍질도 먹을 수 있는 것은 사과이다.

어휘
round 둥근 / shape 모양 / fist 주먹 / sweet 달콤한 / skin 껍질 / enough 충분한

9 ⑤

해석
남 주문할 준비 됐어? 난 스파게티 먹으려고.
여 모르겠어. 별로 배고프지가 않네.
남 왜? 속이 안 좋아?
여 아니, 학교에서 점심을 거하게 먹었거든.
남 아, 난 점심시간에 시험공부를 해야 했어. 너는 시험을 잘 본 것 같니?

여 잘 모르겠지만, 최선을 다했어. 어쨌든, 너 정말 배고프겠다. 주문하자.

해설

두 사람은 학교가 끝나고 저녁을 먹으러 온 친구 사이이다.

어휘

be ready to ~할 준비가 되다 / order 주문하다 / feel sick 속이 좋지 않다 / lunch break 점심시간 / do well on the test 시험을 잘 보다 / do one's best 최선을 다하다 / anyway 어쨌든

10 ②

해석

여 우리 반에는 열두 명의 여자 아이가 있다. 이것은 우리가 태어난 달이다. 1월에는 3명의 생일이 있다. 3월에는 단 한 명의 생일이 있다. 6월에는 2명의 생일이 있다. 9월에는 네 명의 생일이 있다. 그리고 11월에는 내 생일인 11월 17일 포함해서 두 명의 생일이 있다!

해설

3월에는 0명이 아니라 1명의 생일이 있다.

어휘

January 1월 / March 3월 / June 6월 / September 9월 / November 11월 / including ~을 포함하여

11 ②

해석

① 남 너 어디 가니?
  여 나 학교에 가.
② 남 그녀의 머리는 무슨 색이니?
  여 아주 곱슬곱슬해.
③ 남 네가 그걸 어떻게 알아?
  여 책에서 읽었어.
④ 남 너는 왜 거기에 갔니?
  여 할머니와 할아버지를 뵈러.
⑤ 남 네가 가장 좋아하는 영화배우가 누구니?
  여 없어.

해설

그녀의 머리 색깔을 물었는데, 곱슬머리라고 대답한 것은 자연스럽지 않다.

어휘

curly 곱슬곱슬한 / visit ~을 방문하다 / movie star 영화배우

12 ①

해석

여 너의 아빠는 왜 학교 연극에 안 오셨니?
남 여기 한국에 안 계셔.
여 어디 가셨는데?
남 중국으로 출장을 가셨어.
여 아, 그랬구나. 아버지께서 오실 수 없어서 서운하겠다.
남 괜찮아. 엄마가 계시고, 삼촌이 대신 오셨어.

해설

아버지는 중국으로 출장을 가셔서 연극을 보러 오지 못했다.

어휘

play 연극 / on business 업무로, 출장으로, 볼일이 있어서 / sorry 유감스러운, 서운한 / instead 대신에

13 ⑤

해석

여 너 주말에 무슨 계획이 있니?
남 등산을 가려고 해.
여 하지만 비가 온다는데.
남 그래? 그럼, 영화를 보러 가야겠다. 같이 갈래?
여 엄마에게 먼저 물어 봐야 해. 엄마가 이번 주말에 쇼핑에 데려갈지도 모른다고 하셨거든.

해설

남자는 등산을 가려고 했지만 비가 온다고 해서 영화를 보러 가기로 했다.

어휘

plan 계획; 계획하다 / go mountain climbing 등산을 가다 / ask ~에게[~을] 물어보다

14 ⑤

해석

남 너 무엇을 보고 있니?
여 텔레비전에서 하는 리얼리티 쇼야.
남 재미있니?
여 굉장해! 이건 본다이해변의 인명 구조원에 관한 거야.
남 아, 맞다! 너 인명 구조원이 되려고 하지, 그렇지 않니?
여 응. 나는 지난주에 인명 구조 강좌에 등록했어.

해설

여자는 인명 구조원이 되고 싶어 한다.

어휘

reality show 리얼리티 쇼(일반인들의 실화 중심으로 연출되는 TV쇼) / interesting 흥미 있는 / lifeguard 인명 구조원 / register for ~에 등록하다 / course 강조, 수업

15 ④

해석

[전화벨이 울린다.]
여 안녕하세요, Brown 선생님. Justin의 엄마 Lisa Shelton이에요.
남 네, Shelton 부인. 방학은 어떻게 보내셨나요?
여 좋았어요. 그런데 Justin이 독감에 걸렸네요.
남 필리핀에서요?
여 아뇨, 여기에서 걸렸어요. 의사가 3일 동안은 누워서 쉬라고 하더군요.
남 알겠습니다. Justin에게 빨리 나으라고 전해 주세요.

해설

여자는 아들인 Justin이 학교에 가지 못한 이유를 설명하려고 전화했다.

어휘
vacation 휴가 / lovely 아주 좋은, 멋진 / catch the flu 독감에 걸리다 / the Philippines 필리핀 / rest 쉬다, 휴식하다 / get well 병이 나아지다

16 ②

해석
여 도와드릴까요?
남 네. 포도 맛 탄산음료 두 캔과 감자 칩 한 봉지예요.
여 알겠습니다. 3달러 50센트입니다.
남 죄송해요. 3달러밖에 없네요. 감자 칩을 취소해 주세요.
여 알겠어요. 그럼 음료수 두 캔이네요. 2달러 20센트예요.
남 3달러 여기 있어요.
여 여기 거스름돈 80센트입니다.

해설
남자는 음료수 캔 2개에 2달러 20센트를 지불했다.

어휘
soda 탄산음료 / pack 봉, 통, 묶음 / chip 감자 칩 / cancel 취소하다 / change 거스름돈

17 ③

해석
남 선수들은 커다랗고 네모난 경기장에서 뛴다. 그들은 서로에게 공을 찬다. 그들은 공을 차서 골대의 그물에 넣으려고 한다. 하지만 골키퍼가 골문 앞에 서 있다. 골키퍼들은 공을 잡거나 들고 있을 수 있다. 다른 선수들은 공을 손으로 만질 수 없다.

해설
골키퍼가 지키고 있는 골대에 공을 차 넣어 점수를 내는 경기는 축구이다.

어휘
player 선수 / around 주위에 / square 정사각형(의) / field 경기장 / kick 차다 / each other 서로 / goal 득점 장소, 골, 결승점 / net 그물 / goalkeeper 골키퍼 / stand 서다, 서 있다 / in front of ~의 앞에 / catch 잡다 / hold 붙들다, 쥐고 있다

18 ④

해석
여 안녕. 내 이름은 Jane Cook이야. 나는 썬플라워중학교 1학년이야. 나는 뉴욕에서 태어났지만, 로스앤젤레스에 살아. 우리 엄마는 은행에서 일하고, 우리 아빠는 의사야. 들어 줘서 고마워!

해설
부모님 외에 다른 가족 관계에 대해서는 언급하지 않았다.

어휘
freshman 1학년, 신입생 / be born in ~에서 태어나다 / work in ~에서 일하다 / bank 은행

19 ⑤

해석
여 나는 엄마 가게 일을 돕고 일주일에 60달러 정도를 받아.
남 그 돈을 어디에 쓰는데?
여 새 자전거를 사려고 모으고 있어.
남 너 자전거 타는 것을 좋아하니?
여 그건 아주 재미있어. 정말 좋아.
남 얼마나 자주 타러 가는데?
여 한 달에 한두 번.

해설
남자가 얼마나 자주 자전거를 타느냐고 물었으므로 횟수에 관련된 대답이 자연스럽다.
① 나는 그것을 좋아하지 않아. ② 그것은 충분하지 않아. ③ 내가 너에게 좀 빌려 줄 수 있어. ④ 그것은 내가 좋아하는 운동이야.

어휘
spend 돈을 쓰다 / save 돈을 모으다, 저축하다 / ride a bike 자전거를 타다 / how often 얼마나 자주 / enough 충분한 / lend 빌려 주다

20 ②

해석
남 나랑 같이 영화 볼래?
여 나 「Crime Family」 보고 싶어.
남 어디서 하는데?
여 시내에 있는 Cinemine 극장에서 해.
남 알았어. 6시 반에 거기에서 만나자. 내가 표를 미리 사 놓을까?
여 아, 그럼, 정말 좋겠어.

해설
표를 미리 사 놓기를 원하느냐고 물었으므로 그럼 정말 좋겠다고 답하는 것이 자연스럽다.
① 표는 너무 비싸. ③ 그것이 정말 좋다고 들었어. ④ 나는 오늘 너무 바빠. ⑤ 우리는 그것을 나중에 볼 수 있어.

어휘
show 상영하다, 보여 주다 / theater 극장 / downtown 시내에 / buy a ticket in advance 표를 예매하다 / expensive 비싼 / later 나중에, 후에

Dictation

p.132~135

1 Mom chose them / had my hair cut short
2 in half an hour / a quarter to five
3 playing with sand / next to a swing / riding a swing
4 What's wrong / School was very hard / as soon as possible
5 be a famous actor / grow fresh food
6 raining right now / stop by the afternoon
7 a mat and napkins / We don't need to
8 a round shape / as big as your fist

9 not very hungry / had to study / did my best

10 three birthdays in January / including mine

11 going to school / in a book / I don't have one

12 Where did he go / my uncle came instead

13 go mountain climbing / come with me

14 What are you watching / about lifeguards / registered for

15 How was your vacation / rest for three days

16 Cancel the chips / Here's your change

17 on a big square / in front of the goal / cannot touch the ball

18 a freshman / live in / is a doctor

19 buy a new bike / How often do you go

20 see a movie with me / in advance

17회 영어듣기 모의고사 p.136~139
01 ③ 02 ① 03 ④ 04 ① 05 ③
06 ③ 07 ② 08 ② 09 ① 10 ④
11 ⑤ 12 ⑤ 13 ① 14 ③ 15 ②
16 ④ 17 ② 18 ④ 19 ② 20 ①

1 ③

해석

여 어떤 사람이 너의 형이니?
남 우리 형은 소파에 앉아 있어.
여 아, 알겠다. 안경을 썼지, 그렇지?
남 아니, 우리는 형은 그 옆에 있는 사람이야. 모자를 쓰고 있어.
여 정말로 알았어. 그 사람과 이야기를 하고 있구나, 맞지?
남 맞아!

해설

모자를 쓰고 옆 사람과 이야기하고 있는 사람이 남자의 형이다.

어휘

sofa 소파 / wear ~을 입다, 쓰다 / glasses 안경 / next to ~ 옆에 / talk to ~와 이야기하다

2 ①

해석

여 이것은 착용하는 것이다. 이것은 강한 햇빛으로부터 당신의 피부를 보호한다. 특히 당신은 여름날 이것을 쓸 것이다. 많은 운동선수들이 운동 경기를 할 때 이것을 쓴다. 어떤 사람들은 비가 올 때 비로부터 머리를 보호하기 위해 이것을 착용한다.

해설

햇빛으로부터 피부를 보호하기 위해 쓰기도 하고, 운동선수가 운동을 할 때 쓰며, 비로부터 머리를 보호해 주는 것은 모자이다.

어휘

wear 착용하다, 입다 / protect 보호하다 / strong 강한 / light 빛 / especially 특히 / sportsman 운동선수 / rainy 비 오는, 비가 많이 오는

3 ④

해석

남 주문하시겠어요?
여 네, 치킨 샌드위치 두 개 주세요.
남 10달러입니다. 마실 것은요?
여 콜라가 얼마죠?
남 3달러입니다, 부인.
여 그럼 콜라 두 잔 주세요.
남 알겠습니다. 샌드위치 두 개, 콜라 두 잔이네요. 총 16달러입니다.
여 오, 다행이네요! 20달러밖에 없거든요. 여기 있어요.

해설

샌드위치 두 개에 10달러, 주스 두 잔이 6달러이므로 총 16달러를 지불했다.

어휘

order 주문하다 / sandwich 샌드위치 / anything 무엇인가, 어떤 것이든 / total 총; 전체의 / come to (총계가) ~이 되다

4 ①

해석

여 실례합니다, 이 자리 주인이 있나요?
남 네, 죄송해요. 저희 아빠 자리에요. 팝콘을 사러 가셨거든요.
여 여기가 G열이 아닌가요?
남 아니에요, 부인. 여기는 H열이에요. 어두워서 잘 안보이죠, 그렇지 않나요?

해설

어두운 곳에서 자리를 찾아 앉는 상황으로 극장임을 알 수 있다.

어휘

seat 자리, 좌석 / popcorn 팝콘 / row 열 / dark 어둠

5 ③

해석

여 아빠, 제 치과 예약이 몇 시예요?
남 4시 45분이란다. 치료가 끝난 후에 건물 밖에서 만나자.
여 치료가 얼마나 걸릴까요?
남 의사가 한 시간이라고 했어.
여 알겠어요. 6시 15분 전에 만나요.

해설

두 사람은 여자의 치료가 끝나는 6시 15분 전인 5시 45분에 만날 것이다.

어휘

appointment 약속 / outside 바깥쪽의, 외부의 / treatment 치료 / take (시간이) 걸리다 / quarter 15분, 4분의 1

6 ③

해석

남 여기에서 너희 집은 어느 방향이니?

여 쭉 직진해서 두 번째 골목에서 왼쪽으로 돌아. 그게 우리 집이 있는 거리야.

남 알겠어. 그럼 어느 쪽에 살아?

여 오른쪽에 보일 거야. 앞마당에 있는 큰 나무 두 그루를 찾아.

해설

두 번째 골목에서 왼쪽으로 돈 후, 오른쪽에 보이는 집이 여자의 집이다.

어휘

way 방향 / straight 똑바로, 곧장 / side 쪽, 면 / look for ~을 찾다 / front yard 앞마당

7 ②

해석

남 야, 내일 일기 예보 들었어? 일기 예보에서 오후에는 맑을 거라고 하더라. 그런데 아침에는 비가 많이 올 거래. 정오 이후에는 비가 그칠 거라고 하지만, 내 생각에 내일 소풍은 못 갈 것 같아! 게다가 밤에는 바람도 강하게 분대.

해설

내일 아침에 비가 많이 오겠지만, 내일 오후에는 비가 그치고 맑다고 했다.

어휘

hear about ~에 대해 듣다 / weather 날씨 / forecast 예보 / a lot of 많은 / noon 정오, 한낮 / go on a picnic 소풍 가다 / moreover 더욱이, 게다가

8 ②

해석

[전화벨이 울린다.]

여 팜비치빌라의 Tina입니다.

남 안녕하세요, Tina. 봄 휴가를 위해서 빌라를 예약하고 싶어요.

여 정확히 언제이지요?

남 4월 1일부터 4일이요.

여 알겠습니다. 몇 명이신가요?

남 다섯 명 가족이에요.

여 알겠습니다. 예약 되셨습니다. 그때 뵙겠습니다.

해설

남자는 빌라를 예약하기 위해 전화를 걸었다.

어휘

book 예약하다 / villa 별장(휴가 때 사용하는 저택), 빌라 / break 휴가 / exactly 정확히 / April 4월 / reservation 예약

9 ①

해석

남 안녕, Emily. 너 슬퍼 보이는구나. 무슨 일 있니?

여 우리 언니가 내년에 옥스퍼드 대학교 장학생이 돼.

남 와! 멋지다. 정말 잘 됐구나.

여 나도 그렇게 느껴야 하는데. 그 반대야. 언니가 너무 보고 싶을 거야!

해설

여자는 대학에 가는 언니가 보고 싶을 것 같아 울적한 상태이다.

어휘

matter 문제 / win a scholarship 장학금을 받다 / university 대학교 / fantastic 아주 좋은, 환상적인 / opposite 반대 / miss 보고 싶어 하다, 그리워하다

10 ④

해석

남 한 남자와 한 여자가 작은 돛단배를 타고 있다. 거대한 검은 구름이 하늘을 채운다. 거센 바람이 불기 시작한다. 파도가 점점 더 높아진다. 그들은 해변에서 아주 멀리 떨어져 있다. 허리케인이 오고 있다.

해설

남자와 여자가 배 위에 있는데 허리케인이 오고 있으므로 위태로운 분위기이다.

어휘

tiny 작은 / sailboat 돛단배 / cloud 구름 / fill 채우다 / blow 불다 / wave 파도 / higher and higher 점점 더 높이 / far from ~에서 멀리 떨어진 / shore 해변, 해안 / hurricane 허리케인

11 ⑤

해석

여 우선, 의자와 거울을 확인하세요. 안전벨트를 조이세요. 시동을 켜세요. 운전대를 잡으세요. 기어를 "주행" 위치로 옮기세요. 다른 차들을 확인하세요. 다가오는 차가 없으면 출발하세요. 너무 빨리 가지 마시고, 교통 법규를 어기지 마세요.

해설

안전벨트를 매고, 시동을 켜고, 교통 법규에 따라 자동차 운전을 하라는 내용이다.

어휘

seat 의자, 좌석 / fasten one's seat belt 안전벨트를 매다 / start the engine 시동을 걸다 / hold 잡다 / steering wheel 핸들, 운전대 / gearstick 기어 / drive 주행; 운전하다 / break 깨다, 어기다 / traffic rules 교통 법규

12 ⑤

해석

여 야, Ralph. 페블해변은 어땠니?

남 멋졌어. 방학 때 어디 특별한 곳에 갔었니?

여 아니, 하지만, 뭔가 배웠어.

남 무엇을 배웠는데?

여 기타 치는 법을 배웠어. 재미있더라.

해설

방학 때 여자는 기타 치는 법을 배웠다.

어휘
anywhere 어디엔가 / special 특별한 / something 무언가 / guitar 기타

13 ①

해석
여 너 애완동물을 키우니?
남 응, 강아지 두 마리를 키워.
여 와! 부럽다. 나도 애완동물을 키우고 싶어.
남 그럼 강아지를 한 마리 입양하지 그래?
여 그럴 수 없어. 엄마가 애완동물을 키우도록 허락하지 않으셔.
남 왜? 강아지는 좋은 친구인데.
여 맞아! 하지만, 나는 털 알레르기가 있어.

해설
애완동물을 키우는 남자와 애완동물을 키우고 싶어 하는 여자와의 대화이다.

어휘
pet 애완동물 / envy ~을 부러워하다 / adopt ~을 입양하다 / let ~을 …하게 시키다 / be allergic to ~에 알레르기가 있다

14 ③

해석
[휴대 전화가 울린다.]
여 Allen 박사입니다. Roe 씨와 통화할 수 있을까요?
남 전데요.
여 좋은 소식이에요, Roe 씨. 누가 전화로 예약을 취소했어요.
남 정말이요? 잘됐네요. 그럼 더 일찍 방문할 수 있겠군요, 맞죠?
여 네. 다음 주 금요일 대신 오늘 2시 반에 보러 오세요.

해설
여자는 다른 환자가 예약을 취소해서 남자의 예약 일시를 앞당기자고 전화를 걸었다.

어휘
someone 누군가 / cancel 취소하다 / appointment 약속, 예약 / instead of ~대신에

15 ②

해석
남 여기 주문하신 스테이크입니다, 부인.
여 앗, 잠시만요.
남 네? 겨자 소스를 드릴까요?
여 아뇨, 괜찮아요. 우리는 주문한 와인을 기다리고 있는데요.
남 죄송합니다! 레드 와인 두 잔이죠! 바로 가져다 드리겠습니다.

해설
남자는 여자가 주문한 레드 와인을 가져올 것이다.

어휘
steak 스테이크 / mustard 겨자 / wait for ~을 기다리다 / wine 와인, 포도주

16 ④

해석
남 어디로 모실까요, 부인?
여 공항으로 가 주세요. 요금이 얼마나 될까요?
남 여기에서는 보통 30달러 정도 나옵니다.
여 알겠습니다. 트렁크를 좀 열어주시겠어요?
남 열려 있습니다. 가방 넣는 걸 도와드릴게요.

해설
공항까지의 요금을 알려 주고, 자동차 트렁크에 짐 넣는 것을 도와주는 남자는 여자를 공항까지 태워다 줄 택시 기사이다.

어휘
airport 공항 / cost 비용이 들다 / usually 대게, 보통 / around 약, ~쯤 / trunk 트렁크 / open 열린

17 ②

해석
① 남 파티가 재미있었니?
여 정말 멋진 시간을 보냈어!
② 남 그녀가 어떻게 생겼니?
여 그녀는 나를 정말 좋아해.
③ 남 너는 무슨 색을 가장 좋아하니?
여 나는 보라색이 정말 좋아. 너무 예뻐.
④ 남 너희는 점심 먹고 무엇을 하니?
여 우리는 나가서 놀아.
⑤ 남 너 애완동물을 기르니?
여 응. Miffy라는 이름의 새끼 검은 고양이야.

해설
그녀가 어떻게 생겼냐고 물었는데 나를 좋아한다는 응답은 어색하다.

어휘
enjoy ~을 즐기다 / look like ~처럼 생기다 / favorite 가장 좋아하는 / violet 보랏빛[색], 보랏빛의 / go out 밖에 나가다, 외출하다 / pet 애완동물 / call ~라고 부르다

18 ④

해석
여 아빠! 사진 보셨어요?
남 무슨 사진 말이니?
여 아빠 생일에 제 휴대 전화로 찍은 사진이요.
남 아, 어디 있니? 보고 싶구나.
여 제가 우리 컴퓨터에 다운로드 해 놨어요.

해설
사진이 어디 있느냐고 물었으므로 사진의 위치를 알려 주는 것이 가장 자연스럽다.
① 고마워요. 제가 할게요. ② 사진이 환상적이네요. ③ 저도 사진을 찍고 싶어요. ⑤ 저에게 사진을 보여 주시다니 친절하시네요.

어휘
cell phone 휴대 전화 / fantastic 환상적인, 멋진 / take a picture 사진을 찍다 / download 다운로드하다

19 ②

해석

여 무엇을 드시겠습니까?
남 매운 치킨버거 두 개 주세요.
여 매운 치킨의 주문이 약간 밀려 있습니다.
남 괜찮아요. 기다릴게요. 얼마나 걸리나요?
여 최대 5분 정도요.

해설

얼마나 걸리느냐고 물었으므로 걸리는 시간을 알려 주는 것이 가장 자연스러운 응답이다.
① 물론이죠. 다른 것은요? ③ 알겠어요. 더 매운 것으로 주문할게요. ④ 아주 좋군요. 감사합니다. ⑤ 괜찮아요.

어휘

spicy 매콤한 / slight 약간의 / delay 지연 / how long 얼마나 오래 / certainly 확실히, 꼭 / no longer 더는 ~이 아닌 / order 주문하다 / extra 추가의, 여분의

20 ①

해석

여 채널을 바꾸지 마!
남 미안. 네가 안 보고 있는 줄 알았어.
여 저 영화가 정말 보고 싶거든. 다음 프로야.
남 정말? 왜 그걸 보고 싶은데?
여 내가 가장 좋아하는 책을 바탕으로 한 거라서.
남 누가 그 책을 썼니?
여 Jane Austen이 썼어.

해설

그 책을 누가 썼는지 물었으므로, 작가를 알려 주는 것이 자연스러운 응답이다.
② 괜찮아. 이미 봤어. ③ 그 배우들은 아주 유명하지는 않아. ④ 다음 영화는 9시 정각에 시작해. ⑤ 오늘밤에는 텔레비전에서 재미있는 것을 안 해.

어휘

change 바꾸다 / channel 채널 / be on 상영하다 / based on ~에 근거하여 / interesting 흥미 있는

Dictation p.140~143

1 sitting on the sofa / wearing a hat
2 something to wear / when they play games
3 Are you ready to order / two Cokes / sixteen dollars
4 is this seat taken / in the dark
5 at the dentist / How long / a quarter to six
6 the second left / in the front yard
7 sunny in the afternoon / very windy at night
8 book a villa / for how many people / is booked
9 won a scholarship / I should feel
10 a tiny sailboat / A strong wind / The hurricane is coming
11 Fasten your seat belt / other cars / don't break the traffic rules
12 for vacation / play the guitar
13 have a pet / doesn't let me have a pet / I'm allergic to hair
14 Speaking / I can visit you earlier
15 waiting for our wine
16 How much will it cost / with your bags
17 Did you enjoy the party / It's so pretty / Do you have any pets
18 Did you see the pictures / where are they
19 What would you like / a slight delay / How long will it be
20 Don't change the channel / watch it / Who wrote it

18회 영어듣기 모의고사 p.144~147

01 ④	02 ②	03 ②	04 ②	05 ③
06 ②	07 ①	08 ⑤	09 ①	10 ⑤
11 ③	12 ②	13 ⑤	14 ③	15 ①
16 ③	17 ④	18 ①	19 ④	20 ⑤

1 ④

해석

① 남 그는 텔레비전을 보고 있다.
② 남 그는 게임을 하고 있다.
③ 남 그는 책을 읽고 있다.
④ 남 그는 일기를 쓰고 있다.
⑤ 남 그는 전화 통화를 하고 있다.

해설

소년은 일기를 쓰고 있다.

어휘

write a journal 일기를 쓰다 / talk on the phone 전화 통화를 하다

2 ②

해석

여 서울의 일기 예보입니다. 아침에는 서늘하고 구름이 끼겠습니다. 길에는 아직 눈과 빙판이 많으므로, 주의하시기 바랍니다. 오늘 오후에는 눈이 오지 않겠습니다. 하지만 날씨는 계속해서 서늘하고, 구름이 많겠습니다.

해설

오늘 오후에는 눈이 오지 않지만, 서늘하고 구름이 많이 낀다고 했다.

어휘
weather forecast 일기 예보 / ground 땅, 지면 / careful 조심성 있는, 주의 깊은 / continue 계속되다

3 ②

해석

여 다음 분이요!
남 안녕하세요. 「The Way Home」 표 두 장 주실 수 있나요?
여 몇 시 것으로 보시겠어요? 표는 정오 전까지는 7달러이고, 그 후에는 10달러입니다.
남 네. 그러면, 11시 걸로 볼게요.
여 14달러입니다.

해설

남자는 7달러짜리 티켓 두 장을 사서 총 14달러를 내야 한다.

어휘
would like to+동사원형 ~하고 싶다 / noon 정오, 한낮

4 ②

해석

남 내 직업은 사람들의 머리카락을 손질하는 것이다. 사람들은 머리카락을 자르거나, 염색하거나, 파마를 하거나 혹은 특별한 스타일을 하기 위해 나를 찾는다. 나는 사람들을 기분 좋게 해 주기 때문에 내 직업이 좋다.

해설

사람들의 머리카락을 손질하는 직업은 미용사이다.

어휘
job 직업, 일 / take care of ~을 처리하다 / haircut 이발, 머리 깎기 / color 염색; 색 / perm 파마 / feel better 기분이 나아지다

5 ③

해석

여 정말 훌륭한 새해 전야 파티야!
남 그러게! 근데 지금 몇 시야?
여 12시 10분 전이야. 새해 카운트다운을 기다리고 있니?
남 응. 나는 새해를 시작하는 게 너무 신 나.
여 나도.

해설

12시 10분 전이라고 했으므로 11시 50분임을 알 수 있다.

어휘
new year 새해, 신년 / eve 전날 밤 / by the way 그런데 / wait for ~을 기다리다 / countdown 카운트다운 / excited 신이 난

6 ②

해석

여 보스턴으로 가는 수학여행이 다음 주 수요일이네!
남 다음 주 수요일이라고? 두 번째 수요일? 벌써! 오늘이 며칠이지?
여 오늘은 9월 4일, 첫 번째 수요일이야.

해설

둘째 주 수요일은 9월 11일이다.

어휘
school trip 수학여행 / Wednesday 수요일 / already 이미, 벌써 / date 날짜 / September 9월

7 ①

해석

남 무엇을 도와드릴까요?
여 임대할 집을 찾고 있어요.
남 근처에 있는 집 목록이에요. 어떤 것을 보고 싶으세요?
여 이 집을 볼 수 있을까요? 좋을 것 같아요. "볕이 잘 듦, 한 달에 790달러."

해설

여자는 임대할 집을 찾고 있고, 남자가 도와주고 있으므로 적절한 장소는 부동산이다.

어휘
look for ~을 찾다 / rent 임대하다 / nearby 인근의 / per 당

8 ⑤

해석

여 나는 수영을 하려고 해.
남 잘 생각했어. 나는 수영을 많이 해.
여 너는 얼마나 자주 수영을 하니?
남 일주일에 보통 대여섯 번 해.
여 정말? 그건 나한테는 너무 많은 것 같아. 나는 일주일에 두세 번으로 시작할 거야.

해설

남자는 일주일에 대여섯 번 수영을 한다고 했다.

어휘
how often 얼마나 자주 / usually 대개, 보통 / often 자주, 종종

9 ①

해석

여 아빠, 책 읽기가 지겨워요.
남 텔레비전을 보지 그러니?
여 지금 텔레비전에서 재미있는 걸 하나도 안 한단 말이에요.
남 그러면 나가서 놀지 그러니?

해설

여자는 책을 읽는 것이 지겹고, 텔레비전에서도 재미있는 것을 하지 않아 지루해하고 있다.
① 지루한 ② 행복한 ③ 고마워하는 ④ 신이 난 ⑤ 자랑스러운

어휘
be tired of ~에 지겹다, 싫증이 나다 / interesting 흥미 있는 / go outside 밖에 나가다

10 ⑤

해석

여 좋아요. 오늘 우리는 취미에 대해서 이야기했어요. 내일은 습관에 대해서 이야기를 할 거예요. 숙제로 가족들에게 습관을 물어보세요. 그리고 그것에 대해 250단어로 쓰세요. 질문에 대한 가족들의 대답은 물론이고, 여러분의 답도 우리에게 이야기해 주세요.

해설

여자는 숙제로 가족들의 습관에 대해 써오라고 했다.

어휘

hobby 취미 / habit 습관 / word 단어 / B as well as A A뿐만 아니라 B도

11 ③

해석

남 내 파티에 와줘서 고마워. 앗, 봐! 비가 오고 있어. 택시를 불러 줄까?

여 괜찮아. 우리 집은 바로 모퉁이를 돌면 나와. 그런데 너 남는 우산이 있니? 내일 돌려줄게.

해설

여자는 남자에게 남는 우산을 빌려 달라고 했다.

어휘

call a taxi 택시를 부르다 / just 바로, 막 / around the corner 모퉁이를 돌아서 / spare 남는, 여분의 / bring back ~을 돌려주다

12 ②

해석

남 해외여행을 가게 되어 신 나. 출발하자!

여 어! 잠깐! 여기서 잠깐 기다려줘.

남 왜?

여 휴대 전화를 찾을 수가 없어. 내 생각에 집에 놓고 온 것 같아.

남 기다려! 나도 너랑 같이 갈래. 출발하기 전에 화장실에 가고 싶어.

여 알았어, 서두르자.

해설

여자는 전화기를 찾으러, 남자는 화장실에 가기 위해 집에 돌아갈 것이다.

어휘

excited 신이 난 / travel abroad 해외여행을 하다

13 ⑤

해석

남 저는 지금 스케이트장에 갈 거예요.

여 기다려라. 숙제는 다 했니?

남 네. 그리고 강아지도 산책시켰어요.

여 좋아. 저녁 식사에 늦지 마라. 오늘은 아빠가 요리할 거야.

해설

여자는 남자가 숙제를 했는지 확인하고, 저녁 식사에 늦지 말라고 당부하고 있으므로 남자의 엄마일 것이다.

어휘

ice rink 아이스 링크, 빙상 경기장 / finish 끝내다 / take ~ for a walk ~을 산책하러 데리고 가다

14 ③

해석

남 오늘 공기가 정말 맑다!

여 내 생각에 이건 시에서 하는 "적게 운전하기" 운동 때문인 것 같아.

남 그런 것 같아. 우리는 환경을 보호해야 해. 그래서 이번 주에 너는 학교에 걸어갔니?

여 응, 거의 모든 학생과 선생님도 그렇게 했어.

해설

두 사람은 시에서 하는 환경 캠페인인 "적게 운전하기" 덕분에 공기가 맑아졌다는 이야기를 하고 있다.

어휘

air 공기 / clear 맑은 / less 덜 / campaign 캠페인 / agree 동의하다 / protect ~을 보호하다 / environment 환경 / nearly 거의

15 ①

해석

남 침착함을 유지하십시오. 이건 훈련입니다. 모든 학생은 비상조치에 따라야 합니다. 화재나 또 다른 응급 상황이 발생하면, 이 연습이 여러분의 생명을 살리게 될 것입니다. 선생님의 지시를 따라서 학교 건물에서 나가십시오. 건물 밖 운동장에서 선생님과 함께 경보가 꺼질 때까지 기다리십시오. 감사합니다.

해설

선생님의 지시를 따라 학교 건물 밖으로 나가 운동장에서 기다리라는 내용으로 비상시를 대비한 안전 훈련임을 알 수 있다.

어휘

remain ~인 채로 있다 / calm 침착한 / drill 훈련, 연습 / follow ~을 따르다 / emergency procedure 비상조치 / fire 화재 / another 또 다른 / emergency 비상사태 / happen 발생하다, 일어나다 / practice 훈련, 연습 / save 구하다, 살리다 / instruction 지시 / get out of ~ 밖으로 나가다 / wait outside 밖에서 기다리다 / alarm 경보, 알람 / turn off 끄다

16 ③

해석

여 좋은 아침이에요, 여러분. 저는 Vanessa Black이에요. 여러분의 선생님이 되어서 아주 기뻐요. 이 반은 제가 맡은 첫 번째 작문 수업이에요! 저는 두 달 전에 졸업했어요. 오늘 우리는 고향에 대해서 써 볼 거예요. 제 고향은 영국의 런던이에요. 여러분은 어디인가요?

해설

여자가 졸업한 대학에 대한 언급은 없다.

어휘

writing class 작문 수업 / graduate 졸업하다 / home town 고향

17 ④

해석

여 안녕하세요. 저 기억하세요? 지난주에 제 신발을 고쳐 주셨는데요.
남 네. 신발에 새로 굽을 달아드렸죠. 무슨 문제가 있나요?
여 굽은 괜찮아요. 그런데 신발에서 작은 구멍을 두 개 발견했어요.
여 알겠습니다. 저에게 신발을 주세요. 고쳐 드릴게요.

해설

여자는 신발에 구멍이 나서 남자를 찾아 왔다.

어휘

remember ~을 기억하다 / repair 수선하다, 수리하다 / put on 신다, 입다 / heel 굽 / hole 구멍 / fix ~을 수선하다

18 ①

해석

① 남 너는 애완동물이 있니?
여 나는 고양이가 좋아.
② 남 그는 운전을 할 수 있니?
여 그는 운전을 하기에는 너무 어려.
③ 남 엄마, 밖에 나가 놀아도 돼요?
여 그래, 하지만 너무 늦지는 마라!
④ 남 너희 부모님은 어디 출신이시니?
여 이탈리아 출신이셔.
⑤ 남 실례합니다, 화장실이 어디죠?
여 위층에 하나 있어요.

해설

남자가 애완동물이 있느냐고 물었는데, 고양이를 좋아한다는 대답은 자연스럽지 않다.

어휘

pet 애완동물 / go out 밖에 나가다, 외출하다 / toilet 화장실 / upstairs 위층에

19 ④

해석

여 실례합니다. 지금 주문할게요.
남 네, 무엇을 드시겠어요?
여 오늘의 수프랑 생선이요.
남 알겠습니다. 생선은 어떻게 해 드릴까요? 구워 드릴까요, 튀겨 드릴까요?
여 <u>구워 주세요. 고맙습니다.</u>

해설

생선을 어떻게 요리해 주기를 원하느냐고 물었으므로 구워 달라는 대답이 가장 자연스럽다.
① 오렌지 주스 주세요. ② 전 됐어요, 고마워요. ③ 생선으로 주세요. ⑤ 죄송하지만, 제 수프가 식었어요.

어휘

order 주문하다 / certainly 확실히, 틀림없이 / grill 굽다 / fry 튀기다

20 ⑤

해석

여 좋은 아침입니다, Dr. Anderson 병원의 Pam입니다.
남 안녕하세요. 저는 Bill예요. Anderson 박사님과 통화할 수 있을까요?
여 죄송하지만, 지금 환자를 보고 계세요.
남 알겠어요. 메시지를 좀 전해 주실래요?
여 <u>물론이죠. 뭐라고 전해 드릴까요?</u>

해설

메시지를 전해 줄 수 있느냐고 물었으므로 무슨 메시지인지 묻는 것이 가장 자연스럽다.
① 잘 지내셨어요? ② 약속을 취소할게요. ③ 저는 오늘 환자를 볼 수 없어요. ④ 당신의 약속은 다음 주예요.

어휘

clinic 병원, 의원 / patient 환자 / message 메시지 / cancel 취소하다 / appointment 약속

Dictation

p.148~151

1 playing a game / writing a journal
2 cool and cloudy / be careful
3 before noon / after that / fourteen dollars
4 take care of people's hair / feel better
5 ten to twelve / start a new year
6 The second Wednesday / the fourth of September
7 a house to rent / Can I see this one
8 start swimming / too often for me
9 I'm tired of / go outside and play
10 talked about hobbies / Tell us about your answer
11 It's raining / have a spare umbrella
12 travel abroad / before leaving
13 finish your homework / Don't be late for dinner
14 so clear / protect the environment
15 follow the emergency procedures / save your life / is turned off
16 excited to be your teacher / write about our home towns
17 You repaired my shoes / two small holes
18 too young to drive / where's the toilet
19 what would you like / Grilled or fried
20 Can I speak to / give her a message

19회 영어듣기 모의고사 p.152~155

01 ①	02 ④	03 ④	04 ①	05 ③
06 ③	07 ③	08 ④	09 ④	10 ④
11 ③	12 ⑤	13 ③	14 ⑤	15 ③
16 ⑤	17 ①	18 ③	19 ②	20 ⑤

1 ①

해석

남 이것은 긴 손잡이와 무거운 머리로 되어 있다. 건설하는 사람들이 자주 이것을 사용한다. 우리는 못을 박을 때 이것을 이용한다. 이것을 사용할 때는 조심해야 한다. 다칠 수도 있다.

해설

긴 손잡이가 달렸고, 못을 박기 위해 사용하는 물건은 망치이다.

어휘

handle 손잡이 / heavy 무거운 / builder 건설업자 / use 사용하다 / hit 치다 / nail 못 / careful 조심성 있는, 주의 깊은 / hurt oneself 다치다

2 ④

해석

여 안녕. 내 이름은 Mia Johns야. 나는 매디슨중학교 1학년이야. 나는 엄마, 아빠와 캐나다에 살아. 나는 형제자매가 없어. 내 취미는 이야기를 쓰는 거야. 나는 기자가 되고 싶어.

해설

좋아하는 과목에 대해서는 언급하지 않았다.

어휘

grade 학년 / hobby 취미 / journalist 기자

3 ④

해석

남 이번 주말에 보고서를 써야 해. 도와줄 수 있니?
여 안 돼. 엄마 식당에서 일해야 하거든. 미안해.
남 아. 엄마가 식당을 운영하시니?
여 응. 그리고 일요일 밤까지 예약이 꽉 차 있어. 우린 정말 바쁠 거야!

해설

여자는 엄마가 운영하는 식당에서 엄마를 도울 것이다.

어휘

have to ~해야 하다 / write ~을 쓰다 / report 보고서 / fully 완전히 / booked 예약된, 계약된 / until ~까지

4 ①

해석

남 도와드릴까요?
여 네. 이 코트를 사고 싶어요. 6사이즈가 있나요?
남 제가 조언을 드려도 될까요? 금요일에 다시 오세요. 모든 코트가 50퍼센트 할인을 할 거예요.
여 그래요? 귀띔해 주어서 고마워요!

해설

여자는 세일 기간을 알려준 남자에게 고마움을 표시하고 있다.

어휘

coat 코트, 외투 / advice 조언 / come back 다시 오다, 돌아오다 / off 할인하여 / grateful 고마워하는, 감사하는 / tip 귀띔, 정보

5 ③

해석

[전화벨이 울린다.]
여 베스트아파트의 Sandra입니다.
남 안녕하세요. 저는 704호의 Oliver White입니다.
여 네, White 씨.
남 지금 바로 사람을 좀 보내 주시겠어요?
여 무슨 일이시죠?
남 천장에서 물이 새고 있어요.

해설

남자는 천장에서 물이 새서 수리를 요청하려고 전화를 걸었다.

어휘

apartment 아파트 / send up 올려 보내다 / right away 지금 당장 / ceiling 천장

6 ③

해석

여 그 식당을 예약했니?
남 응, 두 명으로.
여 저녁 7시로 한 거지?
남 응, 그런데 우리는 그것보다 10분 일찍 도착해야 해.
여 왜?
남 만약 우리가 늦으면, 우리 자리를 뺏길 거야.

해설

두 사람은 식당을 7시에 예약했지만 10분 일찍 도착해야 한다고 했다.

어휘

book 예약하다 / arrive 도착하다 / lose 잃다

7 ③

해석

남 밖에 비가 와. 무엇을 하지?
여 탁구를 칠 수 있어.

남 나 탁구 칠 줄 몰라.
여 그럼, 볼링은 어때?
남 오, 좋은데. 볼링 치고 싶어.
여 좋아, 가자.

해설
여자가 볼링을 치러 가자고 제안을 했고, 남자가 동의했다.

어휘
table tennis 탁구 / how about ~? ~은 어때? / bowling 볼링

8 ④

해석
남 도와드릴까요?
여 네. 저기 블루치즈가 얼마인가요?
남 킬로그램당 18달러입니다.
여 1킬로그램에 18달러요? 0.5킬로그램만 주세요.
남 알겠습니다. 여기 있어요.

해설
여자는 1킬로그램에 18달러인 치즈를 0.5킬로그램 구입했으므로 9달러를 지불해야 한다.

어휘
how much 얼마 / kilogram 킬로그램(=kilo) / per 당 / half 절반

9 ④

해석
여 무슨 일이니?
남 오늘 성적표를 받았어.
여 그래서 기분이 나빠 보이는구나. 성적이 나쁘니?
남 아니, 그런 것이 아니야. 나는 Jake보다 공부를 열심히 했어. 하지만 Jake가 더 좋은 점수를 받았어.
여 너무 기분 나빠 하지 마. 다음번에는 Jake보다 잘할 거야.

해설
남자는 친구보다 열심히 공부를 했음에도 불구하고 친구보다 성적이 안 좋아서 기분 나빠하고 있다.

어휘
matter 일, 사건 / upset 화난, 속상한 / poorly 나쁘게, 형편없이, 좋지 못하게 / feel bad 낙담하다, 실망하다

10 ④

해석
남 주문하시겠습니까?
여 네. 쇠고기 스테이크 주세요.
남 알겠습니다. 여기에서 사이트 메뉴를 두 개 고르실 수 있으세요.
여 아, 잘됐네요. 구운 감자하고, 삶은 채소 주세요.
남 마실 것은요?
여 물이면 됐어요. 그리고 디저트로 아이스크림 주세요.

해설
여자는 쇠고기 스테이크, 구운 감자, 삶은 채소, 초콜릿 아이스크림을 주문했다.

어휘
be ready to ~할 준비가 되다 / order 주문하다 / beef 쇠고기 / side dish 반찬, 곁들임 요리 / baked 구운 / boiled 삶은 / dessert 후식, 디저트

11 ③

해석
남 오늘과 내일 날씨를 알려드리겠습니다. 오늘 아침은 매우 춥고, 구름이 많이 끼겠습니다. 하지만, 정오까지는 눈이 내리지는 않겠습니다. 눈은 밤에 더 거세질 것입니다. 내일 아침이 되어서야 하늘이 맑고 화창하게 갤 것입니다. 내일 밤에는 눈이 다시 내리기 시작할 것입니다. 감기 걸리지 않도록 조심하십시오.

해설
오늘 밤에는 눈이 더 거세게 내릴 것이라고 했다.

어휘
weather 날씨 / cloudy 구름이 많이 낀 / noon 정오, 한낮 / heavy 강한, 심한 / clear 맑은 / careful / 조심성 있는, 주의 깊은 / catch a cold 감기에 걸리다

12 ⑤

해석
여 너 어디 가니, Josh?
남 수영장에요.
여 어떻게 갈 거니?
남 자전거로 가요.
여 꼭 자물쇠로 안전하게 잠그렴.
남 그럴게요. 그리고 어두워지기 전에 돌아올게요.

해설
여자는 자전거를 타고 외출하는 남자에게 자물쇠로 자전거를 잘 잠그라고 충고했다.

어휘
swimming pool 수영장 / make sure 꼭 ~하다 / lock up ~을 잠그다 / safely 안전하게 / dark 어두운; 어둠

13 ③

해석
남 나는 베이컨, 양상추, 토마토로 샌드위치를 만들고 있어.
여 내가 가장 좋아하는 샌드위치야!
남 너도 하나 만들어 줄까?
여 아니. 지금은 먹을 수 없어.
남 아, 맞다. 너 점심 약속이 있구나.
여 응. 그럼 나중에 봐!

해설
여자는 점심을 먹을 약속이 되어 있어 남자의 제안을 거절했다.

어휘
bacon 베이컨 / lettuce 상추 / have an appointment 약속이 있다

14 ⑤

해석
여 우리 결혼식은 언제 하는 것이 가장 좋을까?
남 나는 5월이 가장 좋은 것 같아.
여 나도. 그리고 토요일이어야 해.
남 첫 번째 토요일은 5월 3일이야.
여 두 번째 토요일로 하자.
남 알겠어. 좋을 것 같아.

해설
두 번째 주 토요일에 결혼식을 하기로 했고, 5월 3일이 첫 번째 주 토요일이므로 두 번째 주 토요일은 5월 10이다.

어휘
date 날짜 / wedding 결혼식 / May 5월 / agree 동의하다 / Saturday 토요일

15 ③

해석
남 우리 이제 "Super Subway Ride" 타러 가자.
여 하지만 줄이 너무 긴 걸. 대신 "Giant Roller Coaster"는 어때?
남 그건 너무 무서워. 너도 지난번에 무섭다고 했잖아.
여 그랬지. 하지만 재미있기도 했잖아. 한번 타 보자.
남 알겠어. 이번엔 너무 무섭지 않았으면 좋겠다.

해설
놀이기구를 타려고 줄을 서서 기다리는 곳은 놀이공원이다.

어휘
ride 놀이기구; 타다 / line 대기 줄; 줄 / roller coaster 롤러코스터 / instead 대신에 / scary 무서운, 겁나는 / exciting 신 나는 / give it a try 시도하다, 한번 해 보다

16 ⑤

해석
① 남 너 햄을 먹니?
 여 아니. 나는 고기를 먹지 않아.
② 남 너희 아버지는 무엇을 하시니?
 여 우리 아빠는 철도 기관사이셔.
③ 남 너 괜찮아? 아파 보여.
 여 나는 정말 피곤해.
④ 남 오늘 런던의 날씨는 어떠니?
 여 바람이 많이 불고 추워.
⑤ 남 네 수학 점수는 몇 점이었니?
 여 물론이지. 그건 내가 가장 좋아하는 과목이야.

해설
수학 점수를 물었는데 가장 좋아하는 과목이라는 대답은 어색하다.

어휘
ham 햄 / meat 고기 / train driver 철도 기관사 / sick 아픈 / tired 피곤한 / subject 과목

17 ①

해석
남 너는 무엇이 되고 싶니?
여 나는 과학 선생님이 되고 싶어.
남 우리 아빠는 음악 선생님이야.
여 그러면, 너도 음악 선생님이 되고 싶니?
남 아니. 나는 엄마처럼 간호사가 되고 싶어.

해설
남자는 어머니처럼 간호사가 되고 싶다고 말했다.

어휘
science 과학 / nurse 간호사 / like ~처럼

18 ③

해석
여 안녕. 너 힐탑국제중학교에서 우리 반 아니니?
남 맞아. 과학 수업 시간에 너를 본 것 같아. 나는 Jun이야.
여 나는 Sue야. 넌 어디에서 왔니?
남 나는 한국에서 왔어. 너는?
여 나는 중국에서 왔어.

해설
어디에서 왔느냐고 물었으므로 중국에서 왔다는 대답이 가장 자연스럽다.
① 아니, 나는 한국 사람이야. ② 나는 보스턴이 매우 좋아. ④ 나는 보스턴을 방문하고 싶어. ⑤ 우리는 같은 반이야.

어휘
international 국제적인 / science 과학 / come from ~출신이다, ~에서 오다 / would like to+동사원형 ~하고 싶다 / visit 방문하다

19 ②

해석
여 안녕, Charlie!
남 Jessica! 어디에 있었니?
여 일 년 동안 교환 학생으로 프랑스에 갔었어.
남 와! 어땠어?
여 좋은 시간을 보냈어.

해설
교환 학생을 다녀온 여자에게 그곳이 어땠는지 물었으므로 좋은 시간을 보냈다고 대답하는 것이 자연스럽다.
① 천천히 해. ③ 잘했어. ④ 너는 잘할 거야. ⑤ 나는 프랑스를 방문하고 싶어.

어휘
France 프랑스 / exchange student 교환 학생 / take one's time 서두르지 않다, 천천히 하다

20 ⑤

해석

남 너 아르바이트를 하니?
여 응. 패스트푸드 가게에서.
남 언제 하는데?
여 매주 금요일과 토요일 6시에서 10시까지야.
남 정말 피곤하겠구나.
여 응, 약간. 하지만 괜찮아.
남 무엇을 위해서 하는 거야?
여 좋은 옷을 좀 사고 싶어서.

해설

아르바이트를 하는 이유에 대해 물었으므로 옷을 사려고 아르바이트를 한다고 답하는 것이 가장 자연스럽다.
① 그것은 너무 늦어. ② 나는 또 다른 직업이 있어. ③ 나는 보통 햄버거를 먹어. ④ 나 요즘 정말 피곤해.

어휘

part-time job 아르바이트, 시간제 일 / fast food 패스트푸드 / tired 피곤한 / a little 약간, 조금 / another 또 하나의, 다른 / clothes 옷

Dictation

p.156~159

1 a heavy top / hit nails into things
2 in the first grade / writing stories
3 Can you help me / so busy
4 buy this coat / I'm grateful for the tip
5 up here right away / from my ceiling
6 book a table / 10 minutes before that / lose our table
7 play table tennis / how about bowling
8 How much is it / half a kilo
9 got my test scores / he got higher scores
10 pick two side dishes / Anything to drink
11 it will not snow until noon / the snow will start again
12 To the swimming pool / you lock it up safely
13 Shall I make you one / have an appointment for lunch
14 When is the best date / Let's make it
15 the line's too long / Let's give it a try
16 What does your father do / How's the weather
17 What do you want to be / want to be a nurse
18 in my class / Where are you from
19 Where were you / How was it
20 When do you work / You must be tired

20회 영어듣기 모의고사

p.160~163

01 ②	02 ②	03 ②	04 ②	05 ④
06 ①	07 ①	08 ⑤	09 ④	10 ①
11 ④	12 ②	13 ①	14 ①	15 ⑤
16 ③	17 ⑤	18 ①	19 ③	20 ⑤

1 ②

해석

여 고마워요, 아빠. 정말 멋진 선물이에요!
남 네가 사진 찍는 데 매우 관심이 있다고 엄마가 얘기해 줬어.
여 네, 맞아요. 아, 렌즈가 크고, 확대하고 축소할 수 있네요.
남 네가 마음에 들어 하니 정말 기쁘구나.

해설

사진을 찍을 수 있으며 렌즈가 있고, 사물을 확대하고 축소할 수 있는 것은 카메라이다.

어휘

be interested in ~에 흥미가 있다 / take a picture 사진을 찍다 / lens 렌즈 / zoom in 확대하다 / zoom out 축소하다

2 ②

해석

여 나는 공원에서 조깅하는 것을 좋아해. 그래서 나는 매주 일요일에 조깅을 해. 너는 어때?
남 나도 조깅을 좋아해. 하지만 보통 일요일에는 숙제를 해.

해설

남자는 보통 일요일에는 숙제를 한다고 했다.

어휘

jogging 조깅, 달리기 / usually 보통, 대개 / do one's homework 숙제를 하다

3 ②

해석

여 모두 안녕. 내 이름은 Lily야. 나는 열두 살이고, 홍콩에서 태어났어. 우리 가족은 할머니, 부모님, 쌍둥이 남동생들, 그리고 나 이렇게 여섯 명이야. 내 취미는 사진 찍기야. 나는 사진작가가 되고 싶어. 고마워.

해설

다니는 학교에 대해서는 이야기하지 않았다.

어휘

be born 태어나다 / twin 쌍둥이 / hobby 취미 / photographer / 사진작가, 사진사

4 ②

해석

남 무엇을 도와드릴까요?
여 딸기잼 한 병 주세요.
남 알겠습니다. 다른 것은요?
여 빵 두 개 주세요.
남 딸기잼과 빵 두 개. 16달러입니다.
여 여기 20달러예요.
남 감사합니다, 부인. 여기 거스름돈입니다.

해설

여자는 딸기잼과 빵 두 개를 16달러에 구입하고 20달러를 냈으므로 4달러를 거스름돈으로 받아야 한다.

어휘

jar 병 / strawberry jam 딸기 잼 / loaf 덩어리 / change 거스름돈

5 ④

해석

남 저 왔어요, 엄마.
여 오, 그래. 경기에서 진 것 같아 보이는구나.
남 맞아요. 단 한 게임도 이기지 못했어요.
여 자, 힘을 내렴, 응? 엄마가 너를 데리고 나가서 피자를 사 주면 어떨까?

해설

여자는 시합에서 진 남자에게 피자를 사 주겠다며 위로를 하고 있다.

어휘

lose 지다 / competition 경기, 시합 / even ~ 조차 / win 이기다 / Cheer up. 기운 내. / take A out A를 데리고 나가다

6 ①

해석

남 맛있는 냄새가 나는데.
여 사과 파이야. 오븐에 있어.
남 맛있겠다! 언제 다 되니?
여 15분 후면 될 거야.
남 15분 더 있어야 해?
여 응. 세 시 정각이면 준비가 될 거야.

해설

15분 후가 3시이므로 현재 시각은 2시 45분이다.

어휘

smell ~한 냄새가 나다 / delicious 맛있는 / yum 냠냠 / be ready 준비가 되다

7 ①

해석

남 실례합니다. 슈퍼마켓이 어디에 있나요?
여 앞쪽 모퉁이에 카페가 보이세요?
남 네. 보여요.
여 거기에서 왼쪽으로 도세요. 그것이 웨인거리예요.
남 웨인거리에서 왼쪽으로 돌라고요? 그리고요?
여 오른쪽에 있어요. 빵집 옆에 있어요.
남 도와주셔서 감사합니다!

해설

웨인거리에서 빵집 옆에 있는 것이 슈퍼마켓이다.

어휘

corner 코너, 모퉁이 / straight 바로, 똑바로, 곧장 / ahead 앞의 / next to ~옆에 / help 도움

8 ⑤

해석

남 안녕, Emma. 만나서 반갑다.
여 Alex, 나도 반가워! 요즘 뭐 하니?
남 나는 웹사이트를 디자인해. 넌 어때?
여 나는 펀컴퓨터게임즈라는 회사에서 일해. 나는 새로운 프로그램을 만들어.

해설

여자는 펀컴퓨터게임즈라는 회사에서 일하는 컴퓨터 프로그래머이다.

어휘

nowadays 요즘 / design 설계하다, 디자인하다 / work for ~에서 일하다

9 ④

해석

남 안녕, Rachel!
여 누구시죠?
남 제퍼슨초등학교에 다닌 Rachel Brown이지?
여 아니요. 저는 Rachel Brown이 아니에요. 그리고 성요한초등학교를 나왔어요.
남 아. 죄송합니다. 실수를 한 것 같군요.

해설

남자는 모르는 사람을 아는 사람으로 착각하여 아는 척을 했으므로 당황스러울 것이다.

어휘

elementary school 초등학교 / saint 성 / make a mistake 실수하다

10 ①

해석

남 나는 새이지만, 날 수 없다. 내가 가장 좋아하는 음식은 물고기이다. 나는 추운 날씨를 견뎌낼 만큼 충분히 강하고 지구에서 가장 추운 곳에 산다. 나는 알을 낳는다. 나와 남편이 교대로 우리 알을 보호한다.

해설

새이지만 날지 못하고 추운 곳에 살며 암컷과 수컷이 차례로 알을 품는 것은 펭귄이다.

어휘

strong 강한, 튼튼한 / enough 충분한 / deal with 다루다, 처리하다 / lay eggs 알을 낳다 / protect ~을 보호하다 / in turn 차례로, 번갈아

11 ④

해석

여 Luke, 네 도움이 필요해.

남 뭔데, Karen?

여 내 에세이를 읽고 실수가 있는지 확인해 줄래? 너는 영어를 정말 잘하잖아.

남 이것이 네 영어 과제물이니? 당연히 내가 도와줄게!

해설

여자는 남자에게 자신의 과제물을 읽고 실수가 있는지 검토해 달라고 부탁하고 있다.

어휘

need 필요하다 / check 확인하다 / mistake 실수 / be good at ~를 잘하다

12 ②

해석

여 시간이 있을 때 주로 무엇을 하니?

남 나는 주말마다 축구를 해. 너는?

여 나는 시간이 날 때마다 책을 읽어.

남 와, 너는 분명 똑똑하겠구나. 내 생각에 독서는 좋은 취미인 것 같아.

여 맞아. 네가 원하면 내가 책을 좀 추천해 줄게.

해설

두 사람은 각자 자신들이 시간이 날 때 하는 일, 즉 여가 생활에 대해 이야기하고 있다.

어휘

free time 여가 / what about ~? ~은 어때? / recommend ~을 추천하다

13 ①

해석

남 무슨 문제가 있니, Amy?

여 지루해요, 아빠.

남 책을 읽지 그러니?

여 그러고 싶은데 찾을 수가 없어요.

남 차에서 네 책을 봤단다. 내가 가져다주마.

해설

남자는 차에서 본 여자의 책을 가져다주겠다고 했다.

어휘

wrong 잘못된, 틀린 / bored 지루한

14 ①

해석

여 안녕하세요, 여러분. 오늘의 날씨를 알려드리겠습니다. 오늘 아침에는 서늘하고 구름이 끼겠습니다. 오후에 조금 따뜻해지겠지만, 여전히 구름이 많겠습니다. 오늘 밤 늦게는 눈이 오겠습니다.

해설

오늘 밤에는 눈이 온다고 했다.

어휘

weather forecast 일기 예보 / cloudy 구름이 낀 / still 아직, 여전히 / later 후에

15 ⑤

해석

여 설거지하는 걸 도와줘서 고맙구나, Max.

남 이제 텔레비전을 봐도 돼요, 엄마?

여 안 돼. 학교 갔다 와서 바로 한 시간 동안 이미 봤잖니.

남 하지만 엄마, 한 번만요.

여 규칙을 알고 있잖니. 하루에 한 시간이야.

해설

남자는 이미 방과 후에 바로 한 시간 동안 텔레비전 시청을 해서 지금 텔레비전을 볼 수 없다.

어휘

help with ~를 돕다 / the dishes 설거지, 식기류 / rule 규칙

16 ③

해석

① 남 너는 무슨 일을 하니?
여 나는 프로 골프 선수야.

② 남 너 점심 먹었니?
여 아니, 아직.

③ 남 너 어디에 가니?
여 나 거기에 자주 가.

④ 남 Emma Smith 씨와 통화할 수 있을까요?
여 전데요.

⑤ 남 너 영어를 좋아하니?
여 응. 우리 영어 선생님은 좋아.

해설

어디에 가느냐는 질문에 그곳에 자주 간다는 대답은 적절하지 않다.

어휘

pro golfer 프로 골프선수 / often 자주, 종종 / speak to ~와 말하다, 통화하다

17 ⑤

해석

여 이 버스가 국립박물관에 가나요?

남 아니요. 11번과 12번이 가요.

여 그 버스들이 이 정류장에서 출발하나요?

남 네, 그런데 박물관은 여기에서 세 블록이에요. 걸어갈 수 있어요.

여 아, 잘됐네요. 그럼 걸어가야겠어요.

해설

박물관으로 가는 버스 정보를 묻다가 걸어갈 수 있다는 것을 알고 걸어가겠다고 했다.

어휘
national 국가의, 나라의 / museum 박물관 / leave from ~에서 떠나다 / only 겨우 / walk 걷다

18 ①

해석
여 네 숙제는 어디 있니, Peter?
남 집에 놓고 온 것 같아요.
여 숙제를 한 것은 확실하니?
남 네, Johnson 선생님. 정말 했어요. 책가방에 넣었다고 생각했는데, 가방에 없어요.
여 알았다. 내일 내게 가져오너라.

해설
숙제 검사를 하는 선생님과 숙제를 집에 놓고 온 학생 간의 대화이다.

어휘
leave ~을 남겨 두다 / sure 확실한 / put in ~을 넣다 / backpack 책가방 / bring 가져오다

19 ③

해석
남 어제 강에서 무엇을 했어?
여 강을 수영해서 건넜어.
남 와! 분명 힘들었겠다! 얼마나 걸렸어?
여 약 한 시간 반.

해설
강을 건너는 데 얼마나 걸렸느냐고 물었으므로 약 한 시간 반이라는 응답이 가장 자연스럽다.
① 나는 수영을 좋아해. ② 강은 더러웠어. ④ 일주일에 세네 번. ⑤ 꽤 오래 걸릴 거야.

어휘
river 강 / swim across 헤엄쳐 건너다 / how long 얼마나 오래 / dirty 더러운 / quite 꽤 / half 반, 30분

20 ⑤

해석
남 너 Mary Jane을 아니?
여 우리 과학 반에 있는 아이를 말하는 거니?
남 응.
여 그 애에게 관심이 있니?
남 응, 매우 착하고 좋은 것 같더라.
여 응, 착하고 좋아. 예쁘기도 하고.
남 나를 그녀에게 소개시켜 줄래?
여 물론이지. 너희 둘이 좋은 친구가 될 거야.

해설
남자가 여자의 반에 마음에 드는 여학생이 있어 소개시켜 달라고 했으므로 둘이 좋은 친구가 될 수 있을 거라는 응답이 가장 자연스럽다.
① 나는 그녀를 몰라. ② 그녀는 너의 여동생이니? ③ 그녀는 우리 반이 아니야. ④ 나는 과학을 잘 못해.

어휘
mean 의미하다 / science 과학 / be interested in ~에 관심이 있다 / seem ~인 것 같다 / even ~까지도, 조차도, 정말로 / introduce ~을 소개하다 / classmate 급우 / be good at ~을 잘하다

Dictation

p.164~167

1 interested in taking pictures / you like it
2 enjoy jogging / do my homework
3 12 years old / taking pictures
4 What can I do for you / Two loaves of bread / Here's your change
5 you lost in the competition / take you out
6 Something smells delicious / in 15 minutes
7 straight ahead / next to the bakery
8 What do you do / make computer programs
9 Who is it / made a mistake
10 I can't fly / deal with / lay eggs
11 with something / there is any mistake
12 in your free time / a good hobby
13 I'm bored / in the car
14 cool and cloudy / some snow later tonight
15 for an hour / One hour a day
16 What do you do / No, not yet / This is she speaking
17 from this bus stop / I'll do that
18 left it at home / Bring it to me tomorrow
19 What did you do / How long did it take
20 in my science class / very nice and kind

1회 기출 모의고사

p.168~171

01 ①	02 ③	03 ⑤	04 ②	05 ③
06 ④	07 ③	08 ⑤	09 ⑤	10 ③
11 ③	12 ①	13 ④	14 ②	15 ①
16 ②	17 ③	18 ①	19 ③	20 ③

1 ①

Script

M Look at this necktie! This is for Dad.
W I like it. The sunflower on it looks great.
M Yes, it does. You know, Dad likes sunflowers.
W Right. Dad will like it. Let's buy it.

해석

남 이 넥타이를 좀 봐! 이건 아빠를 위한 거네.
여 마음에 든다. 해바라기 그림이 좋아 보여.
남 응, 그래. 있잖아, 아빠는 해바라기를 좋아하셔.
여 맞아. 아빠가 좋아하실 거야. 이것을 사자.

해설

해바라기 그림이 있는 넥타이를 사기로 했다.

어휘

necktie 넥타이 / sunflower 해바라기 / buy ~을 사다

2 ③

Script

W Hello. This is the weather report for today and tomorrow. It will be cloudy and windy this afternoon, and it will rain tonight. Tomorrow, the rain will stop, and we'll have a sunny day. Thank you.

해석

여 안녕하세요. 오늘과 내일의 일기 예보입니다. 오늘 오후에는 흐리고 바람이 불겠으며, 오늘 밤에는 비가 내리겠습니다. 내일은 비가 멈추고 맑은 날씨가 이어지겠습니다. 감사합니다.

해설

오늘 밤에는 비가 내릴 것이라고 했다.

어휘

weather report 일기 예보 / cloudy 흐린 / windy 바람이 부는

3 ⑤

Script

M I am a small animal. I have four legs and a short tail. I also have long ears. I like carrots very much. I can run fast. What am I?

해석

남 나는 작은 동물이다. 나는 다리가 네 개이고 꼬리가 짧다. 나는 또한 긴 귀를 가졌다. 나는 당근을 아주 좋아한다. 나는 빨리 달릴 수 있다. 나는 무엇인가?

해설

몸집이 작고 귀가 길며, 당근을 좋아하는 동물은 토끼이다.

어휘

small 작은 / tail 꼬리 / carrot 당근

4 ②

Script

M Did you finish your painting?
W Yes, I finished it with Sujin yesterday.
M Can I see it?
W Of course. Here it is. What do you think?
M Wonderful! You did a great job!

해석

남 그림 그리는 건 끝냈니?
여 네, 어제 Sujin이랑 같이 끝냈어요.
남 보여 줄래?
여 물론이죠. 여기 있어요. 어때요?
남 훌륭하구나! 정말 잘했어!

해설

남자는 여자의 그림을 보고 잘했다고 칭찬을 하고 있다.

어휘

finish 끝내다 / painting 그림, 그림 그리기

5 ③

Script

M I have breakfast every day. Today, I woke up early in the morning and ate bananas. For lunch, I had a sandwich with orange juice. After school, I went to Pizza World with my friends. I had two slices of pizza there.

해석

남 나는 매일 아침을 먹는다. 나는 오늘 아침에 일찍 일어나 바나나를 먹었다. 점심으로 나는 샌드위치와 오렌지 주스를 먹었다. 방과 후에, 나는 친구와 함께 피자월드에 갔다. 나는 그곳에서 피자 두 조각을 먹었다.

해설

스파게티를 먹었다는 언급은 없다.

어휘

breakfast 아침 식사 / wake up 일어나다 / early 일찍 / after school 방과 후에 / a slice of ~ 한 조각

6 ④

Script

M I got two free concert tickets. Would you like to go with me?
W Sounds great! When does the concert start?

M It starts at 7:30, but we have to be there by 7 o'clock.
W Okay. Let's hurry. It's already 6 o'clock.

해석

남 나 공짜 콘서트 표가 두 장 생겼어. 나랑 같이 갈래?
여 좋아! 콘서트가 언제 시작하는데?
남 일곱 시 반에 시작하는데, 일곱 시까지 그곳에 가야 해.
여 좋아. 서두르자. 벌써 여섯 시야.

해설

남자는 콘서트가 일곱 시 반에 시작한다고 말했다.

어휘

free 공짜의 / concert 콘서트, 공연 / would like to+동사원형 ~ 하고 싶다 / go with ~ 와 함께 가다 / hurry 서두르다 / already 벌써, 이미

7 ③

Script

M Hi, Julia. Did you choose a club yet?
W Not yet. How about you?
M I want to join the movie club.
W Good. I'm thinking about the music club.
M Oh, really? Do you like music?
W Yes. I want to be a musician.

해석

남 안녕, Julia. 너 벌써 동아리를 선택했어?
여 아니, 아직. 너는?
남 나는 영화 클럽에 가입하고 싶어.
여 좋구나. 나는 음악 클럽에 가입할까 생각 중이야.
남 아, 그래? 음악을 좋아하니?
여 응. 나는 음악가가 되고 싶어.

해설

여자는 음악가가 되고 싶다고 했다.

어휘

choose ~을 선택하다 / yet 벌써, 아직 / join 가입하다 / think about ~을[에 대해] 생각하다 / musician 음악가

8 ⑤

Script

W You don't look well. What's wrong?
M You know, the English drama contest was yesterday.
W Right. How did it go?
M Well, I practiced a lot, but I didn't win a prize.
W Oh, I understand how you feel.

해석

여 너 안 좋아 보인다. 무슨 일이야?
남 있잖아. 어제 영어 연극 콘테스트가 있었어.
여 그래. 어떻게 됐어?
남 그게, 연습을 많이 했는데, 상을 못 탔어.
여 아, 네 기분 이해해.

해설

남자는 연습을 많이 했는데, 콘테스트에서 상을 타지 못해 실망했다.

어휘

wrong 잘못된, 옳지 않은 / drama 연극 / practice 연습하다 / win a prize 상을 타다

9 ⑤

Script

W Suji can't go to the library with us after school.
M Why not?
W She broke her leg, and she's in the hospital now.
M I'm sorry to hear that. Why don't we visit her?
W Sure. Let's visit her this afternoon.

해석

여 Suji는 방과 후에 우리와 함께 도서관에 갈 수가 없어.
남 왜?
여 다리가 부러져서, 지금 병원에 있어.
남 정말 안됐다. 우리가 그녀를 방문하면 어때?
여 그래. 오늘 오후에 그녀에게 가자.

해설

두 사람은 오후에 다친 친구의 병문안을 가기로 했다.

어휘

library 도서관 / after school 방과 후에 / break one's leg 다리가 부러지다 / hear ~을 듣다 / visit ~을 방문하다

10 ③

Script

M Your school sports day is next Monday, right?
W No, it was changed because it'll be windy and rainy next Monday.
M Really? So when is the sports day?
W It's next Friday.
M I see.

해석

남 너희 학교 운동회가 다음 주 월요일이지, 맞지?
여 아니요, 다음 주 월요일에 바람이 많이 불고, 비가 온다고 해서 바뀌었어요.
남 정말? 그럼 언제야?
여 다음 주 금요일이요.
남 알았다.

해설

체육대회 날짜가 날씨 때문에 변경된 것에 대해 이야기하고 있다.

어휘

sports day 운동회 / change 바뀌다, ~을 바꾸다 / because ~ 때문에 / windy 바람이 많이 부는 / rainy 비가 오는

11 ③

Script

① M Do you have a red pen?
W No, I don't have one.

② M What is your favorite holiday?
W I like Christmas the most.
③ M How often do you play computer games?
W Yes, it's in the living room.
④ M What do you think of my glasses?
W I think they look nice.
⑤ M Did you enjoy your meal?
W Yes, it was delicious.

해석

① 남 너 빨간색 펜이 있니?
여 아니, 없어.
② 남 네가 가장 좋아하는 휴일은 언제야?
여 나는 성탄절을 가장 좋아해.
③ 남 너는 컴퓨터 게임을 얼마나 자주 하니?
여 응, 그건 거실에 있어.
④ 남 내 안경 어때?
여 좋아 보여.
⑤ 남 식사는 괜찮았어?
여 응, 맛있었어.

해설

컴퓨터로 게임을 얼마나 자주 하는지 묻는 질문에 컴퓨터가 거실에 있다는 대답은 적절하지 않다.

어휘

favorite 가장 좋아하는 / holiday 휴일, 명절 / how often 얼마나 자주 / think of ~을 생각하다 / glasses 안경 / meal 식사 / delicious 맛있는

12 ①

Script

M I like my English teacher. He tells us many funny stories.
W Does he? I like my math teacher the most.
M What do you like about him?
W He's always kind to us.

해석

남 나는 우리 영어 선생님이 좋아. 그는 재미있는 이야기를 많이 해 줘.
여 그래? 나는 수학 선생님이 가장 좋아.
남 어떤 면이 좋은데?
여 수학 선생님은 우리에게 항상 친절하셔.

해설

여자는 수학 선생님이 항상 친절하기 때문에 좋다고 말했다.

어휘

funny 재미있는 / always 항상 / kind 친절한

13 ④

Script

M What's wrong with your puppy?
W My dog won't eat or drink anything.
M That's not good. Did your dog eat something bad?
W Well, I don't think so.
M Then let's take an X-ray.

해석

남 강아지에게 무슨 문제가 있나요?
여 제 강아지가 아무것도 먹거나 마시지 않아요.
남 그건 좋지 않은데요. 강아지가 뭔가 안 좋은 걸 먹었나요?
여 글쎄요, 그런 것 같지는 않아요.
남 그럼 엑스레이를 찍어 봅시다.

해설

강아지의 상태를 묻는 사람은 수의사, 대답하는 사람은 강아지 주인이다.

어휘

puppy 강아지 / anything 어떤 것도 / take an X-ray 엑스레이를 찍다

14 ②

Script

M Excuse me. How can I get to the police station?
W Let me see. Go straight one block and turn right.
M Go straight one block and turn right?
W Yes. Then, walk straight a little farther. It'll be on your left next to the bank.
M Oh, I see. Thank you very much.

해석

남 실례합니다. 경찰서를 가려면 어떻게 해야 할까요?
여 어디 볼까요. 곧장 한 블록을 가셔서 오른쪽으로 도세요.
남 한 블록을 곧장 가서 오른쪽으로 돌라고요?
여 네. 그리고 조금 더 앞으로 걸어가세요. 당신의 왼편, 은행 옆에 있을 거예요.
남 아, 알겠어요. 감사합니다.

해설

곧장 한 블록을 가서, 오른쪽으로 돈 후, 왼편으로 은행 옆에 있는 것이 경찰서이다.

어휘

get to ~에 도착하다 / police station 경찰서 / straight 곧장 / turn right 오른쪽으로 돌다 / a little 약간 / farther 더 멀리 / next to ~ 옆에

15 ①

Script

W David, it's time to go to bed. It's already 11 o'clock.
M Mom, I have to finish my homework.
W It's late. You can do it early tomorrow morning.
M Hmm.... Then, can you wake me up at 6 o'clock in the morning?
W Sure, don't worry.

해석

여 David, 잘 시간이다. 벌써 열한 시란다.
남 엄마, 저는 숙제를 끝내야 해요.
여 늦었어. 내일 아침 일찍 할 수 있잖니.
남 흠… 그러면, 아침 여섯 시에 저를 깨워주실 수 있어요?
여 그럼, 걱정하지 마.

해설

남자는 숙제를 끝내지 못해서 내일 아침에 일찍 깨워 줄 것을 부탁하고 있다.

어휘
go to bed 잠자리에 들다 / finish 끝내다 / homework 숙제 / wake up 깨우다

16 ②

Script
M I didn't see you at school yesterday. What happened?
W Oh, I went to see the doctor with my mom.
M Why? Were you sick?
W I had a cold, but I'm better now.
M It's really cold outside. Take care of yourself.
W Thanks.

해석
남 어제 학교에서 너를 보지 못했어. 무슨 일 있었어?
여 아, 엄마랑 병원에 갔었어.
남 왜? 아팠어?
여 감기에 걸렸는데 이제는 나아졌어.
남 밖이 정말 추워. 몸조심해.
여 고마워.

해설
여자는 감기에 걸려서 병원에 갔었다.

어휘
happen 일어나다, 발생하다 / sick 아픈 / outside 밖에 / take care of ~을 돌보다

17 ③

Script
W Chris, where are you going?
M I'm going to Tom's house to do the science homework. Did your group finish it?
W Yes, we did. Why is your group still working on it?
M Well, we can't find any useful book.
W How about using the Internet?
M That's a good idea. Thanks.

해석
여 Chris, 너 어디 가니?
남 과학 숙제를 하러 Tom의 집에 가고 있어. 너희 조는 숙제를 마쳤니?
여 응, 마쳤어. 너희 조는 왜 아직도 그걸 하고 있는 거야?
남 음, 우리는 유용한 책을 찾을 수가 없었거든.
여 인터넷을 활용해 보는 게 어때?
남 그거 좋은 생각이다. 고마워.

해설
여자는 유용한 책이 없어 숙제를 끝내지 못했다는 남자에게 인터넷을 사용해 볼 것을 권유했다.

어휘
science 과학 / group 조, 그룹 / still 아직 / work on ~에 대한 작업을 하다 / useful 유용한

18 ①

Script
[Cell phone rings.]
W Hello?
M Hello, Jane. This is Mark. Hey, you live near the Science museum, right?
W Yes. Why?
M I'm going there with my friends this Saturday.
W Really?
M Yeah. Are there any good restaurants near the museum?
W Yes, there's a good Italian restaurant right next to it.
M Thanks a lot.

해석
[휴대 전화가 울린다.]
여 여보세요?
남 안녕, Jane. 나 Mark야. 있잖아, 너 과학박물관 근처에 살지, 맞지?
여 응, 왜?
남 내가 이번 주 토요일에 친구랑 거기에 가거든.
여 정말?
남 응. 박물관 근처에 좋은 식당이 있니?
여 응, 바로 옆에 맛있는 이탈리아 음식점이 있어.
남 정말 고마워.

해설
남자는 주말에 갈 박물관 근처의 식당 정보를 물어보기 위해 여자에게 전화를 걸었다.

어휘
near 가까운 / museum 박물관 / restaurant 식당 / Italian 이탈리아의 / right 바로

19 ③

Script
M I am going to take a family trip this summer vacation.
W Wow! That's cool.
M Do you have any special plans?
W Well, I'm going to take a cooking class with my mom. It's going to be very interesting.
M Sounds good. You must be excited.
W Sure. I can't wait.

해석
남 나 이번 여름 방학에 가족 여행을 갈 거야.
여 와! 멋진데.
남 너는 특별한 계획이 있니?
여 글쎄, 나는 엄마랑 같이 요리 수업을 들을 거야. 정말 재미있을 거야.
남 좋은데. 너 정말 신 나겠다.
여 물론이지. 어서 듣고 싶어.

해설
신 나겠다는 남자의 추측에 정말 그렇다고 대답하는 것이 자연스럽다.
① 괜찮아. ② 같이 가도 될까? ④ 너 농담이지. ⑤ 너는 좋은 요리사가 될 수 있을 거야.

어휘

take a trip 여행 가다 / vacation 방학 / special 특별한 / plan 계획 / take a class 수업을 듣다 / cooking 요리 / interesting 흥미 있는 / excited 신 나는 / cannot wait 몹시 바라다, 하고 싶다 / kid 농담하다 / cook 요리사

20 ③

Script

M Mom, I'm home. I'm so hungry.
W Oh, good! I made some sandwiches for you.
M Great! Where are they?
W On the table.

해석

남 엄마, 저 집에 왔어요. 정말 배가 고파요.
여 아, 잘됐구나! 너를 위해서 샌드위치를 만들었거든.
남 좋네요! 어디에 있어요?
여 식탁 위에.

해설

샌드위치가 어디에 있느냐고 물었으므로 식탁 위에 있다는 응답이 자연스럽다.
① 10달러야. ② 정말 맛있구나. ④ 숟가락으로. ⑤ 5분 후에.

어휘

be home 집에 오다 / hungry 배가 고픈 delicious 맛있는 / later 나중에

2회 기출 모의고사

p.172~175

01 ①	02 ④	03 ②	04 ②	05 ③
06 ②	07 ②	08 ④	09 ③	10 ①
11 ②	12 ⑤	13 ⑤	14 ②	15 ②
16 ⑤	17 ⑤	18 ④	19 ①	20 ②

1 ①

Script

W We can use it when we want to see ourselves. It has different sizes and shapes. Since it is usually made of glass, we have to be careful because it breaks easily. What is it?

해석

여 우리는 이것을 우리 자신이 보고 싶을 때 사용한다. 이것은 크기와 모양이 다르다. 이것은 보통 유리로 만들어져서, 쉽게 깨지기 때문에 조심해야 한다. 이것은 무엇인가?

해설

자기 자신을 볼 때 사용하는 유리로 만든 물건은 거울이다.

어휘

use 쓰다, 사용하다 / size 크기 / shape 모양 / since ~때문에, 이니까 / be made of ~로 만들어지다 / glass 유리 / be careful 조심하다 / break 깨지다 / easily 쉽게

2 ④

Script

M Hello. Here's the weather report for tomorrow. Seoul will be cloudy all day. Gwangju will be windy and Daejeon will have sunny skies. But it will be rainy in Daegu. Don't forget to take your umbrella. Thank you.

해석

남 안녕하세요. 내일의 날씨입니다. 서울은 온종일 흐리겠습니다. 광주는 바람이 불고 대전의 하늘은 맑겠습니다. 하지만 대구에는 비가 내리겠습니다. 우산 챙기는 것을 잊지 마세요. 고맙습니다.

해설

대구에는 비가 올 것이라고 했다.

어휘

weather report 일기 예보 / all day 온종일 / forget ~을 잊어버리다 / umbrella 우산

3 ②

Script

M Hi, Jenny. How was your family trip last week?
W We had a lot of fun on Jeju Island.
M What did you do there?
W We went to the beach and ate seafood.
M That sounds great! I also ate seafood in Sokcho with my family.
W Oh, did you like Sokcho?
M Yes, I really liked the fresh air there.

해석

남 안녕, Jenny. 지난주에 갔던 가족 여행은 어땠니?
여 우리는 제주도에서 정말 재미있는 시간을 보냈어.
남 거기에서 무엇을 했는데?
여 우리는 해변에 가서 해산물을 먹었어.
남 좋았겠다! 나도 속초에서 가족들이랑 해산물을 먹었어.
여 아, 속초는 좋았어?
남 응, 그곳의 신선한 공기가 정말 좋았어.

해설

두 사람은 지난주에 갔던 가족 여행에 관해 이야기하고 있다.

어휘

have fun 즐겁게 놀다 / island 섬 / seafood 해산물 / fresh 신선한 / air 공기

4 ②

Script

M *[Coughing sounds]* I have a bad cold.
W I'm sorry to hear that. Did you get some rest?

M Yes, I did. But I still don't feel well.
W Then, why don't you go to see a doctor?

해석

남 *[기침하는 소리]* 나 심한 감기에 걸렸어.
여 저런 안됐다. 좀 쉬었어?
남 응. 하지만 아직 몸이 좋지 않아.
여 그러면, 병원에 가 보는 게 어때?

해설

여자는 심하게 감기에 걸린 남자에게 병원에 가 보라고 제안하고 있다.

어휘

cough 기침하다 / have a cold 감기에 걸리다 / get some rest 쉬다 / still 여전히 / feel well 몸이 좋다 / see a doctor 병원에 가다

5 ③

Script

W John, let's go jogging tomorrow morning.
M Okay. What time shall we meet? I get up at 6 o'clock.
W Then, how about 6:30?
M That's too early. Let's meet at 7 o'clock.
W Okay. See you then.

해석

여 John, 내일 아침에 조깅하러 가자.
남 좋아. 몇 시에 만날까? 나는 여섯 시에 일어나.
여 그럼, 여섯 시 반 어때?
남 너무 이른데. 일곱 시 정각에 만나자.
여 알았어. 그때 보자.

해설

여섯 시 반은 남자에게 너무 일러서 일곱 시에 만나기로 했다.

어휘

go jogging 조깅 가다 / meet 만나다 / get up 일어나다 / how about ~은 어때?

6 ②

Script

M Hi, my name is Steve. I'm from England. I live in London. I like all kinds of movies. My favorite actor is James Dean. I want to be a movie star like him. Thank you.

해석

남 안녕, 내 이름은 Steve야. 나는 영국에서 왔어. 나는 런던에 살아. 나는 모든 종류의 영화를 좋아해. 내가 가장 좋아하는 배우는 James Dean이야. 나는 그 사람 같은 영화배우가 되고 싶어. 고마워.

해설

남자의 나이는 언급되지 않았다.

어휘

England 영국 / live in ~에 산다 / kind 종류 / actor 배우 / movie star 영화배우

7 ②

Script

W Tom, I'm going to buy a present for Dad.
M What do you want to buy?
W A sweater, but I can't choose a color on the Internet.
M Hmm.... Then, why don't you go to a clothing store?
W Sounds good. Will you come with me?
M Sure.

해석

여 Tom, 나 아빠 선물을 사러 갈 거야.
남 무엇을 살 건데?
여 스웨터, 그런데 인터넷에서는 색을 고를 수가 없어.
남 흠…… 그러면, 옷 가게에 가지 그래?
여 좋은 생각이야. 같이 갈래?
남 그래.

해설

두 사람은 아빠의 선물을 사러 옷 가게에 갈 것이다.

어휘

present 선물 / sweater 스웨터 / choose 고르다 / clothing store 옷가게 / come with ~와 함께 오다, 가다

8 ④

Script

M Where are you going?
W I'm going to the police station.
M Why? What's the matter?
W I lost my bike. I'm really worried about it.
M Oh, really? I hope you'll find it soon.

해석

남 너 어디 가?
여 나 경찰서에 가.
남 왜? 무슨 일이야?
여 자전거를 잃어버렸어. 정말 걱정이 돼.
남 아, 정말? 곧 자전거를 찾기를 바랄게.

해설

여자는 자전거를 잃어버려서 걱정이 된다고 했다.

어휘

police station 경찰서 / lose 잃어버리다 / be worried about ~에 대해 걱정하다 / find 찾다 / soon 곧

9 ③

Script

W Charlie, what did you do last weekend?
M I went to the swimming pool with my friends.
W Really? Did you have fun?
M Yes, of course! How was your weekend?
W It was great! I made cookies for my family.
M Oh, good!

해석

여 Charlie, 너 지난 주말에 뭐 했어?

남 나는 친구들이랑 수영장에 갔었어.

여 정말? 재미있었니?

남 응, 물론이지! 네 주말은 어땠어?

여 훌륭했어! 우리 가족을 위해서 쿠키를 만들었어.

남 오, 좋다!

해설

여자는 주말에 가족을 위해 쿠키를 구웠다고 말했다.

어휘

last 지난 / weekend 주말 / swimming pool 수영장 / have fun 즐겁게 놀다

10 ①

Script

M I want to take care of sick people in the future.

W So, do you want to be a doctor?

M Yes, that's my dream.

W I think that you will become a great doctor.

M Thanks, I hope so.

해석

남 나는 장차 아픈 사람을 돌보고 싶어.

여 그럼, 너는 의사가 되고 싶은 거야?

남 응, 그게 내 꿈이야.

여 나는 네가 훌륭한 의사가 될 거라고 생각해.

남 고마워, 나도 그러길 바라.

해설

두 사람은 남자의 장래 희망에 관해 이야기하고 있다.

어휘

take care of ~을 돌보다 / in the future 미래에, 장차 / doctor 의사 / hope ~을 희망하다, 바라다

11 ②

Script

① W What's your favorite subject?
  M Science. My dream is to be a scientist.

② W How often do you play computer games?
  M I use my computer in the living room.

③ W I washed the dishes for you.
  M How kind of you!

④ W Are you ready to order?
  M Yes, I'd like a pizza and a coke.

⑤ W Will you lend me a blue pen?
  M Sorry, but I don't have one.

해석

① 여 네가 가장 좋아하는 과목이 뭐야?
  남 과학. 내 꿈은 과학자가 되는 거야.

② 여 너는 컴퓨터 게임을 얼마나 자주 하니?
  남 나는 컴퓨터를 거실에서 사용해.

③ 여 내가 널 위해서 설거지를 했어.
  남 정말 친절하구나!

④ 여 주문하시겠어요?
  남 네, 저는 피자와 콜라 주세요.

⑤ 여 파란색 펜을 좀 빌려주겠니?
  남 미안해, 나는 파란 펜이 없어.

해설

얼마나 게임을 자주 하는지 물었는데 컴퓨터를 거실에서 사용한다고 응답하는 것은 자연스럽지 않다.

어휘

subject 과목 / scientist 과학자 / wash the dishes 설거지를 하다 / ready 준비 된 / order 주문하다 / lend 빌려주다

12 ⑤

Script

M Carol, are you a member of any club?

W Yes, I'm in the music club.

M That sounds interesting. Why did you join that club?

W Because I wanted to learn many songs.

M Oh, I see.

해석

남 Carol, 너 동아리 들었어?

여 응, 나는 음악 동아리에 있어.

남 재미있을 것 같구나. 왜 그 동아리에 가입했어?

여 노래를 많이 배우고 싶었거든.

남 아, 그렇구나.

해설

여자는 많은 노래를 배우고 싶어서 음악 동아리에 가입했다.

어휘

member 회원 / club 동아리 / interesting 흥미로운 / join 가입하다 / learn 배우다

13 ⑤

Script

M Thank you for calling Tom's Radio Quiz Show! Who am I talking to?

W Hi, this is Sujin from Cheonan.

M Hi, Sujin. Can you guess the answer?

W I think it's number three, the lion.

M You got it! Congratulations!

해석

남 Tom의 라디오 퀴즈 쇼에 전화 주셔서 감사합니다. 누구신가요?

여 안녕하세요, 저는 천안에 사는 Sujin이라고 해요.

남 안녕하세요, Sujin 씨. 답을 말해 보시겠어요?

여 제 생각에는 3번 사자인 것 같아요.

남 정답입니다! 축하합니다!

해설

라디오 청취자가 라디오 프로그램에 전화를 해서 퀴즈 문제를 맞히는 상황이다.

어휘
talk to ~에게 이야기하다 / guess ~을 추측하다 / lion 사자 / congratulation 축하

14 ②

Script
W Excuse me. How can I get to the post office?
M Let me see. Go straight to Main Street.
W Go straight?
M Yes. And then turn right. It's on your left.
W Oh, I see.
M It's next to the hospital. You can't miss it.
W Thank you.

해석
여 실례합니다. 우체국에 어떻게 가야 하나요?
남 어디 볼까요. 메인거리까지 곧장 가세요.
여 곧장 가라고요?
남 네. 그러고 나서 오른쪽으로 도세요. 왼편에 있어요.
여 아, 알겠어요.
남 병원 바로 옆에 있어요. 찾으실 수 있을 거예요.
여 고맙습니다.

해설
메인거리에서 오른쪽으로 돈 후, 병원 옆에 있는 것이 우체국이다.

어휘
post office 우체국 / straight 곧장 / turn right 오른쪽으로 돌다 / next to ~의 옆에 / miss 놓치다

15 ②

Script
M Mom, what are you doing?
W I'm making Bulgogi for Dad. Tomorrow is his birthday.
M Oh, do you need any help?
W Yes, wash these vegetables for me.
M Okay.

해석
남 엄마, 뭐 하세요?
여 아빠를 위해서 불고기를 만들고 있단다. 내일이 아빠의 생신이잖니.
남 아, 뭐 도움이 필요하신가요?
여 응, 이 채소를 씻어 주렴.
남 알겠어요.

해설
여자는 남자에게 채소를 씻어 달라고 부탁했다.

어휘
need ~을 필요로 하다 / help 도움 / vegetable 채소

16 ⑤

Script
W John, I heard you went to buy a cap yesterday.
M Right, but I didn't buy one.
W Why not? Didn't you find anything you liked?
M No, I wanted a blue one, but they only had white caps.
W Oh, I see.

해석
여 John, 네가 어제 모자를 사러 갔다고 들었어.
남 응, 하지만 사지는 못했어.
여 왜 못 샀어? 마음에 드는 걸 찾지 못했니?
남 아니, 나는 파란 걸 원했는데, 흰색 모자밖에 없었어.
여 아, 그랬구나.

해설
남자는 원하는 색의 모자가 없어서 모자를 사지 못했다.

어휘
hear 듣다 / cap 모자 / find 찾다 / anything 무엇인가, 아무것도

17 ⑤

Script
[Cell phone rings.]
W Hello?
M Hello, Minji. Do you want to go to the movies this evening?
W Sounds great! When shall we meet?
M How about at 6 pm at Star Movie Theater?
W I don't know where it is. What about meeting at the bus stop near our school?
M Okay. See you there.

해석
[휴대전화가 울린다.]
여 여보세요?
남 안녕, Minji. 너 오늘 저녁에 영화 보러 갈래?
여 좋아! 언제 만날까?
남 스타영화관에서 오후 여섯 시가 어때?
여 그게 어디인지 몰라. 우리 학교 근처의 버스 정류장에서 만나는 건 어때?
남 좋아. 거기에서 보자.

해설
두 사람은 학교 근처의 버스 정류장에서 만나기로 했다.

어휘
go to the movies 영화를 보러 가다 / theater 영화관, 극장 / what about ~? ~은 어때? / bus stop 버스 정류장 / near 근처의

18 ④

Script
[Telephone rings.]
M Jina, I'm going to Damyang this weekend.
W Are you? I went there last year.
M Really? What did you do there?
W I went to the Hanok Village. It was great. Why don't you go there some time?
M Sounds good. Thanks.

해석

[전화벨이 울린다.]

남 Jina, 나 이번 주말에 담양에 갈 거야.

여 그래? 나는 작년에 갔었어.

남 정말? 그곳에서 무엇을 했어?

여 한옥 마을에 갔었어. 정말 좋더라. 너도 언제 그곳에 가 봐.

남 좋은데. 고마워.

해설

여자는 남자에게 한옥 마을에 가 보라고 제안했다.

어휘

go to ~에 가다 / some time 언젠가, 얼마 동안

19 ①

Script

M Oh, this is the new Wonderland book!

W Yeah! I'm reading it now. I like the story very much.

M Really? Can I borrow it later?

W Of course!

해석

남 아, 이거 새 Wonderland 책이구나!

여 응! 지금 읽고 있는 거야. 줄거리가 정말 좋아.

남 정말? 내가 나중에 빌려도 될까?

여 물론이지!

해설

나중에 빌려 달라고 했으므로 물론 그렇게 하겠다는 응답이 자연스럽다.
② 잘 지내. ③ 나도 그래. ④ 네가 부러워. ⑤ 내 잘못이야.

어휘

story 줄거리, 이야기 / borrow 빌리다 / later 나중에 / take care 주의를 기울이다 / envy 부러워하다 / fault 잘못

20 ②

Script

M What would you like to have?

W I'd like two doughnuts and an iced tea.

M Anything else?

W No. Oh, don't forget the straw.

M OK. Here, or to go?

W To go, please.

해석

남 무엇을 드시겠습니까?

여 저는 도넛 두 개랑 아이스티 주세요.

남 다른 것은요?

여 괜찮아요. 아, 빨대를 챙겨 주세요.

남 네. 드시고 가시나요, 포장해 드릴까요?

여 포장해 주세요.

해설

가게에서 먹을 것인지, 가져갈 것인지 물었으므로 둘 중에 하나로 답하는 것이 자연스럽다.
① 여기 있어요. ③ 천만에요. ④ 나는 그것을 정말 좋아해요. ⑤ 너무 뜨거워서요.

어휘

doughnut 도넛 / anything else 그 밖의 다른 것 / forget ~을 잊어버리다 / straw 빨대 / mention ~을 언급하다

새 교과서 반영
중등 듣기 시리즈
LISTENING 공감

- 최근 5년간의 시 · 도 교육청 듣기능력평가 출제 경향을 철저히 분석하여 반영
- 실전과 비슷한 난이도부터 고난도 문제풀이까지 듣기능력평가 시험 완벽 대비
- 실전모의고사 20회 + 기출모의고사 2회로 구성된 총 22회 영어듣기 모의고사
- 원어민과 공동 집필하여 실제 회화에서 쓰이는 대화 및 최신 이슈 반영
- 듣기 모의고사 받아쓰기 수록, MP3 무료 다운로드 제공

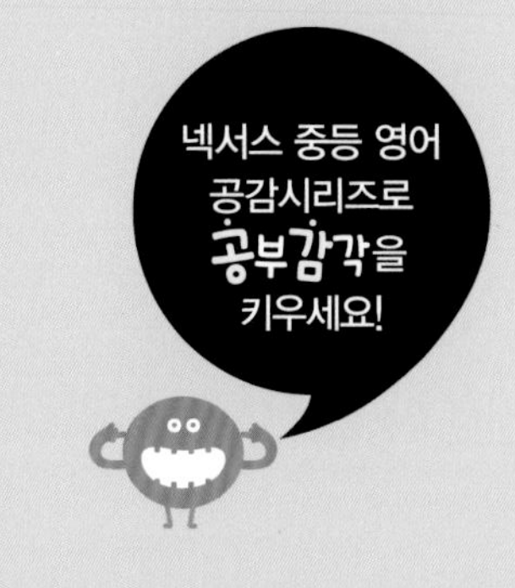

NEXUS makes your next day
www.nexusEDU.kr | 책에 대해 궁금한 사항은 넥서스에듀 홈페이지 1:1 고객상담 게시판을 이용하세요.

넥서스 중등 영어 시리즈

Reading 시리즈

Reading 공감
Level 1~3

After School Reading
Level 1~3

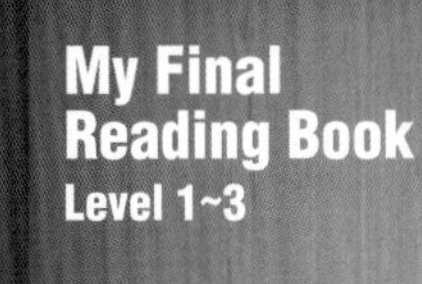

My Final Reading Book
Level 1~3

The Reading
Level 1~3

Listening 시리즈

Listening 공감
Level 1~3

After School Listening
Level 1~3

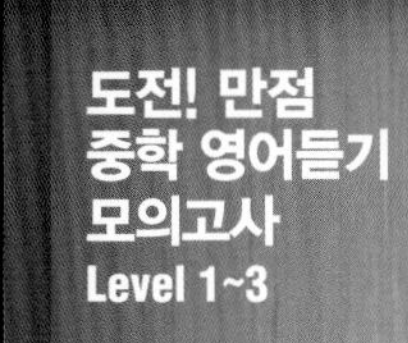

도전! 만점 중학 영어듣기 모의고사
Level 1~3

The Listening
Level 1~4

공든탑 Listening
유형편, 적용편
실전모의고사 1·2

리스닝 본능
Level 1~4

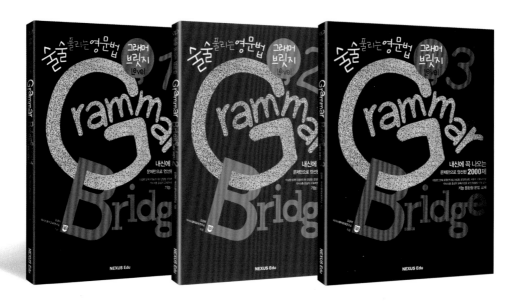